De Mercedes-moord

Alle misdaadromans met Peter Decker en Rina Lazarus in chronologische volgorde:

Het rituele bad
Een onreine dood
Melk en honing
Verzoendag
Valse profeet
De doodzonde
Toevluchtsoord
Gerechtigheid
Gebed voor een dode
Het zoete gif
Jupiters resten
Slachtoffer
De vergetenen
Een stenen omhelzing
Donkere dromen
Het verbrande huis

Faye Kellerman

De Mercedes-moord

2009 – De Boekerij – Amsterdam

Oorspronkelijke titel: The Mercedes Coffin (William Morrow, HarperCollins)
Vertaling: Els Franci-Ekeler
Omslagontwerp: marliesvisser.nl
Omslagbeeld: marliesvisser.nl, met dank aan Peter

Tweede druk 2009

ISBN 978-90-225-5179-0

Voor Jonathan – voor altijd

En welkom, Lila

1

Vijfentwintig jaar geleden werden ze computerfreaks genoemd.

Nu noemt men hen multimiljonairs.

Van alle buitenbeentjes had Genoa Greeves het zonder meer het moeilijkst. Opgezadeld met een knokig lichaam en een idiote naam – haar ouders waren zo dol op Italië dat ze hun twee andere kinderen Pisa en Rome hadden genoemd – hield ze zich zo veel mogelijk afzijdig van de rest van de wereld. Ze gaf antwoord als haar iets werd gevraagd, maar verder ging haar maatschappelijke interactie niet. Haar tienerjaren bracht ze in vrijwillige afzondering door. Zelfs de lelijkste meisjes op school wilden niets met haar te maken hebben en de jongens gedroegen zich alsof ze melaats was. Ze was een eiland: eenzaam en alleen.

Haar ouders maakten zich zorgen over haar geïsoleerde bestaan. Ze stuurden haar naar een eindeloze reeks psychiaters die een breed spectrum aan diagnoses stelden: depressiviteit, angststoornis, het syndroom van Asperger, autisme, schizofrene karakterstoornis en al deze aandoeningen in comorbiditeit. Ze kreeg medicijnen en vijfmaal per week psychotherapie. Al die psychiaters deden erg hun best maar konden niets aan de situatie op school veranderen. Egostimulerende gesprekken en oefeningen in het opkrikken van haar eigenwaarde konden het wrede feit dat ze anders was dan de anderen niet verhullen. Op haar zestiende verzonk ze in een diepe depressie. De medicijnen werkten niet meer. Achteraf gezien was Genoa er heilig van overtuigd dat ze in een inrichting zou zijn opgenomen als er niet toevallig twee volkomen op zichzelf staande dingen waren gebeurd.

Genoa bezat van nature geen greintje vrouwelijke listigheid, noch de lichamelijke attributen die meisjes seksueel aantrekkelijk maken. Maar ook al was ze verstoken van de gewenste vrouwelijke eigenschappen, ze was in een voor haar perfect tijdperk ter wereld gekomen.

Het tijdperk van de computer.

Hightech en computers waren voor Genoa een manna dat uit de hemel kwam neergedaald. Chips en moederborden waren haar enige vrienden. Ze kwam er algauw achter dat als ze tot een computer sprak – in het begin de grote kasten en daarna de alomtegenwoordige desktops – zij en het levenloze voorwerp zich uitdrukten in een taal die slechts weinig uitverkorenen moeiteloos konden verstaan. De technologie lonkte en ze beantwoordde de roep van deze sirene vol overgave. Haar brein, dat haar grootste vijand was geweest, was opeens een zegen.

En haar lichaam, ach, wie gaf daar iets om in Silicon Valley? De wereld waarin Genoa uiteindelijk zou verkeren, was er een van vindingrijkheid en ideeën, van bytes en megabytes en genialiteit. Lichamen waren slechts skeletten die nodig waren om de belangrijke denkmachine boven de nek te ondersteunen.

Maar dat ze opgroeide in het computertijdperk wilde nog niet zeggen dat succes verzekerd was. Succes zou Genoa misschien zelfs niet gegund zijn geweest als een bepaalde persoon – afgezien van haar ouders – niet in haar had geloofd.

Dr. Ben – Bennett Alston Little – was de coolste leraar bij haar op school. Hij gaf les in geschiedenis met sterke nadruk op politicologie, maar was nog veel meer dan docent, schooldecaan en onderdirecteur van de jongensafdeling. Hij was een knappe man, lang en gespierd, waardoor alle meisjes verliefd op hem waren, en hij genoot het respect van de jongens omdat hij weliswaar streng maar altijd fair was. Hij wist veel van de meest uiteenlopende onderwerpen en was geliefd bij ieder van de vijfentwintighonderd middelbare scholieren die hij tot nu toe onder zich had gehad. Allemaal heel fijn, alleen had Genoa er niets aan, tot die dag dat ze hem op de gang tegenkwam.

Hij glimlachte naar haar en zei: 'Hallo, Genoa, hoe gaat het?'

Ze was zo verbijsterd dat ze geen antwoord gaf en er met een kop als een boei vandoor ging. *Hoe weet doctor Ben hoe ik heet?* vroeg ze zich af.

De tweede keer dat ze hem tegenkwam, gaf ze ook geen antwoord, maar ze ging er in ieder geval niet meteen vandoor. Ze ging alleen iets sneller lopen en begon pas te hollen toen hij helemaal aan de andere kant van de gang was aangekomen.

De derde keer mompelde ze iets, met neergeslagen ogen.

Pas toen ze hem voor de zesde keer tegenkwam, slaagde ze erin 'Dag, doctor Ben' te zeggen, al kon ze nog steeds geen oogcontact maken zonder dat de vlammen haar uitsloegen.

Hun eerste, laatste en enige echte gesprek vond plaats toen ze in de vijfde klas zat. Genoa had bericht gekregen dat ze bij hem moest komen. Ze was zo zenuwachtig dat ze het bijna in haar broek deed. Ze droeg een slobberige spijkerbroek en een sweatshirt, en droeg haar kroezige haar in een weerbarstige paardenstaart.

'Ga zitten, Genoa,' zei hij. 'Hoe gaat het ermee?'

Ze was niet in staat antwoord te geven. Hij keek ernstig en ze had het zo benauwd dat ze niet kon vragen wat ze had gedaan.

'Ik heb je bij me laten komen omdat ik je graag persoonlijk wilde vertellen dat we de uitslag van je PSAT-test hebben ontvangen.'

Ze knikte alleen maar. Hij zei: 'Je weet natuurlijk zelf ook wel dat je bijzonder goed kunt leren. Het doet me veel genoegen je te kunnen vertellen dat je de hoogste score van de hele school hebt behaald. En dat niet alleen. Je hebt de hoogste score behaald die er te behalen valt. De volle 1600 punten.'

Ze had het nog steeds zo benauwd dat ze niets kon zeggen. Haar hart bonkte en haar gezicht voelde aan alsof er duizend hete lampen op gericht waren. Zweet stroomde van haar voorhoofd langs haar neus. Ze haalde snel haar mouw over haar gezicht en hoopte dat hij het niet in de gaten had, maar dat zou vast wel.

'Weet je hoe uitzonderlijk dat is?' vroeg Little.

Genoa wist dat het uitzonderlijk was. Ze was zich er pijnlijk van bewust hoe uitzonderlijk ze was.

'Ik wilde je graag persoonlijk feliciteren. Ik verwacht grote dingen van je, jongedame.'

Genoa meende zich later te herinneren dat ze 'dank u' had gefluisterd.

Dr. Ben glimlachte naar haar. Een brede glimlach waarbij hij zijn grote, witte tanden ontblootte. Hij kamde met zijn vingers zijn roodblonde haar naar achteren en probeerde oogcontact met haar te maken. Zijn ogen waren zo volmaakt blauw dat ze er niet naar kon kijken zonder dat haar adem stokte. Hij zei: 'Je hebt mensen in alle soorten en maten, Genoa. Sommige mensen zijn klein, andere zijn groot, sommige zijn muzikaal, andere artistiek aangelegd, en er is een selecte groep mensen, waartoe jij behoort, die zijn gezegend met onvoorstelbare intellectuele capaciteiten. Met jouw brein zul je het heel ver schoppen, Genoa. Denk aan het bekende verhaal van de schildpad en de haas. Je zult er komen, Genoa. Je zult er komen, en ik ben er absoluut zeker van dat je al je klasgenoten voorbij zult streven omdat jij in het bezit bent van het enige orgaan dat niet door middel van plastische chirurgie verbeterd kan worden.'

Geen antwoord. Zijn woorden bleven in de lucht hangen.

Little zei: 'Je zult het ver schoppen, Genoa. En je zult zelfs vaak moeten wachten omdat de rest van de wereld je niet kan bijbenen.'

Dr. Ben stond op.

'Nogmaals van harte gefeliciteerd. De hele staf van North Valley High is erg trots op je. Je mag het aan je ouders vertellen, maar hou het verder alsjeblieft stil tot iedereen de uitslagen per post heeft ontvangen.'

Genoa knikte en stond op.

Little glimlachte weer. 'Je mag nu wel gaan, hoor.'

Tien jaar later, in haar luxueuze kantoor op de veertiende verdieping met uitzicht op Silicon Valley, met haar kopje warme chocolademelk al op haar bureau, sloeg Genoa Greeves de *San Jose Mercury News* open en las het bericht over de afgrijselijke, maffia-achtige manier waarop dr. Ben was vermoord. Als ze in staat was geweest te huilen, zou ze dat gedaan hebben. Zijn woorden, de enige bemoedigende woorden die in haar hele schooltijd tegen haar waren gezegd, klonken nog altijd na in haar hoofd.

Ze volgde het nieuws over de moord op de voet.

In de artikelen die erover verschenen, werd benadrukt dat Bennett Alston Little voor zover men wist geen enkele vijand had gehad. Het onderzoek naar de moord, dat van het begin af aan moeizaam verliep, kwam na een half jaar knarsend tot stilstand. Er waren een paar 'verdachte individuen' – zeg toch gewoon 'verdachten', dacht Genoa – maar men had niets ontdekt wat tot de oplossing van de zaak hadden kunnen leiden. De moord verdween eerst van de voorpagina, daarna van de binnenpagina's en uiteindelijk werd er niets meer over geschreven, met uitzondering van een berichtje op de jaardag. Daarna werd de zaak een cold case ergens diep in de catacomben van de politie van Los Angeles.

Vijftien jaar ging voorbij. En toen las Genoa stomtoevallig in de *Los Angeles Times* een bericht over een moord die sterke overeenkomsten vertoonde met die op dr. Ben. Ze zat toen inmiddels op de directeursstoel in het kantoor van de CEO van Timespace, dat de vijftiende tot en met de twintigste verdieping bezette van het Greeves Building in Cupertino. Het verschil met de moord op dr. Ben was dat er voor deze carjacking verdachten in hechtenis waren genomen.

Ze dacht erover na...

Toen pakte ze de telefoon en belde de politie van Los Angeles. Het duurde even tot ze daar de juiste persoon te pakken had, maar toen wist ze tenminste dat ze iemand aan de lijn had die de gewenste autoriteit bezat. Genoa eiste niet dat de zaak-Little werd heropend, maar het was zonneklaar dat ze dat wilde. Ze had genoeg geld om zelf een legertje privédetectives in te huren en een onderzoek in te stellen naar de moord, maar wilde niemand op de tenen trappen en waarom zou ze er geld aan uitgeven als ze al zo buitensporig veel belasting aan de staat Californië betaalde? Het geld dat ze aan een privéonderzoek zou hebben besteed, kon beter binnen het politiekorps worden gebruikt, om de rechercheurs van de afdeling Moordzaken te helpen bij hun onderzoek.

Een heleboel geld, om precies te zijn, als ze op die afdeling het onderzoek naar de moord op Ben Little zouden heropenen en oplossen.

De hoofdinspecteur luisterde naar haar pleidooi en reageerde met de verwachte hoeveelheid enthousiasme. Hij klonk zelfs een tikje kruiperig.

Genoa wilde dat de zaak werd heropend opdat Bennett Alston Little recht zou worden gedaan.

Genoa wilde dat de zaak werd heropend omdat de recente moord leek op die op Little en ze zich afvroeg of er een verband tussen de twee zaken bestond.

Genoa wilde dat de zaak werd heropend opdat de moordenaar zou worden terechtgesteld.

Genoa wilde dat de zaak werd heropend om de vrienden en familieleden van de slachtoffers gemoedsrust en troost te schenken.

Genoa wilde dat de zaak werd heropend omdat ze in dit stadium van haar leven, met 1,3 miljard dollar tot haar beschikking, kon doen wat ze wilde.

2

'Het ging zo. Ik zeg: "Dat is een zaak van vijftien jaar geleden." Zegt Mackinerny: "Dat interesseert me geen reet, Strapp. Al was het een zaak uit de ijstijd. Als we hem oplossen krijgen we een cadeautje van zes nullen. Jij gaat er dus voor zorgen dat de zaak wordt opgelost." Dus zeg ik: "Geen probleem, meneer."'

'Goed gezegd.'

'Dat vond ik ook.'

Inspecteur Peter Decker keek naar hoofdinspecteur Strapp, die de afgelopen tien minuten zo zijn voorhoofd had zitten fronsen dat hij er nog een paar rimpels bij had gekregen. Hij werd dit jaar zestig, maar had nog steeds het krachtige, gedrongen uiterlijk van een gewichtheffer. De hoofdinspecteur had een vlijmscherp stel hersens en een daarbij passende roestvrijstalen persoonlijkheid. 'Ik zal mijn best doen, meneer.'

'Precies. Jíj zult je best doen. Ik wil dat jij deze zaak persoonlijk behandelt, Decker, en hem niet doorschuift naar een team van Moordzaken.'

'Mijn teams zijn anders beter op de hoogte van de nieuwe technieken en forensische snufjes dan ik. Ze zullen veel beter werk leveren nu ik me hoofdzakelijk met psychotherapie en het indelen van de vakanties bezighoud.'

'Niet lullen.' Strapp wreef in zijn ogen. 'Afgelopen zomer heb je meer tijd buiten doorgebracht dan op je kantoor, te oordelen naar de hoeveelheid overuren die je hebt verzameld door al die vluchten naar San Jose en Santa Fe. Daar heb je vast wel een paar gratis reisjes aan overgehouden.'

'We hebben toen twee moorden opgelost.'

'Waarvan er één vijfentwintig jaar oud was. Dan is dit voor jou een peulenschil. Er hangt veel van deze zaak af, Deck.'

Met een bedrag van zes nullen kon het politiekorps – het LAPD – heel veel modernisaties doorvoeren. De afdeling uitrusten met de nieuwste forensische apparatuur waardoor ze meer misdadigers achter de tralies zouden krijgen. Al wist Decker uit ervaring dat als puntje bij paaltje kwam het toch ook altijd sterk afhing van de mensen zelf: de mannen en vrouwen die uren zaten te ploeteren om bekentenissen los te krijgen, die een detail zagen dat door anderen over het hoofd was gezien, die tóch nog een getuige gingen ondervragen.

Niet dat technologie niet belangrijk was. En met zo'n schenking...

Geld regeert de wereld.

'Waarom belde ze eigenlijk?' vroeg Decker aan Strapp.

'Ze had het nieuws over de carjacking van Primo Ekerling in Hollywood gelezen. De zaak deed haar aan de onopgeloste zaak-Little denken.'

'Heeft Hollywood voor die carjacking niet een paar latino's opgepakt?'

'Jawel, maar daar gaat het niet om. De overeenkomsten tussen de twee zaken zijn zo opvallend dat er meteen iets in haar schatrijke brein klikte.'

'Wat is haar relatie tot Little, afgezien van het feit dat hij de decaan was van haar school?'

'Volgens mij alleen dat. Ze heeft aan Mackinerny verteld dat Little de enige was die tijdens haar moeilijke tienerjaren aardig voor haar was, en nu heeft ze genoeg geld om mensen naar haar pijpen te laten dansen,' zei Strapp. 'Jij en ik zaten nog in Foothill toen Little werd vermoord. Voor zover ik me kan herinneren, zei iedereen dat hij een aardige man was geweest.'

Decker had de zaak destijds niet van dichtbij gevolgd. Hij herinnerde zich wel dat de plaatselijke kranten er aandacht aan hadden besteed. 'Hoe snel moet ik eraan beginnen?'

'Gisteren zou prettig zijn. Deze zaak moet absolute voorrang krijgen. Duidelijk?'

'Duidelijk. Over en uit.'

Het denkwerk kon hij niet uitbesteden, maar het benenwerk wel. Hij belastte een van de jonge rechercheurs met de noodzakelijke maar bijzonder frustrerende taak vanaf West Valley naar de binnenstad te rijden om het dossier over Little op te halen. Tijdens de ochtendspits zou hij daar één tot twee uur over doen, afhankelijk van het aantal meldingen over ongevallen die de politie zouden dwingen tijdelijk rijbanen af te sluiten. Intussen nam Decker zijn lopende zaken door en werkte zo veel mogelijk af om zijn aandacht volledig aan de zaak-Little te kunnen besteden.

Het LAPD had rechercheurs die specifiek tot taak hadden cold cases in de gaten te houden en het was niet duidelijk waarom deze zaak hun nog niet was opgevallen. Als West Valley erin zou slagen hem op te lossen, dacht Decker, kwam een groot deel van het begeerde geld gegarandeerd in Strapps laatje terecht. Bovendien was het logisch dat rechercheurs meer kans hadden een zaak op te lossen die in hun eigen district thuishoorde.

Tegen de tijd dat Decker zijn aandacht daadwerkelijk op de zes kartonnen dozen die uit de catacomben waren gehaald kon richten, was het al over zessen, zo veel misdadigers hadden zijn aandacht opgeëist. Als hij iets gedaan wilde krijgen, moest hij in alle rust kunnen lezen en nadenken, dus ging hij thuis werken. Het was weliswaar niet geoorloofd bewijsmateriaal mee te nemen, maar iedereen deed het.

Via Devonshire Boulevard was hij binnen een kwartier thuis. Zijn in ranchstijl opgetrokken huis stond op een lap grond van ongeveer twaalfhonderd vierkante meter, wat niet veel was vergeleken bij de boerderij waar hij woonde toen de moord op Little de voorpagina's had gehaald, al was er genoeg ruimte om op een mooie lentedag zijn werkbank buiten te zetten en lekker wat te knutselen. De tuin was een lust voor het oog geworden sinds Rina zich twee jaar geleden op tuinieren had toegelegd. Ze had het saaie gazon in een weelde aan uitbundige kleuren omgetoverd. Dit jaar had ze zelfs een plaats veroverd op de L.A. Garden List van tuinen die het bezoeken waard waren. Een hele zondag hadden groepjes tuinaficionado's er vol bewondering rondgelopen en Rina geloofd om haar werk.

Bij de voordeur rook Decker de knoflook al. De culinaire talenten van zijn vrouw waren nog groter dan haar aanleg voor tuinieren. Met drie van de dozen op elkaar gestapeld op zijn ene arm, stak hij met zijn andere hand de sleutel in het slot van de voordeur en hij wist binnen te komen en de dozen op de eetkamertafel te zetten zonder ergens over te struikelen. Dat was een goed teken.

Rina kwam de keuken uit. Ze had nog steeds pikzwart haar, zonder ook maar een zweem van grijs, hoewel ze over de veertig was. Het feit dat ze er zo jong bleef uitzien, deed Decker er iedere dag op een pijnlijke manier aan denken dat hij nu zelf al dik in de vijftig was en helemaal grijs was. De enige haarwortels die het oorspronkelijke rode pigment nog bevatten, waren die van zijn snor. Gezichtshaar was eigenlijk niet meer in de mode, maar Rina vond dat hij er met zijn snor erg knap en mannelijk uitzag, en zij was de enige op wie hij nog indruk wilde maken.

Rina droogde haar handen aan een theedoek. Ze wees naar de dozen. 'Wat is dat allemaal?'

'Ik ben alweer opgezadeld met een cold case en er is haast bij.'

'Zie je nou wat ervan komt als je zo goed in je werk bent?'

Decker lachte. 'Drijf de spot maar met mij! Wat ruikt er zo lekker?'

'Kip cacciatore met pasta. Ik heb er extra veel knoflook in gedaan omdat er griep heerst. Als mijn plan werkt, zal iedereen ver bij ons vandaan blijven en kunnen we door niemand aangestoken worden. Onderling zullen we elkaar wel kunnen verdragen, omdat we hetzelfde eten.'

'En hoe zit het met onze nazaat? Zal zij ons nog kunnen verdragen?'

'Hannah doet niet ter zake. Ik heb het kind de afgelopen drie dagen amper gezien. Zo gaat dat als ze eenmaal een rijbewijs hebben. Ze zit bij Lilly voor een scheikundeproefwerk te blokken.'

Decker keek verheugd. 'Dus we zijn helemaal alleen?'

'Ja. Als jij die dozen nou even van de tafel haalt, trek ik een fles wijn open. Ik heb een Sangiovese die ik van KosherWine.com heb.'

'Dat lijkt me heerlijk, maar ik moet het bij één glas laten, lieverd. Ik moet werken.'

'Vandaar de dozen.'

'Er staan er nog drie in de auto.'

'Lieve hemel. Kan ik je soms helpen?'

'Nee. Alleen wil ik deze nog heel even op de tafel laten staan tot ik de andere heb gehaald. Dan zet ik alles in mijn kantoor en kunnen we samen eten voordat ik in het verleden duik. Hoe was jouw dag?'

Rina's blauwe ogen flonkerden. 'O, gewoon. Ik heb weer eens geprobeerd verveelde kinderen iets te leren waar ze absoluut geen belangstelling voor hebben.'

'Leuk voor je. Wat het salaris betreft, kun je het net zo goed laten.'

'Ja...' Weer glimlachte ze, 'maar dan zou het leven geen uitdagingen meer hebben. Tuinieren is leuk, maar een plant haalt het toch niet bij een weerbarstige tiener. Ik ben dol op die kinderen.'

'De zaak die ik moet oplossen gaat over een onderwijzer.'

Rina's glimlach verdween. 'O ja?'

'Het is een zaak van vijftien jaar geleden. Het slachtoffer was een geschiedenisleraar uit North Valley.'

'Bennett Little. Aangetroffen in de kofferbak van zijn Mercedes, doodgeschoten in maffiastijl.'

'Wat heb jij een goed geheugen.'

'Het was een opzienbarende zaak. Jij werkte nog op Foothill en we woonden nog op de oude boerderij.' Ze glimlachte. 'Ik mis de boerderij wel eens, ook al moesten we vier kilometer naar de sjoel lopen.'

'Ik mis de boerderij ook, maar het uitmesten van de paardenstallen niet. Mijn handen zijn al vuil genoeg. Ik ben erg onder de indruk van je geheugen, al is het wel logisch dat je het nog weet. Toen ik zo oud was als jij, had ik ook een goed geheugen.'

'Ja, Peter, ik weet het, je staat met één been in het graf.'

'Wat kun je je nog meer over de zaak-Little herinneren?'

'Uiteindelijk is men tot de slotsom gekomen dat het waarschijnlijk een carjacking was.' Ze fronste haar wenkbrauwen. 'Vergis ik me, of loopt er op het moment in Hollywood een zaak die erg op die van Little lijkt en inderdaad een carjacking is?'

'Dat klopt. Twee zestienjarige criminelen zijn daarvoor in hechtenis genomen.'

'Hebben de twee zaken iets met elkaar te maken?'

'Na vijftien jaar?' Decker haalde zijn schouders op. 'Dat lijkt me sterk, maar ik kan er niks over zeggen tot ik de dossiers heb gelezen.'

'Hebben ze de zaak-Little heropend wegens die zaak in Hollywood?'

'Indirect, ja.' Decker slaakte een zucht. 'Ik leg het je dadelijk wel uit. Ik haal even de rest van de dozen, dan zet ik ze in mijn kantoor en kunnen we eten. Ik val om van de honger.'

'Weet je zeker dat ik verder niks voor je kan doen, Peter?'

'Je mag kaarsen op tafel zetten. Voor zover ik weet heeft een romantische sfeer een onderzoek nog nooit kwaad gedaan. En straks mag je een pot sterke koffie zetten. Die zal ik vanavond nodig hebben.'

3

Dit waren de naakte feiten over de moord. Little had de hele dag lesgegeven en was aan het eind van de dag naar de parkeerplaats van de school gelopen. Voordat hij bij zijn drie jaar oude zilverkleurige Mercedes-Benz 350SL was aangekomen, was hij aangeklampt door een groepje van zes leerlingen. De leerlingen vertelden later dat ze een vrolijk, schertsend gesprek hadden gevoerd. Ze hadden met dr. Ben gepraat tot die op zijn horloge had gekeken en gezegd dat hij moest gaan omdat hij nog een bespreking had en niet te laat wilde komen. Volgens de scholieren was Little om ongeveer half vijf van het parkeerterrein afgereden.

De bespreking in kwestie was met een groepje buurtbewoners en Connie Kritz, lid van de gemeenteraad van Los Angeles, en ging over opvangcentra voor daklozen, wat in de jaren negentig een heet hangijzer was.

Niet dat de daklozen van tegenwoordig niet net zo hulpbehoevend zijn, maar Decker wist, na jarenlang gemeenteproblemen te hebben behandeld, dat niet iedereen met stip boven aan de lijst kon staan. De ongewassen schizofrenen hadden het veld moeten ruimen voor de opwarming van de aarde.

Volgens het dossier had dr. Ben om acht voor vijf via zijn autotelefoon naar huis gebeld. Zijn vrouw Melinda Little zei dat het een kort gesprek was geweest omdat de lijn erg slecht was. Ben had gezegd dat hij om ongeveer zeven uur thuis zou zijn.

Om acht uur ging Melinda zich zorgen maken. Ze belde naar zijn autotelefoon, maar kreeg geen gehoor. Ze piepte hem op, maar hij belde niet terug. Toch was ze nog niet erg ongerust. Ze dacht dat hij zijn pieper had afgezet en nog in bespreking was. Bij de debatten over de daklozen ging het wel eens verhit toe. Toen de koekoeksklok negen uur sloeg en ze nog steeds niets van Ben had gehoord, zei Melinda tegen haar zonen dat ze eventjes weg moest.

Ze reed naar het Civic Auditorium, maar daar was niemand aanwezig. Met trillende handen reed ze terug naar huis, deed de deur van de slaapkamer op slot en belde een aantal mensen tot ze het privénummer van Connie Kritz kreeg. Het verbaasde het gemeenteraadslid dat Melinda niets van Ben had gehoord. Connie zei dat de bespreking over de daklozen rond half acht was afgelopen. Ze dacht dat Ben samen met de rest van de groep was vertrokken.

Het liep inmiddels tegen tienen.

Melinda belde de politie, maar kreeg te horen dat een volwassene pas na achtenveertig uur als vermist kon worden opgegeven. Ze zei dat het niets voor Ben was dat hij niet op tijd was thuisgekomen, maar dat maakte geen indruk op de brigadier. Hij deed een aantal suggesties.

Misschien was hij bij een vriend.

Misschien was hij bij een vriendin.

Misschien was hij ergens een hapje gaan eten.

Misschien was hij ergens iets gaan drinken.

Misschien was hij een eindje gaan rijden.

Misschien zat hij in een midlifecrisis en had hij tijd nodig om na te denken.

De brigadier raadde haar aan gewoon naar bed te gaan; ze zou zien dat hij vanzelf weer kwam opdagen.

Melinda vond dat je reinste onzin. Ze wist dat Ben haar via de autotelefoon zou hebben gebeld als hij was opgehouden. Daar was dat ding voor. Voor noodgevallen.

Om half twaalf klopten de jongens op de deur om te vragen waarom hun moeder al anderhalf uur in de slaapkamer zat. Melinda wilde hen niet ongerust maken, dus zei ze dat ze iemand aan het helpen was die in moeilijkheden verkeerde.

'Waar is papa?' vroeg de jongste.

'Die is iemand anders aan het helpen.'

De jongens geloofden dat onvoorwaardelijk. Hun vader was altíjd iemand aan het helpen.

Melinda zei tegen haar zonen dat ze naar bed moesten gaan en ging weer aan het bellen. Een uur later, toen Melinda nog steeds niets van Ben had gehoord, kwamen haar beste vriendinnen om haar bij te staan tot de zaak opgelost zou zijn. Hun echtgenoten gingen er intussen op uit om te zien of ze Ben en/of zijn auto konden vinden.

Het gevreesde telefoontje kwam om half vier 's nachts. De Mercedes was gevonden. Hij stond op het verder geheel verlaten parkeerterrein van het Clearwater Park. De politie was al gewaarschuwd. Even later arriveerden er twee surveillancewagens bij het park.

Er zat niemand in de Mercedes en er was geen spoor van Ben te bekennen. Terwijl de groep aan het overleggen was wat ze moesten doen, zag een oplettende agent dat de achterzijde van de Mercedes nogal laag lag en dat er iets uit de auto drupte. De agent trok handschoenen aan en morrelde aan het slot van de kofferbak tot het openging.

Bennett Alston Little was volledig gekleed. Zijn handen en voeten waren met schoenveters strak vastgebonden en hij had een blinddoek voor. Hij was driemaal in zijn achterhoofd geschoten.

Weer moest Melinda met de politie gaan praten.

Ditmaal werd ze niet afgepoeierd.

Decker bekeek allereerst de foto's. Als hij op een zaak werd gezet die oorspronkelijk door anderen was behandeld, wilde hij altijd graag plaatjes bij de droge feiten. De foto's van vóór de moord lieten zien dat Ben Little een bijzonder knappe man was geweest: intelligente, lichte ogen, gulle lach, stoere kin, atletische bouw. Het dossier bevatte twee portretfoto's en een van Ben met zijn gezin.

In scherpe tegenstelling hiermee lag de onderwijzer op de foto's van ná de moord in een foetuspositie met zijn knieën tot aan zijn voorhoofd opgetroken – een eigenaardige positie voor een dode. Zijn hoofd lag in een grote plas bloed. Decker las het verslag over de plaats delict tot hij had gevonden waar hij naar op zoek was. In de kofferbak waren patroonhulzen gevonden, wat inhield dat de kofferbak de plaats moest zijn waar de man was vermoord. Ben leefde dus waarschijnlijk nog toen hij in de kofferbak was gelegd en had automatisch een ineengedoken, verdedigende positie aangenomen. En toen was hij geëxecuteerd.

Het was in zekere zin heel vreemd om dossiers over oude zaken te lezen, want daardoor veranderde een lijk weer in een levend persoon. De twee rechercheurs die de zaak hadden behandeld – Arnold Lamar en Calvin Vitton – leken hard gewerkt te hebben. Aan het dossier ontbrak in ieder geval niets. Voor de 'verrijzenis' van Ben Little moest Decker een diepgaand gesprek met Lamar en Vitton gaan voeren, maar hij wilde eerst zijn eigen mening over de zaak laten uitkristalliseren.

Gaandeweg werd Little zichtbaar als de persoon die hij was geweest. Hij had een paar opvallende eigenschappen gehad: hij liet zijn vingers knakken, lachte vaak te luid, maakte overal lijstjes van. Gevaarlijke afwijkingen had hij niet gehad. Volgens Melinda Little had haar man onuitputtelijke energie gehad, hij was altijd druk bezig met de school, het schoolbestuur, problematische en uitmuntende leerlingen, plaatselijke clubs en zijn burgerplichten, en – dat mocht zeker niet vergeten worden – zijn gezin. Af en toe brak al het werk hem op en kreeg hij een fikse verkoudheid of griep, en als dat gebeurde werd Ben 'zoals de meeste mannen, een kind dat vertroeteld wilde worden'.

Melinda zei dat ze het nooit erg had gevonden om hem op zijn wenken te bedienen, om iets terug te doen, omdat hij altijd zo veel voor anderen deed. Voor zover ze wist, had hij er geen vriendin op na gehouden.

'Daar had hij niet eens tijd voor.'

Hij vertelde haar altijd precies waar hij zou zijn en wanneer, en gaf haar de betreffende telefoonnummers voor het geval ze hem nodig mocht hebben. En de weinige keren dat ze hem had moeten bellen, was hij altijd geweest waar hij volgens zijn agenda moest zijn.

Hij dronk niet, gebruikte geen drugs. Ze hadden geld op de bank, een pensioenfonds, een levensverzekering, voorzieningen opdat beide zonen konden gaan studeren. Als Ben geld had uitgegeven aan louche zaken, had hij het geld ervoor niet van hun gezamenlijke spaarrekening gehaald. Op het huis was niet in het geheim een tweede hypotheek afgesloten, de auto werd volgens schema afbetaald, er was altijd geld voor verjaardags- en kerstcadeautjes, en hij en Melinda gingen in ieder geval één keer per jaar samen op vakantie. Ben was een aardige, attente man. Het enige wat je in zijn nadeel zou kunnen zeggen, was misschien dat hij te veel deed. Een paar keer had hij een belangrijke honkbalwedstrijd van de jongens moeten overslaan, en een of twee toneelvoorstellingen op school, maar gold dat niet voor de meeste werkende vaders?

Toen men haar nader aan de tand voelde, gaf Melinda toe dat Ben af en toe wel in de put zat. Om een leerling die was omgekomen bij een auto-ongeluk, en een andere die aan een overdosis was overleden. Om een veelbelovend meisje dat zwanger was geraakt. Van dat soort dingen werd hij gedeprimeerd, maar hij stortte zich in zulke gevallen altijd op een nieuw project. Hij bleef nooit treuren om dingen waar hij toch niets aan kon doen.

Bens zonen, Nicolas Frank en Jared Eliot, waren respectievelijk vijftien en dertien toen hun vader werd vermoord. Ze waren nu dus dertig en achtentwintig. Decker was benieuwd hoe de jongens ertegenaan keken nu ze volwassen waren. Hij zou met hen moeten gaan praten.

Tegen de tijd dat Decker het dossier helemaal had doorgenomen, was het drie uur. Zijn ogen waren bloeddoorlopen, hij had pijn in zijn rug en op zijn schouders drukte de zware last van de verantwoordelijkheid. Hij liep op zijn kousenvoeten de slaapkamer in en stapte heel voorzichtig in bed om zijn vrouw niet wakker te maken, maar zodra Rina het matras voelde bewegen, kroop ze dicht tegen haar man aan.

'Alles in orde?' vroeg ze.

'Ja, hoor.'

'Slaap lekker, lieverd.'

'Jij ook.' Decker was doodmoe, maar toch duurde het nog even voordat hij de slaap kon vatten. Hij werd door onrustige dromen geplaagd, maar toen hij 's ochtends wakker werd, kon hij zich er niets van herinneren. Er zat alleen een hol gevoel ergens diep in zijn binnenste.

4

Decker zette alle raampjes open toen hij door de heuvels van Santa Monica reed en voelde de zilte mist op zijn gezicht. Het was een welkome afwisseling op het warmere, drogere klimaat van de stad waar hij woonde en werkte. Hier in de Palisades was de Californische droom werkelijkheid geworden: kapitale villa's prijkten te midden van de ruige heuvels, hun weelderige tuinen zo groen dat het milde klimaat duidelijk nog wat extra hulp kreeg in de vorm van irrigatie. Hoge eucalyptussen en ficussen stonden als wachtposten aan weerskanten van het asfalt. Het was bijna tien uur en de zon begon de nevel te verdrijven. Kobaltblauw gluurde tussen de grijze wolken door, de temperatuur was zacht en het beloofde een prachtige dag te worden.

Deckers oude Ford Crown Victoria zwoegde de heuvel op, kreunend in elke bocht. Het adres waar hij moest zijn, bevond zich op de bovenste richel van een vooruitstekende rotspartij. Er was niet veel parkeerruimte, maar de straat was tenminste vlak. Het huis dat bij het nummer hoorde was modern, opgetrokken uit hout, glas en beton.

Melinda Little Warren deed de deur al open voordat hij had aangebeld. Ze vroeg hem binnen te komen en liet hem op een bank met witte canvasbekleding plaatsnemen. Geen koetjes en kalfjes; ze kwam meteen ter zake.

'Na al die jaren... Waarom nu?' wilde Melinda weten.

Decker dacht over de vraag na terwijl hij naar het indrukwekkende uitzicht op de blauwe oceaan keek. 'Ik zou kunnen zeggen dat we het doen omdat wijlen uw echtgenoot Ben een goed mens was en het veel mensen altijd heeft dwarsgezeten dat de dader nooit is opgepakt. En dan zou ik de waarheid spreken. Maar de ware reden is dat iemand het LAPD een grote schenking heeft beloofd als we erin slagen de zaak op te lossen.'

De vrouw moest halverwege de vijftig zijn, maar zag er jonger uit met haar donkere, fonkelende ogen, weelderige blonde haar en lange, slanke benen. Ze droeg een olijfkleurige capribroek, een witte, linnen blouse en liep op sandalen.

'Geld geeft altijd de doorslag.' Ze kamde met haar nagels door de kilometers asblonde lokken. 'Dat had ik eigenlijk zelf ook wel kunnen bedenken. Ik heb indertijd een privédetective ingehuurd toen het onderzoek op niets was uitgelopen. Het heeft me veel geld en nog meer hartzeer gekost.'

Decker haalde een notitieboekje en een pen uit zijn zak en vroeg: 'Heeft hij iets ontdekt?'

'Niets wat tot een doorbraak heeft geleid.'

'Weet u nog hoe hij heet?'

'Phil Shriner. Ik heb hem al jaren niet gesproken.'

'Ik zal hem opzoeken.'

'Mag u doen. Het maakt mij niets uit.' Ze schudde haar hoofd. 'Als ik eraan denk wat een last Mike op zich heeft genomen toen hij me ten huwelijk vroeg... mijn belabberde financiële situatie, mijn hulpbehoevende zonen... dan groeit mijn bewondering voor hem logaritmisch.'

Mike was Michael K. Warren van Warren Communications. Zijn specialiteit was stemactivering. Hij en Melinda woonden nu tien jaar in dit paradijs op aarde. Het huis had houten vloeren, een open haard die twee verdiepingen besloeg, muren van glas. Het spaarzame meubilair was wit, maar het interieur maakte geen kille indruk. Misschien kwam dat door alle snuisterijen, de *tsjatsjkes*, zoals Rina die noemde.

'Logaritmisch,' zei Decker. 'U moet docente wiskunde zijn.'

Ze glimlachte. 'En u moet een speurneus zijn.'

'Zo hebt u Ben leren kennen.'

'Klopt.' Haar blik werd wazig. 'Ik heb veel tegenspoed gehad in mijn leven, maar veel geluk in de liefde. En een mens kan niet alles hebben.'

Decker vroeg zich af wat voor tegenspoed ze nog meer had gehad.

'Mag ik weten wie het geld ter beschikking heeft gesteld?' vroeg Melinda.

'Genoa Greeves. De CEO van Timespace.'

'Timespace ken ik. Wat heeft zij met Ben te maken?'

'In de jaren tachtig zat ze op de school waar hij lesgaf. Ze beschrijft zichzelf als een echte nerd en zegt dat uw man de enige was, op haar ouders na, die haar ooit bemoedigend heeft toegesproken. Intelligente mensen herinneren zich zulke dingen.'

Ze trok haar wenkbrauwen op maar zei niets.

'Herinnert u zich haar?' vroeg Decker.

'Nee, maar wat ze zegt, verbaast me niets. Ben deed altijd dingen voor andere mensen. Ik ken niemand die zo altruïstisch is als hij. Soms zou ik bijna willen dat ik een drugsprobleem of een maîtresse had ontdekt. Het zou hem menselijker hebben gemaakt. In mijn ogen staat hij zo onderhand bijna gelijk aan God. Alle anderen vallen bij hem in het niet. Ik ben dol op Mike, maar hij zal nooit...' Tranen stroomden over haar wangen. 'Neemt u me niet kwalijk. Dit is erg moeilijk voor me.'

'Dat geloof ik zonder meer, maar als ik deze zaak goed wil aanpakken, moet ik bij het begin beginnen.'

Ze droogde haar tranen met een papieren zakdoekje. 'Ik ben bang dat ik u niets nieuws kan vertellen.'

'Ik zou er al mee geholpen zijn als u me vertelde wat er die avond is gebeurd.'

Een diepe zucht. 'Waarom niet? Ik heb het al zo vaak verteld. Ben zei dat hij om ongeveer zeven uur thuis zou zijn. Toen hij er om tien uur nog niet was, begon ik me zorgen te maken. Ik ben in de auto gestapt en naar het Civic Auditorium gereden om te zien of er nog iemand was die bij de bespreking was geweest. Er was helemaal niemand meer. Ik ben teruggegaan naar huis en heb de politie gebeld. Daar zeiden ze dat ik na achtenveertig uur nog maar eens moest bellen. Om een volwassene die vermist wordt, maken ze zich niet druk.'

'Weet u nog wie u aan de telefoon had?'

'Wendell Festes. Hij heeft uiteindelijk zijn verontschuldigingen aangeboden voor het feit dat hij zo neerbuigend tegen me had gedaan, maar kwam wel meteen weer met dingen als "nou ja, u snapt zelf ook wel wat er over het algemeen aan de hand is in zulke gevallen".' Melinda trok een nijdig gezicht. 'Het kon me niets schelen wat er over het algemeen aan de hand was in zulke gevallen. Zijn gedrag was beneden alle peil en dat heb ik ook tegen de hoofdinspecteur gezegd toen ik hem sprak.'

Decker knikte. 'Wat hebt u gedaan nadat u met Festes had gesproken?'

'Een paar vriendinnen zijn me gezelschap komen houden. Hun mannen zijn naar Ben gaan zoeken. Ze hebben zijn auto gevonden en de politie gebeld, en toen heeft de politie Ben ontdekt.' Ze ging in een leren fauteuil zitten en drukte het zakdoekje tegen haar ogen. 'Dat is het enige wat ik me kan herinneren... Het spijt me.'

'Wat denkt u dat er die avond is gebeurd?' vroeg Decker.

Melinda schudde haar hoofd. 'Daar heb ik eindeloos over nagedacht. Zijn auto was de enige op het parkeerterrein van het Clearwater Park. Misschien was hij door iemand gebeld en had hij daar met die persoon afgesproken, al blijkt dat niet uit de belgegevens van zijn autotelefoon. Maar hij kan natuurlijk ook vanuit een telefooncel gebeld hebben. De mobiele telefoons waren toen nog niet erg betrouwbaar.'

'Wie had dat dan kunnen zijn?'

'Als hij daar met iemand had afgesproken, moet het een scholier zijn geweest die in de problemen was geraakt. Dat heb ik toen ook tegen de rechercheurs gezegd, maar daar is niks uitgekomen.'

'Wat bedoelt u precies?'

'U weet hoe tieners zijn, vooral de jongens. Ze nemen graag risico's. Ze doen domme dingen en worden meestal gepakt. Als een jongen een domme streek uithaalt, wil dat nog niet zeggen dat hij een psychopaat is. Ben was hun beste advocaat. Bij een eerste overtreding kwam hij altijd voor hen op.'

'En bij de tweede?'

'Dan waren hun smeekbeden aan dovemansoren gericht. Bij Ben stonden eerlijkheid en rechtvaardigheid hoog in het vaandel. Als was gebleken dat je niet betrouwbaar was, hoefde je niet meer op hem te rekenen.'

'Het is dus mogelijk dat Ben meervoudige overtreders tegen zich in het harnas had gejaagd.'

'De chronische onruststokers zouden evengoed van school gestuurd zijn, wat Ben ook tegen het schoolbestuur zei. Wie hasj blijft dealen aan zijn medescholieren, hoeft niet te verwachten dat hij op school mag blijven.'

'Hebt u een specifieke leerling in gedachten?'

'Darnell Arlington... zo'n gelikte jongen. Een van de weinigen die erin geslaagd zijn Ben een rad voor ogen te draaien, maar ik kan u er meteen bij vertellen dat de politie hem grondig heeft nagetrokken. Darnell was naar Ohio verhuisd; hij woonde daar bij zijn grootmoeder. Op de avond dat Ben is vermoord, deed hij mee aan een basketbalwedstrijd op zijn school. Zeker honderd mensen waren daar getuige van. Ze hebben me toen verteld dat Darnell zijn leven wilde beteren. Zijn grootmoeder was zo'n type dat hem goed onder de duim hield. Maar u kunt natuurlijk zelf ook navraag doen.'

'Herinnert u zich nog meer onhandelbare scholieren?'

'Niet specifiek, maar er kunnen er best meer geweest zijn. Ik herinner me nog wel dat Ben zelfs nadat Darnell was verhuisd, nog danig van de kaart was. Om de een of andere reden deed die jongen hem iets.'

'Is Darnell ooit bij u thuis geweest?'

'Nee, en dat zou ook nooit gebeuren. Ben hield de leerlingen strikt gescheiden van zijn gezin. Hij gaf ook nooit iemand ons telefoonnummer of dat van zijn autotelefoon.'

'En zijn pieper?'

'Voor zover ik me herinner heeft niemand Ben die avond opgepiept.'

Dat klopte. Er waren geen activiteiten geregistreerd voor Bens pieper op de avond dat hij was gestorven. Maar Decker had de gegevens van de ochtend en middag niet. Het was mogelijk dat iemand hem eerder op de dag had opgepiept en dat Ben die persoon 's avonds via een openbare telefoon had teruggebeld. Misschien hadden ze een ontmoeting geregeld. Dat zou verklaren waarom Ben bij het Clearwater Park was, maar het zou geen nieuw licht werpen op de vraag waarom hij zijn vrouw niet had gebeld.

'Kende Ben het Clearwater Park goed?'

'We gingen er wel eens picknicken toen de jongens nog klein waren.'

'Ben had dus wel vaker over de wegen daar in de buurt gereden.'

'Waarom vraagt u dat?'

'Als je vanaf het Civic Auditorium naar het Clearwater Park rijdt, rij je over buitenwegen, en het was bovendien 's avonds. Als Ben het park niet kende, zou dat voor mij zeggen dat hij er door zijn ontvoerders naartoe was gebracht. Als hij het park wel kende, had hij daar misschien met iemand afgesproken.'

'We zijn er een paar keer geweest. Meer kan ik er niet over zeggen.' Ze haalde haar schouders op.

'De rechercheurs die de zaak hebben behandeld, hebben een heleboel mensen ondervraagd, onder wie veel scholieren. Wat vond u van de rechercheurs?'

'Wat een eigenaardige vraag.'

Decker zei niets.

'Arnie Lamar en Cal Vitton.' Ze glimlachte, maar het was een vreugdeloze glimlach. 'Ze waren best aardig, maar hebben niets bereikt. Arnie was van het begin af aan van mening dat het om een carjacking ging. Ik vond dat nergens op slaan.'

'Waarom niet?'

'Om te beginnen was Ben niet achterlijk. Als iemand de auto wilde, zou hij hem de sleuteltjes gewoon gegeven hebben. En als het dat niet was, moeten ze de auto gestolen hebben en Ben in de kofferbak hebben gestopt voordat ze aan hun joyride begonnen.' Ze trok een gezicht. 'Ik zie een stelletje jonge jongens niet in een gestolen auto crossen met een lijk in de kofferbak.'

'In Hollywood loopt momenteel een zaak die erg veel op die van Ben lijkt: een man is dood aangetroffen in de kofferbak van zijn eigen Mercedes. Er zijn twee tieners opgepakt.'

Melinda sloeg haar hand voor haar mond. 'Denkt u dat er een verband tussen die twee zaken bestaat?'

'De jongens die in hechtenis zijn genomen, waren nog niet eens geboren toen Ben is vermoord,' zei Decker. 'Ze beweren dat ze niet wisten dat het lijk in de kofferbak lag toen ze de auto hebben gestolen. Maar dat zou iedereen zeggen. Het slachtoffer is ene Primo Ekerling. Zegt die naam u iets?'

Ze dacht na. 'Nee... zegt me niets.'

'Hij was een jaar of veertig. In de krant staat dat hij een onafhankelijke muziekproducer en entrepreneur was.'

'Met andere woorden een slampamper.'

'Ja, ik heb zelf ook niet veel op met zulke onduidelijke beroepen, maar ik ga niet over die zaak en bij het bureau Hollywood hebben ze genoeg goed opgeleide rechercheurs. Ze moeten goede redenen gehad hebben om die jongens op te pakken.'

'Als u het zegt.'

'Maar nu ik opdracht heb gekregen de moord op uw man op te lossen, wil ik graag meer weten over de carjacking in Hollywood. Als ik iets wil bereiken, is het niet voldoende om de oude zaak alleen maar opnieuw door te nemen.'

'Dat ben ik met u eens.'

'Daar ben ik blij om, want er zijn mensen die de eerste keer niet zijn ondervraagd en met wie ik nu graag wil praten. Uw zonen, bijvoorbeeld.'

'Mijn jongens?' Melinda keek geschrokken. 'Maar die waren toen nog zo jong.'

'Kinderen hebben een geheugen, mevrouw Warren. Ze zien dingen, horen dingen, ervaren dingen. Vaak komen ze niet vrijwillig met bepaalde informatie, omdat ze daardoor bij eerdere gelegenheden in moeilijkheden zijn gekomen. Maar als je hen op de man af iets vraagt, liegen ze meestal niet. Uw zonen zijn nu volwassen, dus heb ik geen toestemming van u nodig om contact met hen op te nemen. Het zou echter prettig zijn als ik op uw medewerking kon rekenen.'

Haar mond trok samen, maar haar voorhoofd bleef glad: botox. 'Ik zal hen bellen, en dan hoort u nog wel van me. Ik denk niet dat ze het erg vinden om met u te praten. Na tien jaar therapie kunnen ze met iedereen praten.'

5

Als rechercheurs een zaak op een oor na gevild hebben, vinden ze het niet leuk als een bemoeial van een ander bureau in hun dossiers komt snuffelen. En als er twee gelijksoortige misdaden met een tussentijd van vijftien jaar zijn gepleegd, kun je niet spreken van een crimineel patroon. Decker was niet van plan een spaak in het wiel van andermans goed geoliede arrestatiemachine te steken, maar vond het zijn plicht de rapporten over de recente carjacking en moord in Hollywood door te nemen. Voor alle zekerheid. Al was het telefoontje naar de rechercheurs in kwestie iets waar hij niet naar uitkeek.

Hij bofte echter, want hij kende iemand op het bureau Hollywood en dat toverde een brede glimlach op zijn gezicht. Hij had zijn dochter vaak een gunst verleend en dat was ook normaal voor een vader. Nu kreeg Cindy de kans om iets terug te doen.

Vanaf de bochtige wegen van Sunset nam Decker de 405 noordwaarts naar zijn eigen wijk San Fernando Valley. De wolken waren helemaal verdwenen en de zon was zo warm dat hij de airconditioning aanzette. Ook al was zijn auto vrij antiek, er werd nog steeds koele lucht door de roostertjes geblazen die heerlijk aanvoelde op Deckers bezwete gezicht. Decker trok zijn stropdas los en wachtte tot zijn mobieltje weer ontvangst had terwijl de Vic door de bergpas tufte. Toen hij de top van de heuvel had bereikt, maakte hij van het oortje gebruik om handsfree te kunnen bellen. Cindy nam op toen de telefoon driemaal was overgegaan.

'Heb je het druk?' vroeg hij plompverloren.

'Ik zit aan een vegetarische salade.'

Decker keek op zijn horloge. Het was half twaalf. 'Vroege lunch?'

'Joe had honger en de timing komt mij goed uit. Hoe gaat het?'

'Ik wil even met je praten en het zou fijn zijn als het onder ons kon blijven.'

'Wacht even.' Decker hoorde Cindy met haar partner praten. Even later kwam ze weer aan de lijn. 'Is er iets?'

'Nee, hoor. Heb ik je aan het schrikken gemaakt?'

'Ja, natuurlijk. Je belt me nooit als ik aan het werk ben.'

'Sorry. Het komt gewoon omdat dit over werk gaat. Ik moet je om een gunst vragen.'

'Een gunst?' Even was het stil. 'Goh, dan heb ik het eindelijk helemaal gemaakt.'

'Waren jullie niet als eersten bij de auto van Primo Ekerling?'

'Joe en ik hadden dat geval toegewezen gekregen, ja, tot we de kofferbak openmaakten. Toen nam Moordzaken het meteen over.'

'Iemand had dus gemeld dat de auto gestolen was?'

'Ja, maar het ging niet in eerste instantie over de auto. Ekerlings vriendin belde om te zeggen dat Ekerling vermist werd, samen met de auto. Ongeveer een week later wilde een verkeersagent een bon onder de ruitenwisser van de Mercedes steken, toen hij zag dat er al een bon zat. De auto stond geparkeerd op Prince, dicht bij Hollywood Boulevard.'

'Dat is in een woonwijk, niet?'

'Ja. De agent wilde de bon uitschrijven omdat de auto op de vaste dag van de veegdienst aan de verkeerde kant van de straat stond geparkeerd. De andere bon was voor dezelfde overtreding. De auto stond daar dus minstens een week.'

'Had niemand daar melding van gemaakt?'

'Het was een gloednieuwe Mercedes. Ik neem aan dat niemand hem verdacht vond. Al is het een wonder dat hij niet beschadigd of gestolen is, gezien het grote aantal bars daar in de buurt. Waar veel bars zijn, zijn veel dronken kerels die domme dingen doen.'

'Bekend verschijnsel.'

'De agent heeft het kentekennummer doorgegeven en toen bleek de auto bij ons te boek te staan. Joe en ik waren toevallig beschikbaar. Toen we bij de auto aankwamen, hebben we eerst alleen door de raampjes gekeken. Er was iets vreemds aan. En hij róók ook vreemd. Joe heeft toen het slot van de kofferbak geforceerd en de rest is bekend.'

'Had er niemand over de stank geklaagd?'

'Zo erg was die niet, en je weet hoe het is in Los Angeles. Veel voetgangersverkeer heb je er niet en je moest er vlakbij zijn om het te ruiken.'

'Het lijk was zeker al niet meer opgezwollen?'

'Nee, maar we roken dus wel iets toen we dicht bij de auto waren.'
'Lag het lijk er zomaar in, of was het in vuilniszakken gewikkeld?'
'Het lag ineengedoken in de kofferbak.' Een stilte. 'Pap, ik moet terug naar mijn salade, anders wordt Joe achterdochtig. Kunnen we dit na mijn werk verder bespreken?'
'Ik heb het dossier nodig.'
'En je wilt niet zelf naar Moordzaken bellen om erom te vragen?'
'Liever niet. Ze hebben verdachten aangehouden en ik wil niet met iets nieuws komen tenzij daar een goede reden voor is.'
Het bleef lang stil. 'Zullen we voor vanavond afspreken? Ik zag die carjacking-en-moordtheorie toch al niet zitten. Hoe snel wil je het dossier?'
'Zo snel mogelijk, al maakt een dag meer of minder niets uit. Weet je toevallig hoe Ekerlings vriendin heet?'
'Marilyn Eustis. Ik wil graag meer horen over de zaak waar je aan werkt. Zullen we vanavond samen een hapje gaan eten?'
'Heel graag.'
'Afgesproken. Ik bel je zodra ik het dossier heb. Mag het Italiaans zijn?'
'Wat je maar wilt, lieverd. En ik trakteer.'
'Jij trakteert altijd, pap.'
'Da's waar.' Decker glimlachte. 'Dat bewijst maar weer eens hoeveel ik van je hou.'

Dat Decker aan een cold case moest werken, wilde niet zeggen dat de rest van zijn werk stil kwam te liggen. Zodra hij de recherchekamer binnenkwam, werd hij bestookt met vragen, mededelingen en klachten. Gelukkig had hij een paar trouwe bondgenoten die tevens goede vrienden van hem waren.

In het bijzonder Marge Dunn.

Dunn en Decker werkten al twintig jaar samen. Ze was als aankomend rechercheur Zeden- en Jeugddelicten op het bureau Foothill van het LAPD onder hem begonnen. Toen hij was overgeplaatst naar Moordzaken in West Valley had hij haar meegenomen vanwege haar scherpe inzicht en werkethiek. En met haar innemende persoonlijkheid was ze een parel tussen de gewone kralen. Ze was lang, breed gebouwd en had lichtbruin haar dat steeds blonder werd sinds ze een relatie had met Will Barnes, een rechercheur die van Berkeley naar Santa Barbara was overgestapt opdat ze op een te bereizen afstand van elkaar zouden wonen.

Decker was blij dat Marge gelukkig was, niet alleen vanwege hun vriendschap, maar ook omdat Marge beter werkte wanneer ze in haar hum was.

Al gold dat eigenlijk voor iedereen.

Dunn had alle rommel uitgefilterd, zodat alleen de belangrijke dingen die Decker moest behandelen om de rechercheafdeling goed te laten functioneren resteerden. Ze zat bij hem in zijn kantoor toen hij de stapel binnengekomen berichten doornam.

Ze zei: 'Zeg, ik heb de personeelslijst van North Valley High bekeken en gezien dat er een paar oude docenten zitten die zich Ben Little nog moeten herinneren.'

Decker keek op van de stapel briefjes. Marge droeg een donkerrode katoenen blouse en een beige broek. 'Heb je kans gezien met een van hen te gaan praten?'

'Nee, ik moest naar de rechtbank en daarna naar een onverwachte bespreking. En je had toch gezegd dat jij van Strapp iedereen persoonlijk moet ondervragen?

'Dat wil hij, maar dat lukt nooit.'

'Rotstreek van Strapp om je zo onder druk te zetten.'

'Och, dat overleef ik wel. Heb je kans gezien na te kijken wanneer Christopher Donatti naar Los Angeles is verhuisd?'

'Criminele Chris is kort na de moord op Little hierheen gekomen, maar hij zat op Central West High. Hij heeft nooit op North Valley gezeten, al staan de scholen maar tien kilometer bij elkaar vandaan. Als je wilt, kan ik nog wel wat dieper graven. De moord op Little lijkt professioneel te zijn uitgevoerd en Donatti was... is een beroepsmoordenaar.'

Decker knikte. 'Misschien bel ik hem even. Mannen als hij zijn vaak paranoïde en altijd op hun qui-vive, dus heeft hij misschien al iets opgevangen.'

'Ga je hem echt bellen?' Toen Decker zijn schouders ophaalde, zei Marge: 'Die klootzak heeft je neergeschoten!'

'Dat was niets persoonlijks.'

'Je bent niet goed wijs.'

'Dat kan best zijn, maar er hangt veel van de oplossing van deze oude zaak af, dus is alle hulp welkom. Wie van de oude garde geeft nog steeds les op North Valley?'

Marge gaf hem het lijstje: twee docenten klassieke talen, een wiskundeleraar en een natuurkundedocent, en de sportleraar van de jongens.

'Als je het goed vindt dat ik Oliver erbij haal, kunnen we deze vraaggesprekken waarschijnlijk binnen een paar dagen afwerken. Het zou sowieso wel handig zijn om Scott erbij te betrekken, omdat hij op bureau Devonshire bij Moordzaken zat toen Little werd vermoord.'

'Heb je het met hem al over de zaak gehad?'

'Ik doe niks zonder het eerst met jou te overleggen, maar ik denk dat hij zich best wat dingen zal herinneren als hij het dossier leest. Ik heb hem wel alvast gevraagd wat hij van Arnie Lamar en Cal Vitton vond.'

'En?'

'Hij zei dat het goede kerels zijn... Niet corrupt voor zover hij weet. Het waren destijds al oude rotten in het vak, al zei hij er snel bij dat ze toen waarschijnlijk net zo oud waren als hij nu is. Toen begon hij daarover na te denken en raakte hij weer eens in een depressieve stemming. En je weet hoe vervelend het is om met Scott Oliver te moeten werken als hij in een dip zit.'

'Wilde hij weten waarom je naar Lamar en Vitton vroeg?'

'Ik denk dat hij daar niet naar hoefde te vragen, Pete. Hun namen zijn synoniem geworden aan de moord op Ben Little.'

Decker gaf haar een briefje met wat namen. 'Phil Shriner is de privédetective die Melinda Little Warren destijds heeft ingehuurd om een onderzoek te doen naar de moord op haar man. Hij had geen succes, ook al heeft Melinda hem een klein vermogen betaald.'

'Weet je of hij nog steeds werkzaam is?'

'Geen idee.'

'Dat zoek ik dan wel uit.' Ze schreef de naam op in haar notitieboekje. 'Wie is Darnell Arlington?'

'Een jongen over wie Ben Little zich had ontfermd. De eerste keer dat Darnell van school werd gestuurd, is Ben voor hem opgekomen en toen heeft de school de jongen nog een kans gegeven. De tweede keer is Darnell voorgoed van school gestuurd en heeft Ben zich aan de kant van het schoolbestuur geschaard. Arlington woonde in Ohio toen de moord werd gepleegd en Bens weduwe had gehoord dat hij zijn leven had gebeterd. Cal Vitton is indertijd met hem gaan praten, maar het is de moeite waard hem nogmaals aan de tand te voelen.'

'Doe ik.' Marge noteerde Arlingtons naam en gaf het briefje terug aan Decker. 'Dus ik mag Oliver erbij halen?'

Decker dacht erover na. 'Ja, Doe maar. Strapp weet dat ik dit niet helemaal in mijn eentje kan doen, maar hij wil niet dat zijn bazen te horen krijgen dat ik aan het delegeren ben. Scott mag veel fouten hebben, maar hij weet in ieder geval zijn waffel dicht te houden.'

'Dat is waar.'

'En wie weet? Misschien haalt een bijzondere taak hem uit zijn depressie.'

Marge haalde haar schouders op. 'Het is te hopen, al zit het er niet echt in.'

6

Calvin Vitton en Arnie Lamar hadden kort na de moord op Little hun dienstwapen en penning ingeleverd, maar waren allebei in Los Angeles blijven wonen. Het adres van Stille Cal, zoals hij werd genoemd, was in Simi Valley, een heuvelachtige streek in het noordwesten van de stad met brede straten, weidse uitzichten en veel open land waarvan de bodem bestond uit graniet en andere harde steensoorten. Er woonden veel politiemannen in Simi en evenveel gepensioneerde collega's hadden er boerderijtjes in de heuvels. Vitton nam niet op, dus sprak Decker een bericht in op zijn antwoordapparaat met het verzoek hem terug te bellen.

Arnie Lamar woonde in Sylmar, in het noordoosten van Los Angeles. De wijk stond meer bekend om de 'honor farms', open gevangenissen waar gewerkt werd aan de rehabilitatie van gedetineerden, dan om de schoonheid van het landschap. Het was een ruig gebied met bergen waar grote stukken vlak, stoffig terrein tussen lagen en het was bij uitstek geschikt voor Lamars hobby: racen met de auto's die hij zelf in elkaar knutselde en crossen met een van zijn quads. Toen Decker belde stond Arnie op het punt naar een van zijn proefterreinen te gaan om zijn laatste model uit te proberen, een wagen die hij had samengesteld met onderdelen van een Viper, een Lamborghini, een oude Jag XKE en een kleine vliegtuigmotor. Ze spraken voor drie uur 's middags af.

Decker was precies op tijd. Het eerste wat hij zag waren vier garages; van één daarvan stond de deur wagenwijd open. Een vreemdsoortig, kersenrood voertuig stond voor de ingang en een paar in katoen geklede benen stak eronderuit.

'Hallo,' riep Decker.

'Ogenblikje,' was het antwoord.

Terwijl hij wachtte, keek de inspecteur om zich heen. Lamar leek hier een aardig lapje grond te bezitten, ongeveer net zo groot als Deckers voormalige boerderij, alleen had hij geen stallen. De voortuin bestond uit harde grond zonder ook maar een sprietje gras en was bezaaid met stukken rubber, afgedankte chromen onderdelen en roestend metaal. Het huis was laag, gedeeltelijk van hout, en als het enige stijl had gehad, zou Decker het een Californische ranch hebben genoemd. Je kon niet zeggen dat het er vervallen uitzag, maar het was duidelijk dat Lamar niet veel aandacht aan het onderhoud besteedde.

De man die bij de benen hoorde kwam onder de rode homp metaal vandaan gerold. Lamar lag op zijn rug op een plaat eikenhout op wieltjes. Hij droeg een met olievlekken besmeurde overall, een grijs T-shirt en gymschoenen. Hij draaide op zijn zij en kwam overeind. Hij was klein en tenger, had een kaal hoofd, een grijze snor, donkerbruine ogen en knokige vingers die een moersleutel omklemd hielden. 'Is het al drie uur?'

'Volgens mijn horloge wel.'

'Verdomme nog aan toe, als ik onder een auto lig, raak ik alle besef van tijd kwijt.' Zijn gezicht zat onder de smeer. Hij veegde zijn handen af aan een vettige lap. 'Als u het niet erg vindt, ga ik me even opknappen. Tien minuten. U wilt zeker wel iets drinken in deze hitte?'

'Water, graag.'

'Of een biertje?'

'Ik ben aan het werk.'

Lamar lachte zijn gele tanden bloot. 'Ik zal het aan niemand verklappen.'

Decker glimlachte terug. 'Toch maar liever water.'

'Zoals u wilt.' De gepensioneerde rechercheur deed de deur open en liet Decker voorgaan.

Het interieur was verrassend schoon: de vloer was geveegd, de planken waren afgestoft, en er stonden eenvoudige, oude meubels. De tafel en stoelen in de eethoek zagen eruit alsof ze met de hand gemaakt waren: het lang niet onverdienstelijke werk van een amateur. Aan de muren en op de tafeltjes zag Decker veel foto's: allemaal van een vrouw met kinderen op diverse leeftijden, tot ze volwassen waren geworden en zelf kinderen hadden gekregen. Van de vrouw was in het huis echter geen spoor te bekennen.

Het was vrij donker in de zitkamer, ondanks het feit dat de luiken openstonden. Decker nam plaats op een bank met een verschoten bloempatroon. De enige andere zitplaats was een leunstoel met leren bekleding vol kleine barstjes die recht tegenover de televisie stond en ongetwijfeld Lamars vaste plek was. Zijn *makom hakevoe'ah* zoals Rina zou zeggen. Dat was Hebreeuws voor ereplaats. Thuis had Decker een blauwleren leunstoel met een voetenbankje.

Na tien minuten kwam Lamar helemaal rozig terug in een schone spijkerbroek en een zwart T-shirt. Hij had een plastic beker met water en een blikje Coors Light bij zich. Hij gaf Decker de beker, trok het blikje open en nam een grote slok.

'Dat doet een mens goed.' Lamar ging in zijn fauteuil zitten. 'Vroeger vond ik light bier vreselijk. Nu ben ik er zo aan gewend dat ik gewoon bier veel te sterk vind.'

'Het is verbazingwekkend hoe goed de mens zijn houding weet aan te passen om dingen te rationaliseren.'

Lamar zei: 'Zo, en wie wil er de zaak-Little opnieuw bekijken?'

'Een fan van hem uit de tijd dat hij lesgaf heeft erg goed in Silicon Valley geboerd. Er is een grote beloning uitgeloofd voor de oplossing van de zaak.'

Lamar knikte. 'Dan wens ik u veel succes.'

'U koestert niet veel hoop?'

'Ik zou niets liever willen dan dat de zaak werd opgelost. Het heeft me al die jaren dwarsgezeten. Er leek geen andere reden voor de moord te zijn dan domme pech. U weet hoe het is... je onderzoekt allerlei moorden en het is nooit leuk, maar in sommige gevallen... drugdealers, hoeren, dieven, gangbangers... Oké, niemand verdient het om op een gewelddadige wijze om het leven gebracht te worden, maar als je het gevaar opzoekt, moet je niet raar opkijken als er iets met je gebeurt. Maar deze man... Ik heb niets kunnen ontdekken wat erop wees dat hij niet een doodgewone, brave huisvader was.'

'Hoe diep hebt u kunnen graven?'

'Er zijn ons geen beperkingen opgelegd, als u dat bedoelt.' Lamar dacht over de vraag na. 'We zijn begonnen met zijn vrouw en toen dat niets opleverde, zijn we uitgewaaierd naar zijn vrienden, collega's, leerlingen, mensen van gemeentelijke instanties. De Littles hadden een levensverzekering en de weduwe had niet opeens een nieuwe auto of een dure diamanten ring gekocht. Ze hadden studiegeld voor hun zonen op een aparte rekening staan. En ze is gaan werken.'

'Waar?'

'Ik geloof dat ze op de school een baan had gekregen als secretaresse of onderwijzeres en dat ze de dienstjaren van haar man mocht meetellen voor de sociale voorzieningen.' Hij dronk het blikje leeg. 'We hebben Littles bureau helemaal doorgespit, zijn dossiers, zijn diskettes, de computer, zijn creditcards, zijn belgegevens, zijn bankrekening. Er zat niks fout aan die man, dat mag u van me aannemen.'

Decker knikte, al was er één ding dat hij vreemd vond. 'Ik ben met de weduwe gaan praten. Ze is hertrouwd met een zeer welgestelde man.'

Lamar liet dat even op zich inwerken. 'Dat is fijn voor haar.'

'Ze vertelde me dat ze zich diep in de schulden had gestoken omdat ze een privédetective had gehuurd, ene Phil Shriner, om uit te zoeken wie haar man had vermoord.'

'Hmm...' Lamar kneep het blikje plat. 'En heeft die iets ontdekt?'

'Zo ja, dan heeft ze het mij niet verteld. Maar toen u haar bankrekening doornam, stond er geld op, zei u.'

'Dan moet ze zich in de schulden hebben gestoken nadat ik met pensioen was gegaan.'

'U weet dus niets over die privédetective?'

'Ik wist niet eens dat hij bestond tot u het me daarnet vertelde. Hebt u hem nagetrokken?'

'Daar is iemand mee bezig,' antwoordde Decker. 'Nadat u met pensioen was gegaan en ik er kwam te werken, kreeg ik als een van mijn eerste opdrachten het onderzoek naar de moord op een scholiere van Central West Valley High.'

'Central West...' Lamar streek met de rug van zijn hand over zijn lippen. 'Cheryl Diggs?'

'Klopt. Haar vriendje was ene Christopher Whitman. Tegenwoordig heet hij Christopher Donatti.'

'Whitman...' Hij keek verward. 'Waarom komt die naam me zo bekend voor?'

'Omdat we hem ter ondervraging hadden opgepakt voor de moord op Diggs. Uiteindelijk bleek dat hij er niets mee te maken had, maar en passant kwamen we erachter dat de jongen lid was van de maffia.'

Lamar fronste zijn wenkbrauwen. 'De echte maffia? Uit New York?'

Decker knikte. 'Hij werkte als huurmoordenaar voor zijn oom Joey Donatti, die een ouderwetse gangster was, net als in de films. Toen Joey stierf heeft Chris zijn geld en zijn hele business geërfd. En wat hij niet heeft geërfd, heeft hij zelf verdiend met illegale loterijen, bordelen en de verkoop van abonnementen voor pornosites op internet. Met al dat zwarte geld heeft hij een heel brok Manhattan tussen Harlem en Washington Heights gekocht. Volgens de schooladministratie is hij op Central West gekomen nadat Little was vermoord, maar hij kan hier natuurlijk best eerder zijn aangekomen dan de officiële inschrijvingsdatum. Ik vroeg me af of u iets met hem hebt gedaan voordat ik in West Valley kwam te werken.'

Lamar schudde zijn hoofd. 'Ik kan me niet herinneren dat ik hem heb ondervraagd met betrekking tot de zaak-Little. Dat kunt u in het dossier nakijken.'

'Dat heb ik gedaan. U hebt niet met hem gepraat.'

Lamar haalde zijn schouders op, alsof hij wilde zeggen: nou, wat wil je dan? 'Voor zover ik weet is zijn naam nooit gevallen. Maar Cal en ik hebben ook niet de moeite genomen iemand van Central West te ondervragen.'

'Ik heb nog één naam voor u: Darnell Arlington.'

'Darnell Arlington...' Lamar kneep zijn ogen half toe. 'Ja, die herinner ik me nog wel... een zwarte jongen... zat nogal in de problemen. We hebben hem uiteindelijk als verdachte geschrapt. Help me even herinneren?'

'U hebt gelijk. Darnell was een problematische knaap. Toen hij van school gestuurd dreigde te worden, heeft Ben het voor hem opgenomen en kreeg hij nog een kans. Die kans heeft hij verpest en toen is hij alsnog voorgoed van school gestuurd. Dat was ongeveer een half jaar voor de moord. Bij zijn tweede overtreding had Ben zich aan de kant van het schoolbestuur geschaard.'

Lamar zei een poosje niets. 'De naam van de jongen stond op de lijst, maar ik heb niet met hem gepraat. Als ik me goed herinner, woonde hij niet eens meer in Californië toen Little werd vermoord.'

'Littles weduwe zegt dat hij naar Ohio was verhuisd en op de avond in kwestie deelnam aan een basketbalwedstrijd op zijn school.'

'Ja, nu weet ik het weer.' Lamar knikte. 'Cal had Darnell voor zijn rekening genomen. De jongen had inderdaad aan een basketbalwedstrijd deelgenomen, waar zeker honderd mensen getuige van waren. Als ik me goed herinner, was hij erg van streek door de dood van Little.' Een korte stilte. 'Denkt u aan een wraakactie?'

'Ik moet alles in overweging nemen.'

'Zoals ik al zei, is Cal degene die hem onder de loep heeft genomen. Hij kan u meer over hem vertellen dan ik.'

'Ik zal het hem vragen als ik hem spreek. Houdt u contact met hem?'

'We zien elkaar af en toe. We hebben samen heel veel meegemaakt, maar er is gebleken dat we behalve ons werk weinig gemeen hebben. Ik steek graag de handen uit de mouwen, hij zit altijd te piekeren. Ik maak me soms zorgen over hem, maar heb geen zin om hem nog langer te bemoederen. Hij moet zelf weten wat hij doet.'

'Ik heb een bericht op zijn antwoordapparaat achtergelaten. Ik neem aan dat hij me zal terugbellen.'

'Ja, hoor, daar kunt u van op aan. De zaak zat hem net zo dwars als mij. Houdt u me op de hoogte van de vorderingen? Het zou fijn zijn als de moordenaar achter de tralies zou komen voordat ik de pijp uitga. Dat is toch niet te veel gevraagd van de Schepper, of wel soms?'

Decker was het met hem eens dat het niet te veel gevraagd was van de Schepper, al leek de Schepper altijd andere plannen te hebben wat de uiteindelijke resultaten betrof.

7

Tegen zes uur 's avonds hadden de meeste rechercheurs hun naam van het schoolbord geveegd en was het griezelig stil in de recherchekamer. Als Decker goed genoeg – aandachtig genoeg – luisterde, kon hij gekwelde stemmen horen die vanuit de blauwe dossiermappen tot hem spraken. De beste ideeën kreeg hij altijd door zich er helemaal voor open te stellen. Hij werkte geconcentreerd, volgetankt met koffie, en had ongeveer de helft van de mappen doorgenomen toen hij werd gestoord door een klopje op de deurpost.

Marge Dunn en Scott Oliver zagen eruit alsof de dag al te lang had geduurd. De blonde lokken van Marge hadden hun glans verloren, Olivers koningsblauwe stropdas zat scheef, zijn gesteven overhemd was verkreukeld en hij droeg zijn jasje over zijn arm.

Marge zei: 'Ben Little moet worden voorgedragen voor een heiligverklaring.'

Oliver trok met zijn voet een stoel naar zich toe, ging zitten en strekte zijn benen. 'Moeder Teresa had nog iets van hem kunnen leren. We hebben geen enkel vlekje op zijn ziel kunnen ontdekken. Toch ben ik niet overtuigd. Niemand is zó volmaakt.'

'Vind ik ook,' zei Marge. 'Het bestaat gewoon niet dat iemand die zo ondernemend en actief was, niet één keer ergens heeft misgekleund.'

'Ik weet nog goed hoe gefrustreerd iedereen op het bureau was. Ik denk dat we allemaal beter met de moord hadden kunnen omgaan als het slachtoffer op zijn minst één slechte gewoonte had gehad.'

'Het is interessant dat je dat zegt,' zei Decker. 'Arnie Lamar merkte ook al op dat de zaak dubbel zo triest was omdat Little zo'n aardige vent was.' Hij keek Oliver aan. 'Wat vind jij van de manier waarop Moordzaken de zaak heeft behandeld?'

'Ze hebben zich een half jaar uit de naad gewerkt. Toen gebeurde er opeens niks meer. Ik weet dat Arnie en Cal er af en toe nog wel eens naar keken, maar het was geen zaak met veel forensische aanknopingspunten. De gegevens over de kogels, een paar vingerafdrukken die Arnie af en toe opnieuw door de molen haalde. DNA?' Oliver wapperde met zijn hand en zei: 'Nada.'

'Wat vond je van Cal en Arnie?' vroeg Decker.

Daar dacht Oliver even over na. 'Bekwame jongens. Arnie lag me meer dan Stille Cal, maar dat wil niet zeggen dat Cal geen goeie rechercheur was. Heb je Vitton al gesproken?'

Decker schudde zijn hoofd. 'Alleen Lamar.'

'Wat vond jij van hem?' vroeg Marge.

'Ja, aardige vent wel... De zaak gaat hem nog steeds aan het hart.' Decker keek weer naar Oliver. 'Heb jij ooit met hen gewerkt?'

'Ja, bij zaken waar teams van vijf man voor nodig waren. Ze waren bekwaam, zoals ik al zei, maar verder ging er niet veel van hen uit. Ze maakten de indruk een hecht duo te zijn.'

'Lamar zei dat hij Vitton nog maar zelden spreekt sinds ze met pensioen zijn. Cal schijnt een binnenvetter te zijn.'

'Klopt,' zei Oliver. 'En ik geloof dat hij een moeilijke echtscheiding achter de rug heeft.'

'Hebben jullie de collega's van Little al naar Darnell Arlington gevraagd?'

Marge bladerde in haar notitieboekje. 'Marianne Seagraves, docente Engels, herinnert zich hem – ik citeer – als een grote, zwarte jongen die altijd ruzie zocht. Darnell had geen vader en een aan drugs verslaafde moeder. Marianne zei dat Little veel voor hem had gedaan – extra lessen, lunches buiten school, openhartige gesprekken, kerstcadeautjes – maar dat het niemand verbaasde dat Arlington uiteindelijk toch van school werd gestuurd.'

'Was hij gewelddadig?'

'Hij was regelmatig bij gevechten betrokken, maar voor zover Marianne het zich kan herinneren, gebruikte hij daarbij alleen zijn vuisten. Geen wapens.'

'Weet je waar hij nu is?'

'Ik heb in Akron, Ohio, een Darnell Arlington gevonden die sportleraar is op een school, maar ik heb nog niet nagevraagd of hij de Darnell Arlington is die we zoeken.'

'Hoeveel Darnell Arlingtons zouden er zijn?' vroeg Oliver.

'Volgens de digitale telefoongids zijn er vier. Een in Texas, een in Louisiana, een in Wisconsin en een in Ohio.'

'Dat is het probleem met die zoekmachines,' mopperde Oliver. 'Je krijgt zo veel irrelevante informatie.'

'Ja, maar je krijgt ook de informatie die je hebben moet,' antwoordde Marge. 'Elk nadeel heeft een voordeel, zoals mijn opa altijd al zei.'

Om negen uur 's avonds werd Decker op zijn mobieltje gebeld. Hij zat thuis te werken, in zijn pyjama. Hij was bezig het dossier-Little uit te pluizen om te zien of hij alsnog iets kon ontdekken wat door de anderen over het hoofd was gezien, al was het maar een zweem van een aanwijzing. Hij keek naar het nummer en zag dat het Vitton was.

'Ik stel het erg op prijs dat u me terugbelt, rechercheur Vitton. Ik zou graag met u willen praten over de moord op Ben Little. Zegt u maar wanneer het u schikt, dan...'

'Doe geen moeite, inspecteur. Arnie heeft me gebeld om me te vertellen dat u bij hem bent geweest. Ik kan u alleen maar vertellen wat u al weet. Als ik iets nieuws had bedacht, zou ik dat al lang aan iemand hebben doorgegeven.'

'Dat begrijp ik en ik verwacht ook geen doorbraak. Ik wil gewoon graag horen wat u van de zaak vond...'

'Ik denk er nog net zo over als toen en heb sindsdien niks nieuws bedacht. U zou uw kostbare tijd verkwisten als u met mij komt praten, want ik weet verder niks.'

'Soms komt men tijdens een gesprek toch op nieuwe ideeën.'

'Ik praat nu met u en ik kom op geen enkel nieuw idee.'

Decker verbeet zich. 'Toch zou ik het fijn vinden als u een uurtje voor me kon vrijmaken.'

'Hoezo?' Vitton klonk nog geïrriteerder. 'Ik zeg u dat ik verder niks weet.'

'Oké, als het niet goedschiks kan... Ik heb opdracht gekregen de zaak opnieuw te onderzoeken. Dat houdt in dat ik met alle betrokkenen moet praten. Als er een specifieke reden is waarom u níét met me wilt praten, wil ik graag horen wat die reden is.'

Stille Cal zweeg. Decker wachtte.

'Ik heb er gewoon niks nieuws over te zeggen. Arnie en ik hebben destijds niemand kunnen vinden die serieus als een verdachte beschouwd kon worden, terwijl we iedereen onder de loep hebben genomen.'

'Wie hebt u allemaal ondervraagd?'

'Lees het dossier maar.'

Weer moest Decker zich verbijten. 'Ik heb het dossier hier voor mijn neus liggen. Ik vroeg me af of er mensen zijn die er niet in zijn opgenomen.'

'Alle mensen die ik heb ondervraagd, moeten erin staan.'

'Wie was de meest waarschijnlijke verdachte?'

'Niemand. De man had geen vijanden.'

'Dat bestaat niet.'

'Toch is het zo. Hij heeft gewoon pech gehad.'

'Denkt u dat het om een carjacking ging?'

'Hij reed in een Mercedes. Zo'n wagen is erg geliefd bij autodieven.'

'Maar ze hebben hem niet gestolen.'

'Misschien was Ben naar buiten gekomen en had hij hen betrapt... Dat is nog steeds mijn theorie: dat de dieven in paniek zijn geraakt, hem in de kofferbak hebben gestouwd en naar het Clearwater Park zijn gereden. En dat ze hem daar vermoord hebben.'

Decker dacht daar eventjes over na. De eerste vraag die dan gesteld moest worden, was: hoe waren de dieven uit het park weggekomen? Misschien gewoon te voet. Het dossier maakte melding van een heleboel voetafdrukken in het gras van het parkeerterrein, maar dat had verder niks opgeleverd en na vijftien jaar viel er ook niet veel meer mee te doen.

'Dat is één mogelijke verklaring,' zei Decker tegen Vitton. 'Ik wil graag met u praten over andere theorieën.'

Een tijdje bleef het stil.

Decker zei: 'Hoor eens, als ik niet verplicht was met u te praten, zou ik het niet doen. Maar het moet nu eenmaal. Als u meewerkt, is dat voor ons allebei alleen maar voordelig. Hoe sneller we dit doen, hoe eerder u van me af bent.'

'Die smoes heb ik zelf vaak genoeg gebruikt toen ik nog bij het LAPD werkte en ik weet dat het je reinste lulkoek is. Dit is het begin van een hoop nieuwe ellende.'

'Om hoe laat kunnen we morgen afspreken?'

'Kom maar om negen uur.'

'Goed. Woont u nog steeds op het adres dat ik hier heb?' Decker las het voor.

'Ja.'

'Tot morgen, dan.'

'Ja, oké. Maar verwacht geen pot koffie. U komt niet voor de gezelligheid.'

8

Het adres in Deckers notitieboekje was van een klein, gestuukt huis in een wijk met bescheiden woningen. De straat was breed, zoals de meeste straten in Simi Valley, en liep dood. Als je de gazons zou classificeren aan de hand van een kleurenkaart, zouden ze hier niet vallen onder smaragdgroen, want vrijwel overal zat tussen het gras veel bruin van door de zon verschroeid onkruid. De bomen langs de stoep hadden dunne stammen en woest, ongesnoeid gebladerte, waardoor ze op tienerjongens met afrokapsels leken. Bloemen zorgden hier en daar voor wat kleur, evenals de blauwe lucht, maar verder was het heuvelachtige landschap overwegend bruin en stoffig.

Deckers twee stiefzonen en zijn jongste dochter hadden allemaal in Simi rijexamen gedaan. De stad was bij uitstek geschikt voor rijlessen omdat de straten zo breed waren en aparte rijstroken hadden om te kunnen voorsorteren, compleet met pijlen op het asfalt. Nu Hannah ook al haar rijbewijs had, had Decker nog meer reden om te piekeren over hoe snel het leven voorbijvloog. Hij was nog energiek en voortvarend, maar dat veranderde niets aan de cijfers. Was pensioen een theoretisch concept of zou het in de nabije toekomst een onvermijdelijk feit worden?

Hij parkeerde in de straat en keek op zijn horloge. Precies om negen uur stapte hij uit en liep rustig over het pad naar de twee treetjes die naar de voordeur leidden. Hij gaf een ferme roffel op de deur, een roffel die een ex-politieman duidelijk maakt dat er een andere politieman is gearriveerd en dat er een serieus gesprek gevoerd moest worden.

Toen er niet meteen werd opengedaan, kreeg hij een beetje de pest in. Hij drukte op de bel en wachtte. Onrust besloop hem toen de stilte aanhield.

Hij keek achterom alsof hij verwachtte dat Cal uit het niets zou opduiken. Toen keek hij op naar de wolkeloze, azuurblauwe lucht. Daar was ook geen Cal te bespeuren, alleen het geklapwiek van raven die hun rauwe kreten lieten horen. Het was nog vrij koel op deze lenteochtend, maar de warmte van de zon lokte toch al insecten: wespen, muskieten, vliegen en irritante muggen.

Hij gaf nog een roffel op de deur en morrelde wat aan de deurknop, maar de deur zat op slot.

Het was inmiddels tien over negen.

Er stond geen auto op Vittons oprit.

Wilde hij soms de politie ontlopen? Cal was stapelgek als hij dacht dat hij Decker met zo'n amateuristische stunt van zich af kon schudden. Met vinnige letters schreef Decker op de achterkant van een visitekaartje dat hij opnieuw contact met hem zou opnemen. Hij zette een dikke punt onder het uitroepteken en was alweer bijna bij zijn auto toen hem iets inviel.

Bij het huis hoorde een garage met een houten deur waarin een klein raam was gezet. Decker draaide zich om, liep over de verlaten oprit en keek door het raampje. In de garage stond een oude, zwarte pick-uptruck met ernaast een werkbank.

Zou een man als Vitton twee auto's hebben?

Hij bekeek de betonnen oprit. Die was niet brandschoon, maar zat ook niet vol vlekken van olie en andere gelekte vloeistoffen.

Weer keek hij om zich heen terwijl hij verschillende mogelijkheden de revue liet passeren.

Dat Cal door iemand was afgehaald.

Dat hij een eindje was gaan wandelen.

Maar het zat Decker niet lekker. Cal was en bleef een politieman, een voormalig rechercheur, en een rechercheur miste nooit een afspraak zonder uitleg te geven. Als Vitton niet had gewild dat hij zou komen, zou hij hem gebeld hebben om dat te zeggen. Als hij onverwachts ergens naartoe had gemoeten, zou hij een briefje hebben achtergelaten of naar Deckers mobieltje hebben gebeld. Zomaar verdwijnen getuigde van onverantwoordelijk gedrag. En van laf gedrag, terwijl Calvin Vitton op Decker niet de indruk had gemaakt een lafaard te zijn.

De voortuin werd van de achtertuin gescheiden door een hek van een meter tachtig hoogte. Decker gluurde erdoorheen en zag dat er een grendel op zat. Hij riep Vittons naam en toen hij geen antwoord kreeg, besloot hij over het hek te klimmen. Hij zette zijn voet op het muurtje ernaast, maar zijn armen moesten evengoed het meeste werk doen toen hij zijn zware lichaam ophees.

Eén voet op het hek en toen eroverheen.

Hij kwam met zijn rechtervoet een beetje ongelukkig terecht, maar het trok na een paar stappen bij.

Vittons achtertuin was klein en droog en grensde aan een afvoerkanaal dat van de tuin door harmonicagaas was gescheiden. Toen Decker door de mazen keek, zag hij stilstaand water, dampend in de warme lentezon. Het zag groen van de algen met grote witte plekken van muggenlarven. Hij nam zich voor straks de afdeling Ongediertebestrijding van de gemeente te bellen, anders zou de hele wijk last krijgen van een muggenplaag.

De achterdeur van het huis zat ook op slot. Decker klopte er hard op, maar dat lokte geen reactie uit. Hij bekeek de ramen. De zonneschermen stonden uit. Er was niets verdachts te bespeuren, geen gebroken ruiten, geen sloten waaraan geprutst was, geen tekenen dat iemand zich ongeoorloofd toegang tot het huis had verschaft.

Hij dacht na.

De zon steeg nu snel. Hij voelde hem in zijn nek branden. Het gekrijs van de raven werd bijna overstemd door het gezoem van insecten: brommende wespen, gonzende bijen die stuifmeel verzamelden, jankende muggen. En vliegen... heel veel vliegen.

Hij sloeg de insecten bij zijn gezicht vandaan en bekeek de tuin. Een oude ligstoel met een verschoten kussen stond op het kleine lapje vingergras. Een paar boompjes kwijnden weg tegen de schutting. Een grote barbecue met ernaast een witte plastic tafel met stoelen. Het tafelblad was stoffig en zat vol vogelpoep.

Toen Decker zich weer omdraaide naar het huis, viel hem op dat voor een van de ramen een hele wolk vliegen zat.

Dat was géén goed teken. Toen hij ernaartoe liep drong een sterke rottingslucht tot zijn reukzenuwen door.

Hij ademde krachtig uit, braakneigingen onderdrukkend.

Hij wist nu waarom Cal niet opendeed.

Hij toetste het alarmnummer in.

Het ging niet altijd op, maar in de regel namen vrouwen pillen en gebruikten mannen een vuurwapen.

Calvin Vitton had beide gedaan.

Het schot had, onder andere, één oog van de ex-politieman vernietigd. Het ongedeerde oog stond wijd open. Vittons mond hing ook open. Uit een open buisje oxycodon waren wat tabletten op de blauwe vloerbedekking van de slaapkamer gerold. Naast het buisje lag een aantal lege bierflesjes. Vittons rechterhand zal vol bloedspatten en had schroeiplekken. De .32 Smith & Wesson lag tussen het bed en de muur, ter hoogte van Cals knie. Bloed had de witte lakens rood gekleurd en drupte nog op het tapijt.

De oude man had dun grijs haar en blauwe ogen, hoewel het onbeschadigde oog zwart leek omdat de pupil permanent verwijd was. Hij droeg een wit overhemd en een spijkerbroek. Geen sokken of schoenen. Rigor mortis had ingezet en er was sprake van verkleuring. Alhoewel bij een hoge temperatuur het biologische proces sneller verliep – en het was in het huis erg warm geweest toen de politie van Simi Valley zich toegang had verschaft – had Decker het vermoeden dat de daad kort na hun telefoongesprek was verricht.

Twee onderzoekers van de forensische dienst – een man en een vrouw – maakten zich gereed om het verstijfde lijk in een lijkenzak te doen. De fotograaf van het onderzoekteam had zijn werk gedaan. Een agent van de technische recherche was nog bezig vingerafdrukken te verzamelen, maar vrijwel iedereen vond dat het eruitzag als een zelfmoord. Cal had zichzelf met drank en pillen verdoofd. Voordat hij buiten westen was geraakt, had hij een revolver tegen zijn hoofd gezet, of liever gezegd op zijn gezicht gericht. Of misschien had zijn arm een schokkende beweging gemaakt en had hij zich daarom in het oog geschoten. Er zat een schroeivlek om de wond, maar er waren ook verspreide kruitresten zichtbaar. De onderzoekers waren van mening dat de loop van het wapen op een afstand van ongeveer vijftien centimeter had gezeten toen het was afgevuurd.

Simi Valley was een kleine stad die bij brand gebruik maakte van de provinciale diensten van Ventura County, maar een eigen politieapparaat had. De rechercheur die de zaak kreeg toegewezen, heette Shirley Redkin. Ze was een tenger vrouwtje van in de vijftig met kort, zwart haar en grote, donkere ogen. Gevallen van vermoedelijke zelfmoord werden behandeld door een team van Moordzaken tot de patholoog-anatoom een definitieve uitspraak deed. Ze sloeg haar notitieboekje open en wees naar het pillenbuisje. 'Eerst de pillen en toen dat niet genoeg bleek te zijn, heeft hij zijn wapen gebruikt.'

'Ik vind het er een beetje geënsceneerd uitzien,' zei Decker.

'Ja, het maakt een iets te dramatische indruk met de pillen én de drank én de revolver. Maar zelfmoord is ook wel een dramatische daad.'

'Dat is waar.'

'Kunnen we het telefoongesprek nog een keer doornemen?' vroeg ze aan Decker. 'Ik heb het knagende gevoel dat ik iets over het hoofd zie.'

'Dan bent u niet de enige,' zei Decker. 'Ik had absoluut niet de indruk gekregen dat de kans bestond dat hij zich van kant zou maken. Hij was eerder kwaad dan ontdaan.'

'Waar was hij kwaad om?'

'Dat ik de moord op Bennett Little met hem wilde bespreken.' Hij legde uit hoe het in elkaar zat. 'Het is al jaren een cold case. Volgens mij was hij beledigd.'

'Maar iedere rechercheur komt uiteindelijk met een paar cold cases te zitten.'

'Deze zaak had nogal in de belangstelling gestaan... de pers had er veel aandacht aan besteed. Voor een man als Vitton was dat misschien een bewijs van zijn falen.'

'Maar waarom heeft hij zich dan nu pas van het leven beroofd?'

'Misschien dacht hij de vernedering niet te kunnen verdragen als wij er nu in zouden slagen de zaak op te lossen.'

'Werkte hij u tegen?' vroeg Shirley.

'Het was duidelijk dat hij geen zin had om alles weer overhoop te halen. Misschien was hij banger dan hij liet merken.'

'Wat bedoelt u daarmee?'

Decker spreidde zijn handen. 'Cal stond bekend als een gesloten man. Zijn voormalige partner heeft me verteld dat zelfs hij nooit wist wat hij dacht. Misschien heeft hij destijds steekpenningen aangenomen om niet al te diep te graven. Als dat bekend zou worden, zou het voor een eenzame man als Cal genoeg kunnen zijn om zijn toevlucht te nemen tot een dergelijke daad.'

'Hebt u iemand in gedachten wat die steekpenningen betreft? Als daar inderdaad sprake van was?'

'Nee, het is gewoon een van de mogelijkheden. Ik zal zijn leven onder de loep nemen en daarvoor zal ik om te beginnen teruggaan naar zijn voormalige partner Arnold Lamar.'

'Met hem moet ik dan ook maar een praatje gaan maken.'

Decker gaf haar het telefoonnummer. 'Hoe was hun relatie?' vroeg ze.

'Ik geloof dat die vroeger erg hecht was, maar later niet meer. Lamar moet uiteraard op de hoogte gesteld worden. Ik was van plan hem te bellen zodra u me hier niet meer nodig hebt. Vindt u het goed dat ik het hem vertel?'

'Gaat uw gang. Maar ik had wel graag dat hij naar het bureau kwam voor een gesprek.'

'Ik zal het zeggen. Vanmiddag?'

'Ja, prima.'

'Mag ik erbij zijn?'

'Mij best. Misschien komen we dan iets te weten.' Shirley klapte haar notitieboekje dicht. 'Die cold case moet erg belangrijk zijn als een inspecteur er zo veel tijd aan besteedt.'

Decker glimlachte ondoorgrondelijk. 'Ik doe mijn werk; klachten heb ik niet. Voor sommigen van ons is het leven goed. Maar je hebt ook mensen als Cal Vitton, die een andere mening zijn toegedaan.'

9

'Wát?' gilde Marge.

'Echt waar.' Decker zat in de surveillancewagen op twee straten afstand van de plaats waar de zelfmoord of moord was gepleegd. De airconditioning stond in de hoogste stand, maar omdat de auto stilstond, was het lang niet zo koel als hij zou willen en zat hij te transpireren. Hij probeerde op een neutrale toon te praten, zoals agenten gewend waren, maar opeens vroeg hij zich af waarom hij dat deed. In deze tragische omstandigheden mocht hij best emoties tonen, maar toch leek het al zijn jaren bij de politie normaal dat hij zich onaangedaan voordeed.

'Allemachtig!' Marge had moeite van de schok bij te komen. 'En jij denkt dat het om zelfmoord gaat?'

'Het pistool is van erg korte afstand afgevuurd en hij had eerst een hoop pillen en drank ingenomen. De grote vraag is of het iets te maken heeft met de zaak-Little. Ik spreek Arnie Lamar vanmiddag op het politiebureau van Simi Valley en hoop van hem wat meer inzicht te krijgen in wat voor man Vitton was.'

'Dit geeft het onderzoek een heel ander perspectief.'

'Het voegt er nog een dimensie aan toe. Wat staat er voor vandaag op jouw programma?'

'Oliver en ik hebben voor tussen de middag met Phil Shriner afgesproken. Op die manier kost het ons niet zo veel van onze normale werkuren.'

'Gaf hij de indruk dat hij zou meewerken?'

'Redelijk. We zullen meer weten als we er zijn. Maar ik heb een andere vraag. Ik heb Darnell Arlington opgespoord en hij is bereid met me over zijn schooltijd en Bennett Little te praten. Dat kan ik per telefoon doen, maar het is waarschijnlijk beter als ik hem persoonlijk spreek. Aangezien ik officieel niet aan de zaak werk, vroeg ik me af of je een manier weet om de kosten van de reis te dekken.'

Decker zei: 'Bestel de ticket maar, Marge. Ik regel dat wel.'

'Zeker weten?'

'Ja. Een van de schilderijen die Rina heeft geërfd, is onlangs voor een heleboel geld geveild. We zitten er warmpjes bij.'

'Je moet dergelijke meevallertjes niet aan dingen besteden die met je werk te maken hebben.'

'Dat ben ik ook helemaal niet van plan. Ik bedoel dat we een stuk sterker in onze schoenen staan nu we al dat geld hebben. Rina geeft les omdat ze dat leuk vindt en ik werk omdat ik het wil. Als Strapp lastig wordt, lever ik mijn penning in. Dat is het grote voordeel van geld. Als ik wil kan ik mijn estafettestokje doorgeven en mag een ander zich voor de grote bazen in alle bochten wringen.'

Phil Shriner en zijn vrouw waren vijftig jaar getrouwd en woonden nu in het seniorencomplex Golden Estates, niet ver van de plek waar Calvin Vitton zichzelf van het leven had beroofd. Het was een prachtig aangelegd terrein met zowel een appartementenflat als kleine bungalows die langs bochtige wandelpaden waren gebouwd.

Het complex bevatte een cafetaria, twee restaurants, een recreatiezaal, een sportzaal en een bioscoop. Verder waren er twee zwembaden met whirlpoolbaden, twee tennisbanen, een golfbaan en een massagekamer. Het had een vakantieoord kunnen zijn, ware het niet dat er ook een vleugel was met ziekenkamers en een eerstehulpzaal die dag en nacht door een wisselende ploeg artsen en verpleegkundigen werd bemand.

De Shriners woonden in bungalow 58 aan de rand van de golfbaan. Zijn vrouw was naar gymnastiek, legde Phil aan Marge en Oliver uit, dus had hij een heel uur voor hen beschikbaar. De bungalow was licht en ruim, met een houten vloer en een open haard, maar stond propvol meubels.

'We zijn hier pas een paar maanden geleden komen wonen,' legde Shriner uit. 'Dit huis is veel kleiner dan ons vorige en we hebben nog geen tijd gehad om al onze meubels te verkopen. Ga zitten waar u wilt.'

Ze konden kiezen tussen drie banken, vier grote leunstoelen en twee poefen. Marge nam een leunstoel, Oliver gaf de voorkeur aan een van de banken. Shriner was een man met een normaal postuur en had dun, grijs haar en donkere ogen. Zijn huid werd ontsierd door levervlekken. Hij droeg een blauw poloshirt, een bruine broek en orthopedische sandalen.

Hij ging op de rand van een fauteuil zitten en sloeg zijn nog altijd gespierde armen over elkaar. 'Wat is er aan de hand?'

Defensieve houding, dacht Marge. 'Het LAPD heeft de zaak-Bennett heropend. De rechercheurs waren indertijd niet erg ver gekomen en we hebben gehoord dat Melinda Little u had ingehuurd om uit te zoeken wat er met haar man was gebeurd. We vroegen ons af hoeveel u zich van die zaak herinnert.'

De armen werden nog iets steviger over elkaar geslagen. 'Melinda heeft me gebeld. Ze zei dat u waarschijnlijk bij me langs zou komen.'

Marge keek naar Oliver en probeerde niet te laten merken hoe verbaasd ze was. 'Ik wist niet dat u nog contact met elkaar had.'

'Ik heb haar al bijna veertien jaar niet gesproken.'

'Waarom heeft ze u gebeld?' vroeg Oliver.

'Omdat ze wilde dat ik zou liegen.' Even klemde hij zijn lippen op elkaar. 'Ik ben oud, ik heb een aardig spaarpotje en ik heb geen zin meer in spelletjes. Maar de belangrijkste reden waarom ik het heb geweigerd, is dat het vroeg of laat toch aan het licht zou komen.'

'U hebt een verhouding met haar gehad,' gokte Oliver.

'Was het maar waar.' Hij schoof achteruit op de stoel. 'Iedereen dacht dat ze me had ingehuurd om de moord op haar man te onderzoeken, maar ik heb amper iets gedaan, omdat ze me vrijwel niks betaalde. Ik neem aan dat u daarover uitleg wilt.'

'Graag,' zei Marge.

'Ik ben een gokverslaafde. Ik dacht niet dat het een probleem was tot de dag waarop ik besefte dat ik me zo diep in de schulden had gestoken dat ik alles zou verliezen als ik er niet snel iets aan deed. Toen ben ik naar de GA gegaan.'

Gamblers Anonymous. 'Verstandig,' zei Oliver.

'Ik moest wel. Het eerste wat ik daar leerde, was dat ik aan mijn vrouw en familie moest opbiechten dat ik verslaafd was. Toen ik dat eenmaal had gedaan, heeft mijn moeder, God zegene haar, me financieel uit de brand geholpen. Het heeft acht jaar geduurd voordat ik haar alles had terugbetaald, maar toen was ik er ook helemaal bovenop. Mijn zaak draaide goed. Ik moest zelfs mensen in dienst nemen omdat ik het in mijn eentje niet kon bijbenen.'

'Melinda Little?' vroeg Oliver.

'Nee, ik kende Melinda al,' zei Shriner. 'We kwamen in dezelfde casino's.'

'Melinda is ook een gokverslaafde.' Marge hield haar stem zo vlak mogelijk.

'Ja. Ik heb haar weten over te halen naar de GA te gaan voordat ze helemaal ontspoorde. Ze wilde aanvankelijk niet erkennen dat ze verslaafd was, maar toen ze dat eenmaal had gedaan, heeft ze zich aan de regels van het programma gehouden. Het moeilijkste was de bekentenis. Ze kon het niet opbrengen om aan haar ouders op te biechten dat ze na de dood van haar man het geld van de levensverzekering had vergokt. Daarom hebben we toen een plan verzonnen. Ze zou zeggen dat ze het geld had besteed aan een privédetective, dat was zogenaamd de reden waarom er zo weinig geld over was. Haar ouders geloofden haar en hebben haar geholpen. Ze schaamde zich dood, maar heeft gezworen dat ze nooit meer zou gokken.'

'Ik heb gehoord dat er geld op de bank stond toen Ben stierf,' zei Marge. 'Wanneer is ze met gokken begonnen?'

Shriner haalde zijn schouders op. 'Ik heb haar ongeveer een half jaar na de tragedie leren kennen. Ze zat toen vaak in het casino. Ze speelde meestal poker. Ik weet dat een deel van het verzekeringsgeld op een studierekening voor haar zonen was gezet waar ze niet aan kon komen. Dat was maar goed ook. Gokverslaafden weten namelijk niet hoe ze moeten stoppen.'

'Ze heeft ons uw naam vrijwillig gegeven,' zei Oliver.

'Omdat ze niet wist dat ik haar zou verraden. Anders had ze het misschien niet gedaan.'

'Hoe reageerde ze daarop?'

'Ze vond het niet leuk, maar heeft niet geprobeerd me ervan af te brengen. Volgens de filosofie van de GA moet je ophouden met liegen en excuses verzinnen. Het leek me voor ons beiden goed als we de waarheid zouden vertellen. Melinda is nog steeds niet in staat het aan iedereen op te biechten, maar kan mij niets voorschrijven. Ze weet dat u weer contact met haar zult opnemen.'

'Is het volgens u mogelijk dat ze iets te maken heeft gehad met de moord op haar man?' vroeg Oliver.

'Alles is mogelijk, maar het lijkt mij van niet.'

'Waarom niet?' vroeg Oliver.

'Omdat ze echt verdrietig was.'

'Ze zal het best erg gevonden hebben dat hij dood was, maar dat wil nog niet zeggen dat ze er niet zelf achter zat, vooral als ze geld nodig had voor haar verslaving.'

'Voor zover ik weet is ze pas na de moord gaan gokken. Ik kan me ook niet herinneren haar voor die tijd gezien te hebben.'

'Misschien speelde ze in een ander casino.'

'Hoor eens,' zei Shriner, 'ik zeg niet dat ze er geen behoefte aan had. Ik zeg ook niet dat ze misschien niet af en toe aan de goktafels zat. Maar uit de gesprekken in de groep heb ik begrepen dat haar problemen pas ernstige vormen begonnen aan te nemen nadat haar man was vermoord. Ze maakte een radeloze indruk. Ze was eenzaam, schaamde zich diep en leed aan hevige stemmingswisselingen. Wie dit niet aan den lijve heeft meegemaakt, weet niet hoe snel je kunt omslaan van "Het gaat goed, ik kan het aan" naar "Het gaat weer faliekant mis".'

'U denkt dus dat ze haar verslaving geheim heeft gehouden tot nadat hij was gestorven?' Oliver klonk sceptisch.

'Ik wil wedden dat haar man ervan wist. En dat hij haar in toom wist te houden. Toen hij er niet meer was en ze opeens een smak geld kreeg... Tja, dat is een fatale combinatie. De reden waarom ik u dit allemaal vertel is dat ik niet wil dat u denkt dat ik niet goed in mijn werk was. Ik was een erg goede privédetective. Ik heb Melinda geholpen, maar was niet van plan me erg voor haar uit te sloven, omdat ik zelf genoeg problemen had.'

'Daarmee zijn we terug bij mijn eerste vraag. Wat herinnert u zich over de zaak?'

'Little scheen een aardige vent te zijn geweest. Iedereen mocht hem graag en keek tegen hem op. De moord zag eruit als het werk van beroeps, maar ik kon geen reden ontdekken waarom iemand hem dood wilde hebben.'

Oliver zei: 'En daarmee zijn we terug bij zijn vrouw...'

Shriner zei: 'Als ze in moeilijkheden verkeerde, had de oplossing niet per se een moord hoeven zijn.'

'Was ze aan iemand geld verschuldigd?'

'Niet voor zover ik weet,' antwoordde Shriner.

'Wat behelsde uw onderzoek?' vroeg Marge.

'Ik heb veel mensen vragen gesteld. Zijn vrienden, familieleden, collega's, een paar van zijn leerlingen.'

'Zegt de naam Darnell Arlington u iets?'

'Ja, dat was de zwarte jongen die van school was gestuurd. Die heb ik gebeld. Tegen de tijd dat Little werd vermoord, woonde hij al maanden niet meer in Los Angeles Hij leek erg van streek over de dood van Little. Waarom vraagt u naar hem? Heeft hij inmiddels een strafblad?'

'Nee, hij is sportleraar op een middelbare school in Ohio.'

'Ik ben blij dat hij goed terecht is gekomen.'

'U hebt hem nooit als een verdachte beschouwd?' vroeg Oliver.

'Jawel, maar hij viel al snel af omdat hij een goed alibi had, al weet ik niet zo een-twee-drie wat dat ook alweer was.'

'Naar verluidt deed hij mee aan een basketbalwedstrijd waar honderd man publiek bij zat.'

'O ja. En een mens kan niet op twee plaatsen tegelijk zijn. Bovendien leek hij niet wraakzuchtig genoeg om na zes maanden een huurmoordenaar in dienst te nemen. Maar ik zou het wel onderzoeken, als ik u was. Zoals ik al zei, heb ik niet al te veel tijd aan de zaak besteed.'

'Zegt de naam Primo Ekerling u iets?' vroeg Marge.

Dit was de eerste vraag waar de privédetective over moest nadenken. 'Komt me vaag bekend voor.'

'Hij was een producer,' zei Marge. 'Een paar weken geleden is hij dood aangetroffen in de kofferbak van zijn Mercedes-Benz. Bureau Hollywood heeft een paar latino's gearresteerd, maar die zeggen dat ze het niet gedaan hebben. Ze geven toe de auto gestolen te hebben, maar ontkennen de moord.'

'Dat heb ik dan misschien in de krant gelezen...'

'U herinnert zich Ekerlings naam niet van uw onderzoekje naar Little?'

'Onderzoekje...' Shriner glimlachte. 'Goed gezegd. Misschien had ik de naam al eerder gehoord. Als blijkt dat hij er iets mee te maken heeft, laat u me dat dan weten? En nu heb ik een afspraak met mijn golfclubs. Minder opwindend dan speurwerk, maar het houdt me van de straat.'

Decker had net zijn meegebrachte broodjes op toen Marge belde en hem een samenvatting gaf van het gesprek met Phil Shriner. Toen ze klaar was, vroeg hij: 'Hoe erg was haar gokverslaving?'

Marge zei: 'Dat moeten we nog uitzoeken. Ik neem aan dat Melinda Little een telefoontje van jou verwacht. Ik vind dat je er meteen werk van moet maken, Pete, voordat ze de tijd krijgt om allerlei slimme smoesjes te verzinnen.'

'Ik ben nog in Simi Valley.' Decker verwisselde van oor. 'Ik moet over een kwartier naar het politiebureau hier voor dat gesprek met Arnie Lamar. Hoe zit jij vanmiddag?'

'Ik heb wel wat tijd.'

'Dan moeten jij en Oliver naar haar toe gaan.'

'En als ze er een advocaat bij haalt?'

'Dan wil dat voor ons iets zeggen.' Hij kreeg een seintje door dat er een gesprek in de wacht stond. Een privénummer. 'Er staat iemand in de wacht, Marge. Maak een afspraak met Melinda en bel me straks terug.'

'Oké. Succes.'

Decker hing op en liet het andere gesprek doorkomen. 'Decker.'

'Wat is er nou weer?'

Hij herkende de zachte, melodieuze stem meteen en greep onmiddellijk zijn pen en notitieboekje. Normaal gesproken zou hij Donatti bedanken dat hij hem terugbelde, maar Chris Donatti hield daar niet van. 'Wat weet jij over de moord op Bennett Little?'

Een lange stilte op de lijn. 'Verdenk je mij daarvan?'

'Voor zover ik weet was je vijftien en woonde je in New York toen het is gebeurd. Heb ik gelijk?'

'Waarom bel je me dan?'

'Je bent in Los Angeles aangekomen toen de moord nog vers was. Jij legt graag je oor te luisteren. Misschien heb je iets gehoord.'

Weer een stilte. 'Het is lang geleden en ik heb een drugsprobleem. Als ik ooit een goed geheugen had, is daar nu niet veel meer van over.'

'Maar je herinnert je de zaak nog wel.'

'Als er iemand wordt omgelegd, vraag je je af wiens terrein het is.'

'Denk je dat het een huurmoord was?'

Er klonk een korte lach op de lijn. 'Ja.'

'Maar geen idee wie het heeft gedaan?'

'Het was voor mijn tijd. Verder nog iets?'

'Over verslavingen gesproken, ik heb gehoord dat de vrouw van Little een geheimpje had.'

Weer een stilte. 'Ze gokte. Hoe heette ze ook alweer? Rhoda, Melinda?'

'Melinda. Waar ken je haar van?'

'Mijn oom was een stille vennoot in een paar goktenten in Gardenia.' Een adempauze. 'Dat was lang geleden. Joey heeft zich tien jaar geleden uit de casino's teruggetrokken. Hij is nu trouwens dood.'

'Dat weet ik.'

'Opgeruimd staat netjes.'

'Wat kun je me vertellen over Melinda Little?'

'Ik was zestien. Zij was een lekker wijf. Bloedmooi.'

'Dat is ze nog steeds. Heeft het feit dat ze een lekker wijf was haar in de problemen gebracht?'

'Niet met mij, jammer genoeg.'

'Kan er een ander zijn geweest?'

'Dat kan altijd, maar dat herinner ik me niet.'

'Was ze je oom geld schuldig?'

'Decker, dat hield ik echt niet bij, hoor. Ik was net in Los Angeles aangekomen en had wel iets anders aan mijn hoofd. Ik heb geen idee of ze in de schulden zat en zo ja, hoe diep.'

'Ken je een rechercheur genaamd Calvin Vitton?'

Een korte stilte. 'De naam komt me vaag bekend voor.'

'Hij werkte aan de zaak-Little. En nu heeft hij zichzelf voor zijn kop geschoten.'

'Dan zou ik dát nader onderzoeken als ik jou was.'

Decker trok een gezicht, al kon Donatti dat niet zien. 'Bedankt voor de goede raad. Kun je me iets over Vitton vertellen?'

'Ik herinner me alleen dat het een ouwe vent was...' Weer een korte stilte. 'Ik zal erover nadenken.'

'Oké. Primo Ekerling. Ken je die?'

'Dat is een producer,' antwoordde Donatti. 'Wat heeft hij misdaan?'

'Iemand heeft hem vermoord en in de kofferbak van zijn Mercedes gestopt. Het lijkt verdacht veel op de moord op Bennett Little.'

'Wanneer?'

'Twee weken geleden.'

'Mmmm... ik kan niet alles bijhouden. Dat zou ik dan ook maar onderzoeken als ik jou was. Misschien hebben Ekerling en de juut en Little iets gemeen.'

'En wat zou dat kunnen zijn?'

Weer een zachte lach. 'Ik ga echt je werk niet voor je doen.'

'Ik heb nog iets van je te goed voor die keer dat je me hebt neergeschoten.'

'Welnee. Dat heb ik al lang afbetaald. Als iemand nog iets te goed heeft, ben ik het.'

'Niet lullen. Dat telt niet mee.'

'Vraag maar aan je zonen of het niet meetelt.'

Stilte. Toen zei Decker: 'Bel me als je iets te binnen schiet.'

'Waarom zou ik?'

'Omdat je zo bent.'

'Bel jij mij maar als je iets te binnen schiet. Want voor zover ik kan zien, heb je het niet alleen bij het verkeerde eind, maar heb je nog helemaal nergens houvast.'

10

Melinda Little Warren was niet verbaasd toen de twee rechercheurs voor haar deur stonden. 'U had even moeten bellen. Ik sta op het punt om uit te gaan.'

Zoals de ondoorgrondelijke kolonel Dunn zou hebben gezegd: de vrouw zag eruit als een ijskoningin. Zelfs haar blonde haar was meer wit dan amber. Ze droeg een groene blouse op een kakibroek en liep op sandalen die gesierd waren met nepjuwelen. 'We hebben maar een paar minuten nodig,' zei Marge.

'Als ik dacht dat een paar minuten voldoende waren, zou ik u binnenlaten. En als ik dacht dat Bens zaak ermee geholpen zou zijn, zou ik u binnenlaten. Maar ik weet waar dit over gaat, omdat ik aanneem dat u al met die rotzak hebt gepraat.'

'Welke rotzak?' vroeg Oliver.

'Houd u niet van de domme!' Ze liep rood aan van woede. 'Die kerel liegt dat hij barst!'

'Vertel ons uw versie dan. Tot nu toe hebben we alleen zijn verhaal gehoord.'

'Alsof het u iets kan schelen... O, fuck!' Ze gooide de deur open en liep weg. De rechercheurs vatten dat op als een teken dat het gesprek binnenshuis kon worden voortgezet.

Het uitzicht was prachtig, maar Melinda had er geen oog voor. Getergd ijsbeerde ze door de kamer. 'Dat ik lang geleden met een klein probleempje heb gekampt, heeft niets te maken met wat ik die inspecteur heb verteld. En het heeft zeker niets te maken met de moord op mijn man. Maar u moet en zal de treurende weduwe onder de loep nemen. Want ik had de meeste baat bij zijn dood. Dat ik geestelijk een wrak was, maakt niks uit. Dat ik rondliep met zelfmoordplannen maakt niks uit. Nee, u moet de weduwe onder de loep nemen!'

‘Waarom noemt u Phil Shriner een rotzak?’ vroeg Marge.

‘Omdat hij dat is! Ik had hem ingehuurd om geheimen te bewaren, niet om ze te verklappen!’

‘Hij zegt dat u hem helemaal niet ingehuurd hebt. Dat hij uw dekmantel was voor het feit dat u al het verzekeringsgeld had vergokt.’

‘Dat liegt hij!’ Melinda draaide zich fel om. ‘Het is waar dat ik een probleem had. Ik kende Phil uit die tijd. Het enige goede dat hij ooit voor me heeft gedaan, is dat hij me heeft meegenomen naar die GA-avonden, maar dat deed hij alleen omdat hij me in bed wilde krijgen.’

‘En is hem dat gelukt?’ vroeg Oliver.

‘Beledig me niet!’ beet Melinda hem toe. ‘Ik was verslaafd aan gokken, niet aan drank! Ik hield altijd mijn hoofd erbij, maar Shriner was een smeerlap.’

Oliver hief sussend zijn handen op. ‘We willen de moord op uw man oplossen. We staan allemaal aan dezelfde kant.’

‘Dat zei de politie vijftien jaar geleden ook en ik geloof u net zomin als die lui van toen.’ Melinda zakte neer op de witte bank. ‘Dat stelletje stomme idioten.’

Oliver wist niet wat hij daarop moest zeggen. Hij keek hulpzoekend naar Marge. Ze blies onhoorbaar haar adem uit en ging naast Melinda op de bank zitten. ‘Het spijt me dat we oude wonden moeten openen, mevrouw Warren. Dit is vast erg moeilijk voor u.’

Melinda keek Marge met betraande ogen nijdig aan. ‘Spaar me uw amateuristische psychogeleuter. Ik heb genoeg therapeuten gezien om loze woorden van echt medeleven te kunnen onderscheiden.’

Daarna bleef het stil in de kamer. Oliver keek uit het raam. Even later zei Melinda: ‘Ik zit maar te wachten… en me af te vragen… wanneer ik weer mag gaan leven.’ Haar blik verzachtte en tranen rolden nu over haar wangen. ‘Heb ik geen recht op een beetje geluk?’

‘Als ik u was, zou ik ons de deur uit bonjouren en zeggen dat we maar met uw advocaat moeten gaan praten.’ Marge haalde haar schouders op. ‘Maar ik hoop dat u dat niet zult doen. Als we de moordenaar van doctor Little willen oppakken, moeten we met u over Phil Shriner en uw gokverslaving praten.’

Het leek Oliver wel veilig ook weer iets te zeggen. ‘U en Shriner lijken het niet met elkaar eens te zijn, dus willen we graag van u horen hoe het in elkaar zit.’

Marge ging behoedzaam door. 'Phil zei dat u het geld van de verzekering had vergokt en dat u dat niet aan uw ouders kon opbiechten. Dat u daarom tegen hen hebt gezegd dat u het geld aan een privédetective had uitgegeven. En dat Shriner ermee had ingestemd uw dekmantel te zijn.'

Oliver voegde er nog aan toe: 'Hij heeft er onmiddellijk bij gezegd dat hij zelf ook een gokverslaafde is. *En* hij zei dat u waarschijnlijk met gokken bent begonnen vanwege de dood van uw man.'

'Dat is ook zo!' riep Melinda uit. 'Zijn dood was in geestelijk opzicht een enorme klap voor me. Dacht u soms dat gokken een gewoonte van me was toen Ben nog leefde?'

Marge zei: 'Wanneer is het een probleem voor u geworden?'

'Ongeveer een half jaar na...' Melinda greep een doosje papieren zakdoekjes, zette het op haar schoot en plukte er eentje uit. Ze bette haar ogen. 'Vergeet niet dat ik niet alleen eenzaam was, maar ook bang. De politie had geen idee wie Ben had vermoord en ik dacht dat er iemand was die het ook op mij en de jongens had voorzien. Ik was doodsbang. Ik heb het huis verkocht en ben bij mijn ouders ingetrokken, maar dat was ook niks. Ik ging naar het casino om niet thuis te hoeven zitten. Ik had op mijn vijfde al van mijn vader leren pokeren. Ik was er goed in. In het begin won ik. Dat is mijn ondergang geweest. Als ik meteen had verloren, was ik het waarschijnlijk niet blijven doen.'

'Hoe lang heeft het geduurd voordat het u duidelijk was dat u uw goklust niet meer in bedwang kon houden?'

'Ik weet niet wat Phil u heeft verteld, maar ik ben nooit helemaal blut geweest. Ik had nog wat spaargeld.'

Ze pakte haar handtas, haalde er een make-uptasje uit en begon haar make-up te herstellen: poeder, rouge, lippenstift. Toen ze klaar was, was er van haar tranen geen spoor meer te bekennen.

'Maar het was gênant... dat ik mijn geld zo over de balk smeet. Phil en ik zijn toen tot een plan gekomen waar we allebei profijt van hadden. Hij zou me dekken, maar alleen als ik hem wat geld gaf voor een onderzoek naar Bens moord. Phil heeft de kans met beide handen aangegrepen. Hij zat tot over zijn oren in de schuld en klampte zich aan iedere strohalm vast.'

Marge zei: 'We moeten de bankrekeningen uit de tijd dat uw man is vermoord bekijken. We zouden ermee geholpen zijn als we daarvoor schriftelijke toestemming van u kregen.'

Ze zweeg een poosje en zei toen: 'Als u me dan verder met rust laat, vind ik het goed.'

'We willen alleen maar verifiëren dat u geen problemen op dit gebied had voordat uw man werd vermoord.'

Melinda likte aan haar lippen. 'Nee, ik had geen "problemen" op dit gebied. Ben en ik gingen af en toe wel naar Las Vegas. Dan gingen we naar een show en een beetje gokken. Soms won ik, soms verloor ik. Ik vond het leuk, maar had nooit een sterke aandrang om het te blijven doen.'

'U zegt dus dat het pas een probleem is geworden na de moord.'

'Ja. Ik was geestelijk een wrak en kreeg opeens een heleboel geld. Ik wou dat de verzekering niet zo vlot met het geld over de brug was gekomen. Als het langer had geduurd, was ik misschien evenwichtiger geweest.'

'Wat is volgens u de reden dat Shriner u opeens heeft verraden?' vroeg Oliver.

'Dat u een nieuw onderzoek instelt naar de moord en hij niet wil dat de politie denkt dat hij een waardeloze detective is.'

Hun verhalen kwamen overeen... misschien zelfs te nauwkeurig. Marge zei: 'U zei dat hij ermee had ingestemd als dekmantel te dienen tegenover uw ouders, maar pas nadat u had toegezegd hem daarvoor te betalen. Dat lijkt wel erg veel op chantage.'

Nu glimlachte Melinda. 'Zo ver zou ik niet gaan. Ik... Hij had geld nodig en ik had mijn buik vol van de politie. Het zou prettig zijn geweest als hij iets meer moeite had gedaan voor het onderzoek naar Bens moord, maar...' Ze zuchtte. 'Ik heb hem ook niet veel betaald. Eerlijk gezegd weet ik niet waarom ik hem überhaupt had moeten betalen. De politie had haar werk moeten doen.'

'Hoe goed kende u de rechercheurs die de zaak behandelden?' vroeg Oliver.

'In het begin belde ik hen vaak. Minder toen Phil aan het werk was gegaan. Uiteindelijk gingen die twee met pensioen en ging het hele onderzoek uit als een nachtkaars. Tegen de tijd dat ik over mijn verslaving en mijn angst heen was en de rekeningen van de psychiaters had afbetaald, wilde ik alleen nog maar met rust gelaten worden.'

'Welke van de twee rechercheurs belde u meestal?' vroeg Marge.

Ze keek een beetje beduusd om die vraag. Toen zei ze: 'Lamar, geloof ik. Die vond ik aardiger dan Vitton.' Ze keek op haar horloge. 'Ik ben te laat voor een lunch met een heel goede vriendin. Ik wil nu graag gaan.'

Oliver zei: 'Wat zou u zeggen als ik u vertelde dat...'

Marge zei: 'Heel hartelijk dank dat u ons te woord hebt gestaan, mevrouw Warren.'

'Geen dank. Maar belt u de volgende keer even van tevoren.'

Marge stond op en wenkte Oliver. 'Dat zullen we doen. Goedemiddag.'

Zodra ze buiten waren viel Oliver tegen zijn partner uit. 'Waarom ben je me zo in de rede gevallen?'

'Omdat ik niet wilde dat je haar over Vittons zelfmoord zou vertellen voordat we meer weten.'

'Maar ik wilde zien hoe de ijskoningin erop zou reageren! Wat mij betreft is ze een verdachte. De moord lijkt het werk van een beroeps en ze hééft een gokverslaving. Hoe weet jij dat ze haar man niet heeft laten vermoorden om het geld van de verzekering? Misschien heeft ze Shriner ingehuurd om het te doen, of Vitton en heeft die zich daarom nu van kant gemaakt.'

'Allemaal redenen waarom ik meer informatie over haar en Vitton wil hebben voordat we het haar vertellen. Dingen als: over hoeveel geld beschikte ze voordat haar man werd vermoord? Is er kort na zijn dood veel geld van de rekening gehaald? Kende ze Cal Vitton vóór de moord op Ben? Stel dat we verdachte dingen ontdekken. Dan is Vittons zelfmoord een prachtig excuus om weer met haar te gaan praten. En als we geen verdachte dingen ontdekken, hoeven we haar niet nog meer te kwellen door haar over de zelfmoord te vertellen.'

Oliver bleef verongelijkt kijken. 'Ik vind het niet leuk om opzij geduwd te worden als ik net lekker bezig ben, ook al heb je een hogere rang dan ik.'

'Zou het helpen als ik koekjes voor je kocht?'

'Krijg de klere,' viel Oliver uit.

'Het was serieus bedoeld.' Marge keek gekwetst. 'Van die lekkere met macadamianoten, witte chocola en kokos. Maar ja, als je niet wilt...'

'Geloof je echt dat de liefde van de man door de maag gaat?'

'Dat is tot nu toe mijn ervaring geweest.'

Het bleef lang stil. 'Ik heb liever puur.'

'Zoals je wilt, schat.'

Oud-rechercheur Arnold Lamar zag eruit alsof hij naar een begrafenis moest. Hij droeg een slecht zittend zwart pak dat bedoeld was voor een forsere man, een wit overhemd en een smalle, zwarte stropdas. Versleten veterschoenen aan zijn voeten. Zijn gezicht stond strak, zijn ogen hadden een glazige blik en gingen heen en weer tussen Decker en rechercheur Shirley Redkin van het politiebureau Simi Valley. Uiteindelijk liet hij zijn blik op Decker rusten en hij bleef hem toen aanstaren. Ze zaten gedrieën aan een tafel in een van de verhoorkamers. 'Wat hebt u tegen hem gezegd?'

'Wat bedoelt u?'

'Hebt u hem van streek gemaakt?'

Decker nam er geen aanstoot aan. 'Ik heb tegen rechercheur Vitton precies hetzelfde gezegd als tegen u. Dat ik met hem over de zaak-Bennett Little wilde praten en zijn mening erover wilde horen. Als hij dat een belediging vond, moet ik schuld bekennen.'

Stilte.

'Ik heb me niet bedreigend opgesteld, alleen vasthoudend. Zou u een reden weten waarom hij zich van het leven heeft beroofd?'

'Nee.'

'U hebt Vitton gebeld voordat ik hem aan de lijn kreeg. Hoe was zijn stemming?'

'Net zoals altijd.' Lamar schudde zijn hoofd. 'Chagrijnig. Nadat hij met pensioen was gegaan, wilde hij niets meer met het LAPD te maken hebben, afgezien van zijn maandelijkse cheque. We hebben een poosje contact gehouden, maar dat verwaterde uiteindelijk. Hij heeft nergens aan laten merken dat hij zo wanhopig was, maar ik ben geen psychiater.'

'Waar hebt u over gepraat?'

'Ik heb hem verteld dat het LAPD de zaak-Little opnieuw ging onderzoeken en dat hij een telefoontje van u kon verwachten.'

'Wat zei hij daarop?'

'Hij vroeg wat ze van hem verwachtten. Ik zei dat ze volgens mij helemaal niks van hem verwachtten. Dat ze gewoon informatie wilden over het onderzoek. Hij gromde iets en zei dat het daarvoor een beetje aan de late kant was. Kortom, hij was zoals hij altijd was. Als ik had gedacht dat er iets mis was, zou ik...' Hij knipperde dreigende tranen met zijn ogen weg. 'Cal was al heel lang niet gelukkig.'

'Problemen met vrouwen?' opperde Shirley Redkin.

Lamar had moeite zijn blik te verleggen van Deckers gezicht naar het hare. Hij vond dat ze eruitzag als een nazaat van de Azteken. 'Hij was al jaren gescheiden. Het was een moeilijke scheiding geweest, maar toen hun zoon ging trouwen, praatten ze wel met elkaar. Zijn kinderen... wonen allebei ver weg.'

'Waar?' vroeg Shirley.

'De ene in San Francisco, de andere in Nashville.'

'Wat voor soort werk doen ze?' vroeg Decker.

'Ze zitten niet bij de politie.' Hij schudde zijn hoofd. 'De zoon in Nashville, Freddy, produceert countrysongs, wat dat ook wil zeggen. Cal junior... tja, wat zal ik ervan zeggen. Die is van de club.'

'Bedoelt u dat hij homoseksueel is?' vroeg Shirley.

Lamar knikte moeizaam. 'Nadat Cal junior uit de kast gekomen, is Big Cal nooit meer de oude geworden.'

'Hoe lang geleden is dat?'

Daar moest Lamar even over nadenken. 'Een jaar of tien.'

Decker zei: 'Dus Vitton is niet tot zijn wanhoopsdaad gebracht door recente gebeurtenissen.'

'Dit was niet recent, maar dat wil nog niet zeggen dat het hem niet wanhopig maakte.'

'Maar waarom nu?' vroeg Shirley.

'Daar heb ik voortdurend over nagedacht. Misschien was het alles bij elkaar. Dat de zaak die onze grootste mislukking was, werd heropend, dat zijn zoon homoseksueel was, dat hij niets meer omhanden had en dat er geen vrouw in zijn leven was. Na een poosje gaan die dingen je opbreken.'

'Zodanig dat je behoefte voelt de loop van je pistool tegen je hoofd te zetten?'

'Cal was al heel lang niet gelukkig,' zei Lamar weer.

'Hoe heet zijn ex?' vroeg Shirley.

'Francine Vitton. Vraag me niet waar ze woont, want dat weet ik niet.'

'Hebt u wel de telefoonnummers van Vittons zonen?'

'Nee, maar ik neem aan dat ze in Cals adresboekje staan. Hij hield contact met hen... Hoofdzakelijk met Freddy, maar hij sprak Cal ook. En dat is niet altijd zo geweest.'

'Nee?'

'Nee. U weet hoe dat gaat. Toen Cal ermee voor de draad kwam, wilde

Big Cal aanvankelijk niets meer met hem te maken hebben. Toen ze allebei wat waren afgekoeld, hebben ze het bijgelegd. Ik neem aan dat de jongens u kunnen vertellen waar hun moeder woont.'

Shirley vroeg: 'Bent u volkomen openhartig, rechercheur Lamar? Was er niets anders dat voor Cal reden kan zijn geweest zelfmoord te plegen?'

'Zo ja, dan was ik daar niet van op de hoogte.'

'Vond Cal zelf dat hij zich voor honderd procent voor de zaak-Little had ingezet?'

Lamar zette zijn stekels op. 'Het is niet eerlijk om zoiets te vragen, inspecteur. Als een zaak niet wordt opgelost, hou je altijd het gevoel dat je nog iets meer had kunnen doen. Maar soms lukt het gewoon niet. En u weet net zo goed als ik wat een rotgevoel je daaraan overhoudt.'

11

Er schoot Decker iets te binnen.

Toen hij Arnie Lamar had gevraagd wat de zonen van Calvin Vitton deden, had de gepensioneerde rechercheur geantwoord: 'De zoon in Nashville, Freddy, produceert countrysongs, wat dat ook wil zeggen.' Eerder op de dag, toen hij Donatti had gesproken en hem naar Primo Ekerling had gevraagd, had Donatti gezegd: 'Die is producer. Wat heeft hij misdaan?'

Er werkten tienduizenden mensen in de muziekindustrie. Het toeval was niet echt opzienbarend, maar Decker dobberde in zijn dooie eentje in een oceaan en klampte zich vast aan elke stuk drijfhout dat toevallig voorbijkwam. Zodra hij op het bureau was, belde hij Lamar. 'Met Pete Decker nog even.'

'Ja?'

'Een snelle vraag over de zonen van Cal. Hoe oud zijn die nu?'

'Freddy is ongeveer vijfendertig, Cal junior een paar jaar jonger. Waarom vraagt u dat?'

'Ik heb altijd graag een beeld van de mensen die ik ga ondervragen.'

Lamar zei: 'Nee, er zit meer achter dan u laat merken.'

'Vertel me dan wat dat is. Ik kan alle hulp gebruiken.'

'Doe ze de groeten van me.'

Hij verbrak de verbinding voordat Decker de kans kreeg nog iets te zeggen. Toen hij ophing, klopte Marge op de deurpost. Ze had Oliver bij zich. Decker wenkte hen naar binnen. Ze kwamen hem verslag uitbrengen over Melinda Little Warren.

'We willen nakijken hoe de bankrekeningen van de Littles eruitzagen in de tijd rond de moord,' zei Oliver. 'We willen weten of er vlak voor de moord geld is gestort of opgenomen.'

Marge voegde eraan toe: 'We weten dat de rechercheurs dat toen ook gedaan hebben, maar we willen er zeker van zijn dat ze niets over het hoofd hebben gezien.'

Decker zei: 'Dat lijkt me redelijk, maar ik weet niet of vijftien jaar oude dossiers nog iets zullen opleveren.'

'We weten bij welke bank ze haar rekeningen had,' zei Oliver. 'Vijftien jaar geleden hadden de banken al computers. Ik denk dus niet dat het een probleem zal zijn.'

'Heb je haar toestemming hiervoor?'

'Ze zei dat ze bereid was iets te ondertekenen.'

'En jullie verdenken haar evengoed?' vroeg Decker.

Oliver zei: 'Ze is een gokverslaafde. Little had een levensverzekering. Als ze zich in de nesten had gewerkt...'

Decker keek naar Marge.

'Ik streep haar nog niet van mijn lijstje,' zei ze.

'Wat was haar reactie op het nieuws over Cal Vittons zelfmoord?'

Oliver wees met zijn duim naar Marge. 'Ze heeft me de mond gesnoerd. De brigadier wil dat we de zelfmoord bewaren als excuus voor een nieuw gesprek als dat nodig mocht zijn.'

'Ah...' Decker knikte. 'Goed plan.'

'Het leek mij anders beter om haar er meteen mee te confronteren en te zien hoe ze zou reageren,' zei Oliver nijdig.

'Daar valt ook iets voor te zeggen. Maar als jullie haar rekeningen gaan bekijken en iets ontdekken, is de zelfmoord een mooi excuus om nogmaals naar haar toe te gaan, en als jullie er dan eenmaal zijn, kunnen jullie haar vragen naar de discrepanties op de rekeningen.'

Marge lachte. 'Twee tegen één, Scotty. Een brigadier en een inspecteur nog wel.'

Decker zei: 'Ik had graag dat een van jullie een paar dingen ging natrekken.' Hij vertelde zijn rechercheurs over de mogelijke schakel tussen Primo Ekerling en Freddy Vitton. 'Als ze elkaar kenden, zou dat wel interessant zijn.'

'Maar wat zou dat bewijzen?' vroeg Oliver.

'Twee mannen dood in twee weken, mannen die allebei iets te maken hebben met de zaak-Little.'

'Wie zegt dat Ekerling iets te maken heeft met de zaak-Little?'

'Ditmaal ben ik het met Oliver eens,' zei Marge. 'Ik zie hier eerlijk gezegd geen brood in.'

'Op dit moment ben ik net een computer. Ik verzamel data en lever feiten, maar geef geen mening.' Decker haalde zijn schouders op. 'Ga gewoon wat snuffelen.'

Oliver zei: 'Had Hollywood niet iemand in hechtenis genomen voor de carjacking?'

'Ja. Twee crimineeltjes.'

'Welk recht hebben wij dan om met nieuwe theorieën hun zaak in de war te schoppen?'

'Geen enkel, maar ik wil evengoed het dossier bekijken.'

'Bel je dochter dan. Van haar kun je het krijgen zonder erom te hoeven vragen.'

Decker trok een meewarig gezicht. 'Hé, wat een goed idee, Oliver. Dat ik daar nou zelf niet aan heb gedacht.'

Het oude huisje was een volmaakte kleine bungalow geworden. Nu ze de vloeroppervlakte hadden vergroot van vijfenzeventig naar ruim honderd vierkante meter, hadden ze twee slaapkamers, twee badkamers, een apart toilet en een ruimte naast de woonkamer waar de televisie stond maar die ook dienst kon doen als logeerkamer. De jongelui hadden een rustiek interieur genomen dat goed paste bij het landschap in dit oude deel van Los Angeles, waar lage bungalows en victoriaanse villa's broederlijk naast elkaar stonden, afgewisseld met gerenoveerde woningen in alle stijlen van de jaren vijftig tot nu.

Het beste deel van het huis was eigenlijk het geheel opgeknapte terras, dat uitzicht bood op de ruige, granieten heuvels, die bezaaid waren met kleine villa's. Op warme dagen kreeg je er het gevoel dat je in Zuid-Italië of Spanje zat. En nu zat Decker met Cindy op dat terras van het zachte lenteweer, een espresso en het uitzicht te genieten.

Cindy rekte zich uit en keek om zich heen. 'Dat het leven zo goed kan zijn.'

'Ja, hè?' Hij glimlachte naar zijn dochter. Haar wilde rode haar zat in een paardenstaart en haar huid was glad en bleek, met alleen een vleugje rouge op haar jukbeenderen. Ze droeg een afgeknipte spijkerbroek en een wijd T-shirt en liep op teenslippers. Het was een genot om zijn dochter zo ontspannen te zien. Hij zei: 'De rozentuin is een lust voor het oog.'

'Ja, het is maar goed dat Koby erop heeft gestaan die te laten zoals hij was.'

'Het huis is perfect geworden, prinsesje. Ik weet dat het een hele klus was, maar het resultaat mag er zijn.'

'En nogmaals bedankt voor al je hulp, pap. Zonder jou hadden we het niet gered.'

'Geen dank. Zo veel heb ik trouwens niet gedaan.'

'Om te beginnen heb je ons in contact gebracht met Mike Hollander. Dat was negentig procent van jouw hulp. Op de tweede plaats heb jij het grootste deel van de tegels gelegd en het is verschrikkelijk mooi geworden.'

'Ik ben blij dat je er tevreden over bent.' Hij dronk zijn kopje leeg. 'Nu staan we dus quitte. Ik heb je keuken betegeld, jij hebt me het dossier over Ekerling gegeven.'

'Het is geen quid pro quo, pap.'

'Ja, maar jouw taak was lastiger.'

'Dat is waar.' Cindy glimlachte. 'Het is maar goed dat ik van jou de gave heb geërfd om met een stalen gezicht te liegen.'

Hij deed geen moeite het te ontkennen. 'Welke leugen heb je hun verteld?'

'Eigenlijk zat het niet zo ver van de waarheid. Omdat mijn partner en ik als eersten de verdachte Mercedes hadden bekeken, heb ik gezegd dat ik een kopie wilde voor mijn eigen dossiers. Dat vonden ze heel normaal.'

'Hoe heten de rechercheurs die de zaak behandelen?'

'Rip Garrett en Tito Diaz. Ik heb het dossier van Diaz gekregen. Ik heb er een half uur voor nodig gehad om het te kopiëren en de foto's zijn niet erg duidelijk, maar daar is niks aan te doen. Het originele dossier staat weer op zijn plek en jij hebt je kopie.'

'Ik ben je erg dankbaar, rechercheur Kutiel. Ik voelde er niet veel voor om hen zonder aanwijsbare reden lastig te vallen over hun zaak.' Decker pakte zijn koffiekopje voordat hij zich herinnerde dat hij de koffie al op had.

'Wil je nog een kopje?' vroeg Cindy.

'Eerlijk gezegd heb ik geen plannen om te gaan slapen, dus waarom niet?'

'Kom even mee naar binnen, dan geef ik je meteen het dossier. En dan kun je zien hoe goed ik overweg kan met mijn nieuwe, handige espresso-apparaat.'

Hij liep achter haar aan naar het keukentje, dat een grote gootsteen en een ouderwets fornuis had. 'Wauw, wat is dit mooi geworden.'

'Dat zeg je elke keer.'

'Dan ben ik in ieder geval consequent. Maar het is waar. Het is een snoezig keukentje. Jammer genoeg voor mij begint Rina zich weer van alles in het hoofd te halen.'

'O jee.' Cindy deed koffie in het apparaat.

'Ze heeft wel gelijk. Onze keuken is een beetje ouderwets.'

'Het zou niet erg veel werk met zich meebrengen.'

'Niet voor jou.'

Cindy glimlachte. 'Zeg maar tegen haar dat het niet belangrijk is hoe de keuken eruitziet, maar wie er kookt, en wat dat betreft steekt ze ver boven me uit.'

'Jij kunt ook lekker koken, hoor.'

'Niemand haalt het bij Rina.'

Dat kon Decker onmogelijk ontkennen. 'Hebben jullie zin om vrijdagavond te komen eten?'

'Eh, wat is het vandaag? Dinsdag?'

'Ja.'

'Dan geloof ik dat ik vrijdag wel kan. Ik zal het aan Koby vragen en dan bel ik je nog wel.' Met veel gesis werd de stoom door de aangedrukte koffie geperst. 'Weet Rina ervan?'

'Je bent altijd welkom, maar ik zal het met haar overleggen.'

Cindy gaf haar vader een kopje espresso. 'Ik ben gek op dit apparaat. Ik kan er zelfs melk mee opschuimen. Het scheelt me kapitalen op koffie buiten de deur.'

'Ja, wat kost een kopje designerkoffie tegenwoordig? Iets van vijf dollar voor een vingerhoedje vol?' Decker hief het dossier op. 'Nogmaals bedankt. Ik ben er erg mee geholpen.'

Cindy keek haar vader taxerend aan. 'Ik ben benieuwd wanneer je dat enthousiasme voor nieuwe zaken zult kwijtraken.'

'Sommige zaken krijgen meer aandacht dan andere. In dit geval staat er een grote beloning op het spel.'

'En jij denkt dat Ekerling iets met een moord van vijftien jaar geleden te maken had?'

Decker haalde zijn schouders op. Hij dronk het kopje leeg en veegde zijn mond af aan een servet. 'Ik moet maar eens gaan. Aan de files ontkom ik toch niet.'

'Ik zou je best willen uitnodigen om te blijven eten, maar we gaan vanavond met vrienden uit.'

'Dank je, lieverd, maar ik moet terug naar mijn vrouw en jouw zusje, al is Hannah tegenwoordig bijna nooit thuis. Maar Rina houdt tenminste nog van me.'

'Hannah ook, hoor.'

'Ja, dat zal wel, maar op haar leeftijd is dat lang niet altijd te merken.'

12

Nadat hij uitgebreide aantekeningen had gemaakt op maar liefst twee pakketjes indexkaarten had Decker uiteindelijk een keurige samenvatting van het dossier over de moord op Primo Ekerling. Zo was het gegaan.

Om half zes 's middags was Ekerling in zijn gloednieuwe zilverkleurige Mercedes 550S bij zijn kantoor aan San Vicente Boulevard weggereden, waarna hij en de auto waren verdwenen. Zijn vriendin Marilyn Eustis was de eerste die iets van zijn afwezigheid merkte, toen hij de telefoon niet opnam. Ze sprak een bericht in, maar maakte zich geen zorgen toen hij haar niet terugbelde. Ze zouden die avond om acht uur met wat mensen gaan eten en Marilyn ging ervan uit dat ze elkaar dan wel in het restaurant zouden zien. Primo was laks met terugbellen, maar altijd punctueel tegenover zijn zakenrelaties en die avond zouden zaken en plezier gecombineerd worden.

Om negen uur was Ekerling er nog steeds niet en werden zijn gasten ongedurig. Marilyn was ongerust, maar liet niets merken en verontschuldigde zich voor het feit dat hij zo lang wegbleef. Ze wist dat Primo een goede reden moest hebben dat hij zo laat was, want het was een belangrijk diner. Nu iedereen vanaf websites liedjes kon downloaden, was het met de verkoop van cd's zo goed als gedaan en zag de toekomst van de platenindustrie er somber uit. Platenmaatschappijen wilden tegenwoordig ook niet meer dan één nummer per artiest opnemen, wat inhield dat er veel minder vraag was naar studiotijd, wat weer tot gevolg had dat de behoefte aan producers sterk afnam. Onder degenen die het hoofd nog boven water wisten te houden was de concurrentie fel. De mensen met wie ze die avond aan tafel zaten, vertegenwoordigden een veelbelovende hiphopband en hadden om een tweede gesprek met Primo gevraagd over de productie van hun nieuwe nummer. Veel geld zou het niet opleveren, maar de publiciteit was minstens zo belangrijk en

Marilyn wist dat deze bespreking voor Ekerling de hoogste prioriteit had. En als hij door een onverwachte gebeurtenis verhinderd was, zou hij op zijn minst gebeld hebben.

Maar de *show must go on.* Bij afwezigheid van de producer besloot Marilyn de ego's van de groep te strelen en hen op het diner te trakteren. Wijn vloeide in overvloed, het ene na het andere gerecht kwam op tafel en toen ze om even over elven het restaurant uit stommelden, had ze de indruk dat haar gasten het naar hun zin hadden gehad.

Zelf had ze bijna geen hap door haar keel kunnen krijgen.

Ze reed naar Primo's flat, waarvan ze de sleutel had, en ging naar binnen. Zoals gewoonlijk zag alles er netjes uit en was er niets overhoopgehaald. Vervolgens ging Marilyn naar het parkeerterrein van de flat, waar ze zag dat Primo's Mercedes niet op zijn vaste plek stond.

Eerst belde ze de politie en verkeerspolitie om te informeren of er ongelukken waren gebeurd. Toen dat godzijdank niet zo bleek te zijn, belde ze de politie nogmaals om te zeggen dat Ekerling vermist werd.

Bij de politie waren ze niet onder de indruk van de angstige klank van haar stem. Voordat ze iemand zouden sturen om een onderzoek in te stellen, zou ze moeten wachten tot Primo veel langer vermist was. Toen het uiteindelijk duidelijk was dat Primo niet uit eigen beweging zou terugkomen, stuurde de politie een rechercheur genaamd Marsden Holly om een praatje met Marilyn te maken.

Toen Holly hoorde wat voor werk Primo deed, kwam hij onmiddellijk met allerlei scenario's die variaties waren op het thema dat Primo wellicht de stad had verlaten of bij een andere vrouw was. Marilyn hield vol dat geen van beide erg waarschijnlijk was. De rechercheur noteerde de gegevens van de Mercedes – model, bouwjaar, kentekennummer – en belde die door naar het bureau. De verdwijning van Ekerling bleef een mysterie tot een verkeersagent een Mercedes zag met een bon onder de ruitenwisser. Toen bleek dat de auto vermoedelijk was gestolen, werd de afdeling Autodiefstal erbij gehaald.

Het was rechercheur Cynthia Kutiel – en Decker vond dat hij daar best een beetje trots op mocht zijn – die zag dat de achterkant van de auto nogal laag lag. Toen de rechercheurs de kofferbak openmaakten, zagen ze een al gedeeltelijk ontbonden lijk. Het slachtoffer was in executiestijl in het achterhoofd geschoten en lag met vastgebonden handen en voeten in de foetuspositie.

De rechercheurs van Moordzaken kwamen er bij en agenten van de forensische dienst.

Na hen arriveerde de technische recherche met een politiefotograaf.

Ze verzamelden bewijsmateriaal, namen foto's, onderzochten vingerafdrukken. Al snel bleek dat sommige van de vingerafdrukken toebehoorden aan twee jeugdige delinquenten genaamd Geraldo Perry en Travis Martel, tieners die al een flink strafblad hadden, maar zich vooralsnog van geweldpleging hadden onthouden. Rechercheurs Rip Garrett en Tito Diaz wezen op de stijgende lijn in de aard van hun misdaden en waren van mening dat ze nu de grens hadden overschreden.

De jongens werden opgepakt en in afzonderlijke verhoorkamers ondervraagd. Ze vertelden precies hetzelfde verhaal en gebruikten precies dezelfde argumenten om hun onschuld te bewijzen. Rond tien uur 's avonds waren ze naar het Jonas Park – een bekende drugsplek – gelopen om wiet te scoren. Ze hadden de Mercedes op het verder uitgestorven parkeerterrein bij het park zien staan. Ze gaven onmiddellijk toe dat ze de auto hadden gestolen, maar ontkenden Ekerling vermoord te hebben. Ze zeiden dat ze alleen maar met de auto waren gaan joyrijden op de Santa Monica Boulevard en Sunset, waar je midden in de nacht lekker hard kon. Ze hadden de auto in de heuvels van Hollywood achterlaten toen er rook uit de motor kwam.

Beiden hielden bij hoog en laag vol dat ze verder onschuldig waren. Ze zeiden dat ze er geen idee van hadden gehad dat Ekerling in de kofferbak had gelegen, dat er een man in zijn eigen doodskist had liggen verrotten.

'Waar zijn jullie naartoe gegaan nadat jullie de auto daar hadden laten staan?' vroeg Ripp Garrett aan Travis Martel.

'We hadden honger. We wilden wat eten. Dus zijn we naar Mel's gegaan. Daar hebben ze heel goeie wafels. Toen hebben we vrienden opgebeld om te vragen of ze ons konden komen halen.'

'En waarom zouden die vrienden van jullie bereid zijn zestig kilometer te rijden om jullie op te pikken?'

'Omdat we gezegd hadden dat we een Benz hadden gestolen en dat ze het navigatiesysteem en de stereo voor twintig piek en een lift naar huis konden krijgen. Dat wilden ze wel.'

'En toen?'

'Nou, toen zijn ze dus gekomen. Ze hebben eerst zelf ook wafels besteld. Ik had nog honger, dus heb ik nog een uitsmijter met extra spek genomen. Daarna zijn we naar de Benz teruggegaan en hebben we die op een stil plekje in de heuvels gezet. We hebben het navigatiesysteem uiteindelijk laten zitten, maar de stereo er wel uitgehaald. Dat was in vijf minuten gepiept.'

'Hoe laat was het toen inmiddels?'

'Een uur of vier uur denk ik. We waren hartstikke moe, Gerry en ik.'

Rip en Tito geloofden er niets van. Het leek hen veel aannemelijker dat Ekerling de jongens had betrapt toen ze de Mercedes wilden stelen. Er waren schoten gelost, Primo was vermoord, de jongens hadden de dode man in de kofferbak gelegd, waren naar een stille plek gereden op zestig kilometer afstand van de plaats waar de moord was gepleegd en hadden de Mercedes daar, in de heuvels van Hollywood, achtergelaten.

De vrienden van Travis en Geraldo – ene Tyron en ene Leo – bevestigden het verhaal van de jongens. De serveerster van Mel's herinnerde zich de vier jongens. Maar de rechercheurs waren evengoed niet overtuigd. Net zomin als de officier van justitie en de jury. Travis Martel en Geraldo Perry werden aangeklaagd voor carjacking en moord. Borgtocht werd afgewezen. De jongens zaten nu in het huis van bewaring.

Decker bekeek de foto's.

Geraldo Perry was een meter zeventig lang en woog zestig kilo, een magere tiener met een vlassig snorretje en een viezig dotje onder zijn onderlip. Hij had slome ogen en smalle schouders. Hij zag eruit als een junk.

Travis Martel was zwart, maar geen typische Afro-Amerikaan. Hij had golvend haar, een koffiekleurige huid, dikke lippen, een hoekige neus en schuinstaande ogen. Ook hij was een meter zeventig, breder gebouwd dan Perry, maar minder gespierd. Op de politiefoto keek hij brutaal in de camera.

Primo Ekerling was een meter drieëntachtig en Decker schatte hem op zeker honderd kilo. Hij had dik, krullend haar, donkerbruine ogen en een stoere kin met een kuiltje.

Bepaalde overeenkomsten tussen de zaak-Ekerling en de zaak-Little vielen Decker meteen op: het model auto, het feit dat de lijken in de kofferbak waren gelegd en dat de auto's waren achtergelaten op openbare plaatsen. Maar als hij verder wilde komen, moest hij méér overeenkomsten zien te vinden en op dit moment zag hij geen enkel aanknopingspunt.

Hij legde het dossier opzij en googelde Primo Ekerling. Meer dan duizend treffers verschenen op het scherm. De eerste paar pagina's betroffen de moord, daarna gingen de meeste artikelen over zijn werk als producer en zijn korte carrière als punkrockzanger. Interessant dat zelfs een volslagen onbekende zo veel treffers opleverde.

Primo Ekerling had sponsors. Maar hij had ook een aantal tegenstanders zoals bleek uit alle rechtszaken die hij had lopen.

Tegen een van de popgroepen waarvan hij de producer was had hij een proces aangespannen wegens achterstallige betaling.

Tegen een platenmaatschappij die hem had ingehuurd, had hij een proces aangespannen wegens achterstallige betaling.

Tegen een voormalig lid van zijn eigen opgedoekte band – the Doodoo Sluts – had hij een proces aangespannen om de royalty's van hun 'best of'-cd's.

Tegen een aantal andere producers had hij processen lopen wegens achterstallige betaling.

Decker las alle berichten zorgvuldig om te zien of Freddy Vitton er ergens in voorkwam, maar dat was niet het geval. Het viel hem op dat een van de vele producers tegen wie Ekerling processen had aangespannen lid was geweest van de Doodoo Sluts, ene Rudy Banks.

Hij pakte het dossier-Ekerling en zocht naar Rudy's naam, maar zag hem nergens staan. Wat niet verwonderlijk was, want Martel en Perry waren zo snel opgepakt, dat men verder geen moeite had hoeven doen. Nu zou het niet slim zijn om mensen te gaan bellen die iets tegen Ekerling hadden en indringende vragen te stellen. Daar zou iemand kwaad om kunnen worden. En die iemand zou rechercheur Rip Garrett of rechercheur Tito Diaz kunnen bellen om zich te beklagen over een nieuwsgierige inspecteur uit West Valley. En als ze de naam Decker lieten vallen, zou niet alleen hijzelf maar vooral zijn dochter in een onaangename situatie kunnen komen.

Vooral omdat Hollywood al twee verdachten in hechtenis had genomen en die verdachten nog in de luiers lagen of nog niet eens geboren waren toen Bennett Alston Little was vermoord.

Nee, het zou niet verstandig zijn om met mensen te gaan praten die iets tegen Ekerling hadden. Decker kon beter gaan praten met iemand die aan Primo's kant stond.

Hij maakte dus een notitie dat hij de volgende ochtend Marilyn Eustis moest opbellen.

13

Terwijl de koffie voor het ontbijt stond te pruttelen zette Decker de laptop aan die bij hen thuis voor algemeen gebruik bestemd was. Hij zat stampvol informatie uit allerlei websites en het bureaublad was bezaaid met pictogrammen. In de zich steeds vernieuwende technowereld was het eigenlijk al een oud ding, maar hij deed het nog goed.

De Doodoo Sluts hadden een aantal metamorfoses ondergaan, maar achttien jaar geleden, op het hoogtepunt van hun carrière, bestond de band uit vier personen, Elvis Costello look-alikes die op hun beurt Buddy Holly look-alikes waren. De vier blanke jongens droegen zwarte pakken met een wit overhemd, een smalle zwarte stropdas en een bril met een groot, rond, zwart montuur. Hun grootste hit heette 'Bang Me' en had nummer acht bereikt op de Top 100. Het nummer was niet beschikbaar in een normaal downloadbaar formaat.

Decker was er nog naar aan het zoeken, of naar een 'best of'-cd waar het op voorkwam, toen Hannah binnenkwam. Ze had een wijde blauwe rok en een wit truitje met een polokraag aan, het voorgeschreven schooluniform. Met haar rode haar erboven deed ze hem denken aan de Amerikaanse vlag. Hij deed meteen de laptop dicht, omdat hij het ontbijt nog steeds als een exclusief onderonsje met zijn uithuizige dochter beschouwde, ook al hield het eigenlijk alleen maar in dat hij eieren voor haar ging bakken en sinaasappels uitpersen.

'Hoe gaat het?' vroeg hij opgewekt.

'Breng je me naar school?'

'Als je het goed vindt.'

'Ik rij graag met je mee, maar in jouw auto zit geen satellietradio. Mag ik dan wel naar mijn eigen cd luisteren?'

'Tuurlijk.'

'Dan is het goed.' Ze plofte neer op een stoel. Ze zag er nog behoorlijk slaperig uit. 'Ik heb geen trek, abba. Ik eet straks op school wel wat.'

'Daar hebben ze alleen cornflakes met suiker en die moet je 's ochtends niet eten, want dan gaat het suikergehalte in je bloed omhoog en krijg je later de terugklap. Wat jij nodig hebt, is proteïne.'

'Wat ik nodig heb, is nog vierentwintig uur slaap.'

'Hoe laat ben je naar bed gegaan?'

'Het maakt niet uit hoe laat ik naar bed ben gegaan. Het gaat erom wanneer ik eruit moest.'

'Maar als je vroeger naar bed gaat, kun je ook vroeger wakker worden.' Hij was wel aan het preken vandaag. 'Wil je een roerei?'

'Als je dat leuk vindt om te maken.'

Decker pakte een koekenpan en drie eieren. Ze wilde altijd één dooier en van de rest alleen het wit. Hij maakte het gerecht wat voedzamer door er een beetje melk en geraspte kaas doorheen te roeren. 'Ik heb je deskundige hulp nodig.'

Hannah keek op. 'Míjn hulp?'

'Weet jij iets over punkmuziek?'

'Bedoel je de echte punk of de retropunk?'

'De retro. Ik moet iets weten over een band die de Doodoo Sluts heette. Ze hadden een paar hits in de tweede helft van de jaren tachtig.'

Hannah begon te lachen. 'Heetten ze echt zo?'

'Lieg ik jou ooit iets voor?'

'Ja zeker, maar niet over zo'n onderwerp, denk ik. De naam zegt me niks, abba, maar eerlijk gezegd heb ik ook niks met punkrock, al vind ik het jammer dat ik de grunge heb gemist.'

'Ja, jammer voor je. Ik heb nooit begrepen wat er zo geweldig was aan Nirvana. Daar was Jake helemaal wild van.'

'Ik niet. Ik bedoel eigenlijk Pearl Jam, Soundgarden, Alice in Chains. Maar we dwalen af. Ik ken iemand die een expert is in oude punkrock. Wat wil je precies weten?'

'Alles wat hij of zij me over de Doodoo Sluts kan vertellen.'

'Het is een hij: Ari Fieger. Een nerd die vreselijk hoogdravend kan doen, maar wel veel weet.'

Decker schepte het roerei op een bord. 'Alsjeblieft.'

'Wat zorg je toch altijd goed voor me, abba. En ik doe alleen maar lelijk tegen je.'

'Welnee. Je bent een geweldige dochter.'

'Nu lieg je dus.'

'Nee, hoor.' Zijn mobieltje ging. Het was Marge. 'Sorry, meisje. Hallo.'

'Ik zit op het vliegveld te wachten tot iemand van Continental ons komt vertellen hoe lang de vertraging gaat duren. Voorlopig is dat één uur.'

'Dat klinkt niet best.'

'Het komt door het weer, zeggen ze. Maar dat zeggen ze altijd.'

'Geef bij twijfel het weer de schuld. Om hoe laat heb je met Darnell Arlington afgesproken?'

'Vanavond om acht uur pas. Voorlopig kan het dus nog wel lijden, vooral omdat ik al een vertraging had ingecalculeerd.'

'Heb je je laptop bij je?'

'Ja.'

'Heb je een internetverbinding?'

'Ja. Wat moet ik voor je opzoeken?'

'Informatie over de Doodoo Sluts. Dat spel je precies zoals het klinkt.' Hij hoorde haar lachen. 'Primo Ekerling was lid van die band. Hij had een proces lopen tegen een ander lid van de band genaamd Rudy Banks. Hij had trouwens nóg een proces tegen Banks lopen... over een cd die ze samen hadden uitgebracht en waarvoor Banks hem geld verschuldigd was.'

'Ik ga meteen aan de slag. Dan heb ik tenminste wat te doen.'

Decker glimlachte. 'Ik bel je nog wel.' Hij verbrak de verbinding. 'Ben je zover?'

'Eigenlijk niet, maar het enige alternatief is me ziek melden.'

'Daar schiet je niks mee op. Dan moet je alles toch inhalen.' Decker tilde haar schooltas op. 'Wat zit hierin? Lood?'

'Zinloze en achterhaalde studieboeken waar jij en ima een kapitaal voor hebben betaald.'

'Je zult je nog letterlijk een breuk tillen aan je studie.'

Hannah stak haar arm door de zijne. 'Maar gelukkig heb ik een grote, sterke abba.'

Het was een uit chroom en glas opgetrokken gebouw van vier verdiepingen, op een steenworp afstand van de plek waar de beruchte Death Row Records van Suge Knight had gezeten, de beroemdste gangstarapband van Los Angeles. Toen Decker jaren geleden een onderzoek had verricht voor een bepaalde zaak was hij vaak langs de reclameborden gekomen die Suge boven op kantoorgebouwen had laten plaatsen: mensen op de wc en andere aanstootgevende plaatjes. Nu was Tupac dood en zat Suge in de gevangenis. Roem was slechts van korte duur.

Ekerlings kantoor was op de tweede etage, tussen een verzekeringsagent en een goeroe genaamd Om Chacra die beweerde afgestudeerd te zijn in oosterse en holistische geneeskunde. De deur zat dicht en er was geen bel, dus klopte Decker aan. De deur ging slechts op een kier open omdat er een ketting op zat.

'Ja?'

'Ik ben inspecteur Decker van het LAPD en ik ben op zoek naar Marilyn Eustis.'

'Dat ben ik. Mag ik een identificatie zien?'

Decker stak zijn penning door de kier en wachtte. Even later ging de deur open en werd hij snel van top tot teen door een lange, ranke blondine met een sigaret in haar hand gemonsterd. Ze gaf hem het penningmapje terug. 'Je kunt tegenwoordig niet voorzichtig genoeg zijn. Komt u binnen. Het is hier nogal een rommeltje, dus pas op waar u uw voeten neerzet.'

Ze draaide zich om en Decker liep haar wiegende haar en achterwerk achterna tot ze naar een klapstoeltje wees. 'Gaat u zitten. Ik ben zo bij u.'

Decker gehoorzaamde en bekeek Marilyn. Ze was in het zwart gekleed en zag er aantrekkelijk uit, maar er straalde niets dan nerveuze energie van haar af. Haar blauwe ogen schitterden alsof ze in adrenaline ondergedompeld waren.

Hij keek om zich heen. Het was een kleine, rommelige kamer: overal stapels papier en dozen, planken vol cd's of lege demodoosjes. In een hoek stond een eenzame pot koffie. Toen hij zag dat ze een stoel naar hem toe sleepte, sprong hij overeind om haar te helpen. 'Gaat u verhuizen?'

'Nou, ik ben bezig al deze troep van Primo te bekijken.' Ze plofte op de stoel neer. 'Om te zien of er rekeningen uitstonden. Hij had zijn zaakjes goed op orde. Van huishouden had hij geen kaas gegeten, maar zijn rekeningen betaalde hij altijd op tijd.' Ze masseerde haar nek. 'Wat komt u hier doen? Ik dacht dat de politie het schorem al achter de tralies had.'

'Dat is ook zo.'

'Dan nogmaals: wat komt u hier doen?'

Decker boog naar voren. 'Dit is in geen enkel opzicht kritiek op de rechercheurs die de moord op meneer Ekerling behandelen. Ik ga ervan uit dat degenen die ervoor zijn opgepakt, het ook gedaan hebben. Ik ben hier omdat de moord op Primo Ekerling erg veel lijkt op een moord die meer dan vijftien jaar geleden is gepleegd op een man genaamd Bennett Alston Little.' Hij wachtte af of de naam haar iets zei. Toen dat niet het geval leek te zijn, ging hij door. 'Die zaak is daarom heropend. Ik heb er de leiding over en moet onderzoeken of de toevallige overeenkomsten inderdaad toeval zijn.'

Marilyn stak een sigaret op en sloeg haar benen over elkaar. Ze droeg een strak, zwart rokje dat erg veel been bloot liet. 'Wat voor toevalligheden zijn dat precies?'

Decker vertelde haar over de auto's en de lijken in de kofferbakken, en dat de auto's beide midden in de nacht bij een park hadden gestaan.

Ze bleef naar hem kijken. 'Denkt u dat het om een seriemoordenaar gaat?'

'Tussen de moorden zit vijftien jaar.'

'Een kieskeurige seriemoordenaar.'

Decker paste er wel voor op te glimlachen, maar haar zwartgallige gevoel voor humor was beter dan bitterheid. 'Ik vraag me af of er een direct verband bestaat tussen de twee slachtoffers, maar ik heb tot nu toe niets ontdekt. Daarom wil ik graag wat meer achtergrondinformatie over Primo. Wat kunt u me over hem vertellen?'

Ze schokschouderde. 'Primo komt oorspronkelijk uit New York. Daar heb ik hem ontmoet. Ik weet dat hij een tijdje hier in Los Angeles heeft gewoond toen hij eind jaren tachtig en begin jaren negentig in de punkmuziek zat.'

'De Doodoo Sluts.'

'Dat weet u dus al.'

'Ja, maar toen ik Primo googelde, zag ik dat hij een aantal processen tegen ene Rudy Banks had lopen, die ook lid was van de Doodoo Sluts. Wat kunt u me daarover vertellen?'

'Verdenkt u Rudy?'

'Ik weet niet genoeg over Rudy om hem ergens van te verdenken. Maar ik kan rekenen. Als meneer Ekerling en Rudy in de jaren tachtig, negentig hier in Los Angeles waren, was dat in de tijd dat Ben Little is vermoord.'

Ze nam een trek van haar sigaret en blies de rook bij hem vandaan. 'En?'

'Ik heb geen "en", mevrouw Eustis. Ik ben alleen maar bezig informatie te vergaren.'

'Rudy kun je in één woord beschrijven: hufter. Als híj was vermoord, zou niemand er raar van hebben opgekeken. Hij heeft alleen maar vijanden.'

'Hoe komt dat?'

'Omdat hij een oplichter is. Hij maakt compilatie-cd's. Hij steelt nummers en betaalt er geen royalty's over. Hij pleegt ook plagiaat op liedjes die andere mensen schrijven zonder er iets voor te betalen. Een enkele keer verdient hij ook wel eerlijk geld. Primo en Rudy hebben samen een retro-cd van de punkmuziek van Los Angeles gemaakt waarbij artiesten van nu oude favorieten spelen. De cd heeft aardig wat opgeleverd en een paar versies ervan zijn zelfs korte tijd op iTunes beschikbaar geweest, maar Rudy heeft al het geld ervan ingepikt.'

'Hoe krijgt hij dat voor elkaar?'

'Als iemand zich erover beklaagt, zegt hij dat ze hem maar moeten aanklagen. Sommigen doen dan, maar de meesten niet.'

'Hoe komt Rudy aan geld voor rechtszaken?'

'Nou, die schoft is slim geweest. Tien jaar geleden, meteen nadat de band uit elkaar was gevallen, is hij rechten gaan studeren. Bij zo'n avondschool waarvan de studenten nooit voor het examen slagen. En wat denkt u?'

'Hij slaagde wel.'

'Hij heeft zich in intellectuele eigendommen gespecialiseerd. Hij kent dat terrein vanbinnen en vanbuiten. Ziet u, inspecteur, het valt niet mee om dergelijke zaken in behandeling te krijgen bij een rechtbank. In negennennegentig procent van de gevallen wordt de aanklacht in de eerste ronde al afgewezen. Primo heeft Rudy jarenlang zijn gang laten gaan omdat het de moeite niet waard was er iets tegen te doen.'

'Waarom heeft hij het uiteindelijk dan wel gedaan?'

'Rudy had een nostalgische cd van de Doodoo Sluts uitgebracht zonder Primo, Liam en Ryan – de andere leden van de band – ook maar een cent te betalen. Zij drieën hebben toen de koppen bij elkaar gestoken en hem aangeklaagd. Ze hebben ermee bereikt dat de cd niet meer mocht worden verkocht, of in ieder geval tijdelijk, maar tot nu toe heeft niemand er iets aan verdiend, behalve Rudy.'

'Wat zou er gebeuren als alle drie de bandleden kwamen te overlijden?

Zou Rudy dan alle winst opstrijken, of zou die naar de erfgenamen gaan?'

'Dat zou ik niet weten.' Ze nam een trek van haar sigaret. 'Rudy is altijd bezig iemand aan te klagen of wordt zelf aangeklaagd. Hij doet de hele dag niks anders. Maar ik kan me niet echt voorstellen dat hij iets te maken heeft met de dood van Primo.'

Weer bleef het stil.

'Al zie ik dat verhaal over de carjacking eigenlijk ook niet zo zitten.' Ze schudde haar hoofd en keek Decker aan. 'En u ook niet. Daarom bent u hier.'

'Ik zoek alleen maar zo veel mogelijk informatie. Waarom gelooft u dat verhaal niet?'

'De moord lijkt met voorbedachten rade te zijn gepleegd. Maar ze hebben me de video van de ondervraging van een van die jongens laten zien en hij praatte alsof hij nog niet eens kan bedenken hoe hij een scheet moet laten als hij bonen heeft gegeten.'

'Van welke van de twee hebt u de video gezien?'

'Hoe hij heet weet ik niet meer. Hij was in ieder geval zwart.'

'Travis Martel.'

'Ja, dat was hem.' Marilyn drukte haar sigaret uit en stak een nieuwe op. 'Verder weet ik er niks van. Maar ik ben nu wel erg op mijn hoede. Als dat schorem het niet heeft gedaan, gaat het misschien om iets op het persoonlijke vlak. Dus vind ik dat ik een beetje moet oppassen.'

'Hebt u een bepaalde persoon in gedachten?'

'Nee, en daarom ben ik juist zo zenuwachtig. De muziekindustrie trekt veel rare figuren aan. Sommigen hebben zelfs talent, maar vandaag de dag gaat het allemaal om de marketing. Hoe je klinkt, maakt niet uit. Het gaat om de manier waarop je jezelf brengt.'

'Dat geloof ik graag. Waar kenden Rudy en Primo elkaar van?'

'Dat weet ik eigenlijk niet. Toen ik Primo leerde kennen, waren de Doodoo Sluts al lang uit elkaar. We hebben elkaar ontmoet bij de AA. Ik drink al ruim vijf jaar niet meer. Ik geloof dat Primo al wat langer van de drank af was, maar zeker weten doe ik het niet.'

'Denkt u dat Primo weer stiekem was gaan drinken?'

Ze blies rook uit. 'Toen ik hoorde dat die klootzak de Mercedes bij het Jonas Park had gestolen, was mijn eerste gedachte: wat deed Primo in godsnaam 's avonds in het donker in een park in het zuidoosten van Los

Angeles? Bijna meteen gaf ik antwoord op mijn eigen vraag. Misschien zat hij aan een fles te lurken of zich iets in te spuiten.'

'Hebt u de lijkschouwer gevraagd of er drugs of alcohol in zijn bloed zaten?'

'Waarom zou ik dat gedaan moeten hebben?' Ze staarde hem aan. 'Daar is hij niet aan gestorven... niet in directe zin.'

'Toch is het wel interessant om te weten.'

'Ja, het zou verklaren waarom hij zich niet heeft verzet. Als hij dronken of stoned was, begreep hij vast niet wat er gebeurde. Als hij nuchter was, zou hij zich heus wel hebben verweerd.'

Decker was benieuwd of er naast de sectie een toxicologisch onderzoek was gedaan. Hij maakte een aantekening om dat uit te zoeken.

'Hij was een erg goede producer. Niet dat dat iemand iets kon schelen. De hele muziekindustrie ligt op zijn gat. De cd is iets uit het stenen tijdperk. Alles wordt van internet gedownload. Veel nieuwe groepen gebruiken helemaal geen producer, maar verkopen hun liedjes zelf via internet. Primo had steeds minder werk. Het zou me dus niet verbazen als hij weer aan de drank was geraakt.'

'En u zei dat hij zich wel verweerd zou hebben als hij niet dronken was?'

'Ik heb Primo nooit meegemaakt als hij iets op had. Ik weet niet of hij een goede dronk over zich had of niet. Maar hij was een goed mens.' Ze knipperde met haar ogen tegen de opkomende tranen. 'Laat u het me weten als u iets ontdekt?'

'Dat zal ik doen. En ik zou het prettig vinden als u dit gesprek onder ons hield. De rechercheurs die zijn belast met het onderzoek naar de moord op Primo zouden het niet prettig vinden dat ik mijn neus in hun zaken steek.' Hij zweeg even. 'U hebt niet toevallig het telefoonnummer van Rudy Banks?'

'Of ik dat heb?' Ze lachte honend. 'Ik heb het wel duizend keer gedraaid. Soms neemt hij zelfs op.'

'Dank u. Dat scheelt mij weer. En om me nu niet alleen op Rudy Banks te concentreren, zou ik u nog willen vragen of er nog meer mensen zijn die het misschien op Primo voorzien hadden.'

Ze nam een lange trek van haar sigaret. 'Wie weet? In deze business kun je vijanden krijgen zonder dat je het zelf in de gaten hebt.'

14

Het antwoordapparaat sloeg pas aan nadat de telefoon tienmaal was overgegaan, zodat degene die belde voldoende tijd had om voor die tijd al op te hangen. Decker had geen idee of de stem op het bandje van Rudy Banks was, maar hij klonk schor, alsof de man aan chronische keelontsteking leed. Decker sprak zijn naam, rang en telefoonnummer in, maar ervaring en intuïtie vertelden hem nu al dat hij veel moeite zou hebben deze kerel te spreken te krijgen. Hij hing op en was net bezig de hellende stapel briefjes over binnengekomen telefoontjes door te nemen, toen Oliver binnenkwam en ging zitten.

Decker keek slechts kort op, maar lang genoeg om te zien dat Scott zich bijzonder elegant had uitgedost in een geruit colbertje en een olijfgroene broek. 'Je ziet er erg Engels uit vandaag.'

'Het jasje is nieuw. Kostte me vijftig piek.' Oliver streek de revers glad. 'Ik heb de financiële situatie van Ben en Melinda Little bekeken. Ze stonden er goed voor.'

De manier waarop hij het zei, maakte Decker achterdochtig. 'Bedoel je goed of érg goed.'

'Ze zaten er warmpjes bij.'

'Te warmpjes voor een doodgewone docent?'

'Te warmpjes voor wat logischerwijs redelijk zou zijn,' antwoordde Oliver. 'En dat zette me aan het denken. Hoe kwam een man met een doorsnee salaris en een niet-werkende echtgenote aan zo'n mooi huis en zo'n dure auto?'

'Hij was ook decaan van de school. Dan kreeg hij vermoedelijk wel iets extra's.'

'Hij verdiende eenenveertigduizend dollar per jaar en kreeg zijn ziektekosten en zo vergoed, wat toentertijd al heel wat was, maar het verklaart evengoed niet hoe hij aan zo'n mooie spaarrekening plús een Mercedes plús het studiegeld voor de kinderen kwam. Plús, zoals ik heb ontdekt, een motorboot die hij bezig was af te betalen. Geen grote boot, maar evengoed. Plús een camper met een aanhanger voor die boot.'

'Dat is nogal wat. Heb je Melinda Little erover aan de tand gevoeld?'

'Uiteraard. Ze zei dat Ben erg van kamperen hield en vaak een weekend naar Lake Mead ging. Na zijn dood heeft ze de afbetalingen voor de boot stopgezet en is die door de maatschappij teruggenomen. De aanhangwagen heeft ze voor relatief weinig geld van de hand gedaan – voor tweedehands exemplaren is geen markt – en toen was ze zo'n beetje quitte. Ik heb geen bewijzen gevonden dat ze de opbrengst van de boot en de aanhangwagen voor haar ontluikende gokverslaving heeft gebruikt.'

Decker knikte. 'Maar je vraag is terecht. Hoe kwam hij aan zo veel geld?'

'Melinda zegt dat Ben de financiën altijd regelde en dat ze zich nooit afvroeg waar het geld vandaan kwam. Zij en de kinderen kregen alles wat ze nodig hadden en daarmee was voor haar de kous af.'

'Weten we of Ben bijbaantjes had?'

'Zoals?'

'Mijn kinderen gaan naar een religieuze school. 's Ochtends krijgen ze les in Hebreeuws en 's middags in Engels. Onder hun seculiere leraren zijn er een paar die op openbare scholen werken en 's middags dit erbij doen om wat bij te verdienen.'

'Dat zou kunnen als we het over de auto óf de boot óf de camper hadden, maar niet over de auto én de boot én de camper.'

'Wat werd er zoal op zijn rekeningen gestort?'

'Niets bijzonders. De meeste stortingen betroffen gewoon zijn salaris van de school.'

'Waar heeft hij de camper en de aanhangwagen van betaald?'

'Dat moet ik nog uitzoeken.'

'Hoe zit het met de Mercedes? Moest hij die nog afbetalen?'

'Melinda is er zo goed als zeker van dat die helemaal was afbetaald.'

'En ze vroeg zich niet af waar al dat geld vandaan kwam?'

'Ik geloof dat het haar niet interesseerde. Toen ik voorzichtig opperde dat Ben misschien bij illegale zaakjes betrokken was geweest, vond ze dat een belachelijk idee.'

'Hoe heftig verdedigde ze de eer van wijlen haar man?'

'Niet zo heftig als je zou verwachten, maar misschien is ze het gewoon beu. Ze zei wel meteen dat niemand ooit een kwaad woord over Ben heeft gezegd.'

'Misschien hebben we niet met de juiste mensen gepraat.'

'Heb je een iemand in gedachten?'

'We hebben alleen maar met "Fans van Ben" gesproken. We hebben nog niet naar de lastige leerlingen gekeken die op North Valley zaten toen Little daar lesgaf. Misschien dat Marge van Darnell Arlington iets meer te weten kan komen over de leerlingen met wie Ben niets kon bereiken.'

'Als ze ooit in Ohio komt.'

'Ja, als de luchtvaartmaatschappijen op deze voet voortgaan, moeten we de paardentram maar weer in gebruik nemen.'

Het verbaasde Decker dat hij Marge live aan de lijn kreeg. 'Zit je nou nóg op het vliegveld?'

'Ja, maar ik zit inmiddels aan boord van het vliegtuig en zo dadelijk gaan de deuren dicht,' vertelde Marge hem. 'Als het goed is landen we precies een kwartier voor mijn afspraak met Darnell. Ik heb hem al gebeld om te zeggen dat ik wat later kom. Hij vond het niet erg.'

'Dan kan ik je mooi nog een paar vragen doorgeven die je hem moet stellen.' Hij gaf haar een beknopte samenvatting van zijn gesprek met Oliver. 'Misschien waren Little en Arlington bij iets illegaals betrokken en was Arlington door Ben aan de kant geschoven.'

'Maar Arlington zat in de nacht van de moord kilometers ver weg.'

'Dat hij hem niet heeft vermoord, weten we, maar misschien weet hij wie het dan wel heeft gedaan. Wat ben je te weten gekomen over de Doodoo Sluts?'

'Ik was van plan mijn aantekeningen tijdens de vlucht uit te werken en ze je bij aankomst te mailen, maar nu ik je toch aan de lijn heb, zal ik het je in het kort vertellen.

Primo Ekerling had de band samen met ene Rudy Banks opgericht. Ekerling en Banks zijn producers geworden en waren verwikkeld in een aantal rechtszaken over royalty's en achterstallige betalingen.'

'Dat weet ik. En de andere leden?'

'De band heeft nogal wat verloop gehad, maar de uiteindelijke formatie bestond uit Ekerling, Banks, Liam 'Mad Irish' O'Dell en Ryan 'Mudderfudder' Goldberg. Ze hadden een paar platen die goed verkochten. Hun grootste hit was een verheven aria met de titel 'Bang Me'. Twee jaar geleden heeft Banks een cd van hun grootste hits uitgebracht zonder de andere bandleden in de winst te laten delen. Ekerling, O'Dell en Goldberg hebben de verkoop van de cd laten blokkeren en waren nu aan het procederen over het geld dat hun toekomt. Banks is trouwens bij nog meer rechtszaken betrokken.'

'Ik heb een bericht op Rudy's antwoordapparaat ingesproken, maar hij heeft niet teruggebeld. Als het nodig is, zal ik hem opsporen.'

'Als je hem spreekt, vraag hem dan meteen naar zijn schooltijd. Ekerling heeft in Baltimore op school gezeten, maar Banks is geboren en getogen in Los Angeles, in North Valley, om precies te zijn.'

Decker spitste zijn oren. 'Wanneer is hij van school gekomen?'

'Je spitst je oren. Dat hoor ik aan je stem. Hij is op zijn zeventiende van school gegaan, en dat was zo'n vier, vijf jaar vóór de moord op Ben Little, maar het biedt ons wel nieuwe perspectieven. Moment...' Gedempte geluiden op de achtergrond. 'We komen in beweging, Pete. Ik moet afsluiten.'

Decker belde het nummer van Banks nog een keer en toen hij weer het antwoordapparaat kreeg, legde hij de hoorn zachtjes terug op de haak. Hij pakte een telefoonboek en had binnen een paar minuten gevonden wat hij zocht. Rudy Banks stond er gewoon in. Het was alleen niet duidelijk of het adres van zijn huis of zijn kantoor was. Tijd voor wat benenwerk.

Als Rudy geld met zijn gerechtelijke avonturen verdiende, besteedde hij het in ieder geval niet aan de uiterlijke schijn van het succes. Hij woonde in het oude Hollywood, een eindje buiten het centrum. Een flat op de vierde etage van een gebouw dat ooit in Franse stijl was ontworpen en zijn hoogtijdagen een eeuw geleden had gekend. Sindsdien was het alleen maar bergafwaarts gegaan: aan de buitenkant brokkelde het pleisterwerk af en binnen stonk het naar schimmel. Er was een kleine, muffe, in rood uitgevoerde lobby met een stenen vloer en geen portier. Rechts een stokoude, defecte lift die eruitzag alsof hij al heel lang niet in beweging was geweest. Links de trap. Decker begon aan de klim naar de vierde etage en omdat er geen airconditioning in het gebouw was, transpireerde hij tegen de tijd dat hij Banks' deur had bereikt.

Hij drukte eerst een paar keer op de bel, klopte toen hard op de deur, maar er gebeurde niets. Net toen hij een visitekaartje uit zijn portefeuille viste, hoorde hij het *bonk, bonk, bonk* van voetstappen op de trap. Het geluid stopte bij de vierde etage en toen Decker omkeek, kwam er een man naar hem toe. Een lange, magere man in een strakke spijkerbroek en een zwart T-shirt. Hij leek eind dertig, begin veertig. Zijn armen waren met kleurige tatoeages versierd. Cowboylaarzen van hagedissenleer met puntige neuzen staken onder de zoom van zijn broekspijpen uit. Hij keek nijdig en sloeg steeds met zijn vuist in de palm van zijn hand. Toen hij bij Banks' flat was aangekomen, bleef hij staan.

'Is de hufter er niet?'

'Volgens mij niet.'

'Heb je goed hard op de deur gebonkt?'

'Ja.' Decker bekeek de man taxerend. 'Jij ziet eruit alsof je een rekening komt vereffenen.'

De ogen vernauwden zich. 'Wie ben jij?'

Decker liet de man zijn penning zien en gaf hem zijn visitekaartje. 'En wie ben jij?'

'Nou, ik word voor van alles en nog wat uitgemaakt...' De man had lichtbruine ogen die roodomrand waren, maar in de ramen tot zijn ziel lag een intelligente blik. Hij bleef naar Decker kijken terwijl hij het kaartje in zijn zak liet glijden. 'Maar mijn moeder noemt me nog altijd Liam.'

Zijn stem had een wat zangerige klank. Decker zei: 'Liam "Mad Irish" O'Dell.'

Liam grijnsde en ontblootte daarbij een rij bruine tanden. 'Een fan!'

Decker glimlachte raadselachtig. 'Nou, ik zal je wat vertellen, Rudy is niet alleen een vuile hufter, maar nog een verrader ook. Heb je gehoord wat een rotzooi hij op de markt brengt?'

'Lijkt nergens op, hè?'

'Da's héél zachtjes uitgedrukt. Gelukkig heeft het publiek zich laten horen. Zijn laatste cd is een flop.' O'Dell haalde zijn schouders op. 'Ik was in de buurt en had zo gedacht het voor de lunch nog even te proberen. Maar ook als hij er is, zal hij de deur niet opendoen. Hij weet dat de wolven hem op de hielen zitten. Hoeveel krijg jij van hem?'

'Eerlijk gezegd niks,' antwoordde Decker.

'Dat meen je niet!' Opeens zette de man grote ogen op. 'Kom je hem dan arresteren? Jezus, wat goed! Mag ik erbij blijven?'

'Sorry dat ik je moet teleurstellen. Ik wil alleen met hem praten.'

O'Dells trok zijn mondhoeken naar beneden. 'Jammer. Maar zullen we een weddenschapje afsluiten? Ik wed dat je áls je Rudy te spreken krijgt, het nog geen vijf minuten zal duren voordat je de klootzak wilt wurgen.'

'Dat heb ik van meer mensen gehoord,' zei Decker. 'Ik heb ook gehoord dat hij aardig wat aan de "best of-cd's" verdient.' Hij keek O'Dell indringend aan. 'Inclusief "Best of the Doodoo Sluts".'

'Ja, daar heb ik al een advocaat op gezet.'

'Wat doe je dan hier?'

'De hufter wilde ons bestelen,' zei Liam. 'Ik kwam gewoon een praatje maken.'

Decker zei niets.

O'Dell ging door. 'Het was Primo's plan om er iets tegen te doen.' Hij trok een gezicht. 'Arme Primo. Je weet zeker wel wat er met hem is gebeurd?'

'Dat is een van de redenen waarom ik hier ben.'

'Waarom wil je met Banks over Primo praten? Ze zijn in oorlog.' Hij kneep zijn ogen tot spleetjes. 'Tenzij je denkt dat Banks...?' O'Dell leek het idee dat Rudy een moordenaar zou zijn lachwekkend te vinden. Zijn lach klonk als droge hoest. 'Ik zou het schitterend vinden als je Rudy kon pakken op de moord op Primo, maar volgens mij zie je het verkeerd. Banks heeft daar het lef niet voor.' O'Dells ogen versomberden. 'En hebben ze niet al een paar stukken schorem opgepakt?'

Decker veegde zijn voorhoofd af. 'Het is hier warm. Je zei dat je nog niet had gegeten. Zullen we ergens gaan lunchen? Ik trakteer.'

O'Dell grinnikte. 'Je bent dus écht een fan. Of een van die stiekeme journalisten die tot alles bereid zijn om achtergrondmateriaal over de Sluts te krijgen.'

'Nee, ik ben van de politie. Ik heb verderop een cafeetje gezien. Is dat wat?'

'Bert's? Heb je daar ooit gegeten?'

'Nog niet.'

'Vette, gore troep.'

'Oké, geen Bert's dus. Weet je iets anders?'

'We kunnen naar Millie's gaan.'

'Mij best,' zei Decker. 'Waar is dat?'

'Drie straten verderop. Het is te lopen.'

'Mooi. Wat voor soort café is het?'

'Vegetarisch.'

Decker onderdrukte een glimlach. 'O'Dell, ik zit al heel lang bij de politie en ben een goede rechercheur, maar ik zou jou nooit voor een vegetariër hebben gehouden.'

Mad Irish liet weer zo'n wilde grijns zien. 'Zo kom ik wel aan mijn slanke figuurtje.'

15

Het restaurant was klein en oud maar brandschoon. Het meubilair bestond uit buistafels met formicablad en bijpassende stoelen die regelrecht uit de jaren vijftig leken te zijn gekomen. Het menu bevatte een keur aan voorgerechten waarvoor inspiratie uit exotische delen van de wereld was geput, en in elk ervan, van de garnalencocktail tot de *moo shoo pork*, was tofu verwerkt. De kelner was een grote kerel met stekeltjeshaar, een sik en een diamanten oorknopje, wat je tegenwoordig vrij conservatief kon noemen. O'Dell bestelde zijn vaste prik. Decker nam de rauwkostsalade, waar de keuken weinig aan zou kunnen verknoeien.

O'Dell dronk grote glazen kraanwater. Hij was een vlotte prater. 'Ik heb het voor Mudd gedaan.'

Mudd was Ryan 'Mudderfudder' Goldberg, de leadgitarist van de band. 'Rudy aangeklaagd, bedoel je? Heb je dat voor Mudd gedaan?'

'Ja. Ik zit zelf wel goed. Ik verdien een aardige boterham met het vertolken van akoestische versies van de hits van de Sluts. Op dinsdag en donderdag speel ik meestal hier in Millie's. In het weekend in een klein zaakje in Venice. Ik woon daar vlakbij, op een steenworp afstand van het strand. Veel geld heb ik niet, maar ik heb ook niet veel nodig.'

'Je lijkt me een tevreden mens.'

'Ik weet best dat ik geluk heb gehad. En ik kan nog steeds genoeg meisjes krijgen. Jonge meisjes.' Hij ging rechtop zitten. 'Ik heb nog steeds mijn motor en mijn imago van woeste rocker. Daar zijn de domme gansjes dol op.'

'Woeste rocker is dus alleen een imago?'

Mad Irish grinnikte. 'Soms wel en soms niet, maar ik zou wel gek zijn als ik dat verder ging uitleggen.' Waarmee hij wilde zeggen dat hij nog steeds drugs gebruikte. 'Ik heb een goed leven en Primo had een goed leven, maar Rudy is degene die het *vida loca* heeft.' Zijn blik versomberde. 'Alleen Mudd heeft geen geluk gehad.'

'Hoe komt dat?'

'Weet ik niet. Misschien was hij zelf al die onzin dat we door de duivel bezeten waren gaan geloven. Hij speelde leadgitaar. Hij had het meeste talent, was het gevoeligst en het goedgelovigst. Ik denk dat hij al stemmen hoorde voordat hij bij onze band kwam, maar wij dachten dat het alleen maar door de drugs kwam.'

Decker knikte.

'Maar hij bleef ze horen, die stemmen. Ze werden steeds kwaadaardiger, gaven Mudd opdracht allerlei rare dingen te doen. Hij was altijd al een beetje raar, maar toen begon hij zichzelf te verwonden: zijn armen, zijn benen, tussen zijn benen.' Mad Irish trok een pijnlijk gezicht. 'Toen moest zijn moeder hem wel laten opnemen.'

'Wanneer was dat?'

'Tien jaar geleden. In het begin ging ik nog wel naar hem toe. Hij kreeg dag en nacht Thorazine. Hij kon niet eens praten, laat staan een gesprek voeren. Na een poosje kreeg hij allerlei tics en begon hij te kwijlen.' O'Dell rilde. 'Toen ben ik niet meer gegaan. Misschien niet aardig van me, maar hij was op geen stukken na meer de Mudd die ik kende. Die Mudd was stukje bij beetje aan het verdwijnen.'

'Het valt niet mee om te moeten aanzien dat iemand om wie je geeft steeds verder achteruitgaat.'

'Het doet verrekte veel pijn. Iedere keer dat ik bij hem was geweest, zat ik dagenlang in de put. Uiteindelijk zei mijn vriendin dat ik er een poosje mee moest stoppen, maar daarna ben ik helemaal niet meer gegaan.'

'Maar zoals je al zei, heeft hij daar waarschijnlijk niet eens erg in gehad.'

O'Dell leek het op prijs te stellen dat hij dat zei. Het eten werd opgediend en Decker keek naar O'Dell toen hij zwijgend begon te eten. Halverwege zijn vegetarische kerrieschotel zei hij: 'Een jaar of anderhalf jaar geleden belde zijn moeder me opeens. Mudd was uit het ziekenhuis ontslagen en woonde in een rehabilitatiecentrum. Dat kon dankzij een arbeidsongeschiktheidsuitkering. Ze gaf me het adres. Ze zei niet dat ik naar hem toe moest gaan, maar ik wist dat ze dat wilde. Dus heb ik dat gedaan.'

'En?'

'Het viel mee. Mudd was altijd al fors geweest, maar nu was hij zeker honderd kilo aangekomen. Godzijdank waren zijn hersens niet helemaal in pap veranderd. Hij herkende me meteen en sloeg zijn armen om me heen.' O'Dell kreeg tranen in zijn ogen. 'Hij was zo verrekte blij dat ik hem kwam opzoeken.'

'Je hebt een goede daad gedaan.'

'Zo hoorde het gewoon. En daarmee zijn we terug bij Banks. Een half jaar vóór dit bezoek had Rudy zijn *Best of the Doodoo Sluts* via allerlei twijfelachtige kabelstations op de markt gebracht. Toen Primo met het voorstel kwam hem aan te klagen, dacht ik eerst: godverdomme, daar heb ik helemaal geen zin in. Maar nadat ik bij Mudd was geweest, dacht ik: ik heb er zelf geen zin in, maar mooi dat ik Rudy niet Mudd zijn centen laat opstrijken. Dus heb ik Primo gebeld en hebben we het balletje aan het rollen gebracht.'

Even klemde hij zijn kaken op elkaar. 'Als Banks ons iets had gegeven, als hij Mudd iets had gegeven, hadden we geen advocaten nodig gehad. Maar Rudy is een vuile oplichter en zal dat altijd wel blijven. Als ik die etter ongestraft naar de andere wereld kon helpen, zou ik het doen.'

'Dan hoop ik voor jou dat hij niet opeens doodgaat.'

O'Dell trok een gezicht. 'Hoe is je sla?'

'Verrassend goed,' zei Decker. 'Waar woont Mudd nu?'

'Nog steeds in het rehabilitatiecentrum.' O'Dell schreef het adres voor hem op. 'Doe hem de groeten van me als je ernaartoe gaat.'

'Zal ik doen.' Decker stopte het papiertje in zijn portefeuille. 'Hoe ben je eigenlijk met Banks in contact gekomen, Liam?'

'Banks en Primo hadden een bandje opgericht. Ze hadden mij erbij gehaald omdat ze een drummer nodig hadden, al speel ik eigenlijk liever gitaar. Zo werkt dat. Je doet wat de band nodig heeft en zij hadden een drummer nodig.'

'Wanneer was dat?'

'Eind jaren tachtig. Ik was drieëntwintig. Primo en Mudd waren iets ouder, maar Rudy was jonger dan ik. Daarom konden we in de tenten waar we speelden nooit sterkdrank krijgen. Meestal pikten we stiekem wat. De barman deed dan gewoon alsof hij het niet in de gaten had.'

'Hoe is Mudd bij de band gekomen?'

'Ook door toedoen van Banks. Banks is dan wel een hufter, maar hij heeft een zuiver gehoor. Mudd speelde in een andere band, waar zijn talent absoluut niet tot zijn recht kwam. Met Mudd op leadgitaar en Primo op basgitaar kon Banks het keyboard voor zijn rekening nemen en klonken we heel goed. Banks was bovendien een jongen die zichzelf waanzinnig goed wist te promoten. Hij scoorde meteen een contract voor ons bij een platenmaatschappij. We brachten een plaat uit. Die haalde de Top 40. Er kwam geld binnen. We deden niks dan feesten. Vrouwen bij de vleet. We waren constant high of dronken of allebei. We dachten dat het eeuwig zou duren, maar op een gegeven moment hield het op. Primo en Banks werden producers. Het lukte mij om van muziek te blijven leven. Ik wist dat ik mijn beste tijd had gehad. Ik hou alles in het juiste perspectief, maar Mudd kon dat niet. De ondergang van de band greep hem vreselijk aan. Maar in de muziekwereld zijn er nou eenmaal altijd nieuwe hippe bands die jou eruit willen werken.'

'Schreven jullie je eigen liedjes?'

O'Dell lachte. 'Dacht je soms dat "Bang Me" was geschreven door Harold Arlen?'

Decker glimlachte. 'Aan je kennis van muziek mankeert niks, Mad Irish.'

'Ik hou van Harold Arlen. Ik wou dat ik "Over the Rainbow" had geschreven, dan hoefde ik nooit meer te werken.'

'Wie schreef de liedjes voor de band?'

'Hoofdzakelijk Banks en Primo.'

'Dus zij kregen de meeste royalty's als iemand anders een nummer van de band gebruikte?'

'Ja. En door de jaren heen hebben heel veel artiesten onze nummers gecoverd. Daar heb ik ook nooit iets van opgeëist. Dat moesten Banks en Primo maar uitvechten. Waar ik zo de smoor over in heb, is dat Banks een cd met *Best of the Doodoo Sluts* uitbracht zonder ons in de royalty's te laten delen. Op die platen staat toevallig wel mijn stem. En die van Mudd. Wat geeft die zak dus het recht ons dat geld te onthouden?'

'Dan heb ik een vraag, O'Dell. Wat zou je tegen Banks gezegd hebben als hij vanochtend thuis was geweest?'

Mad Irish aarzelde. 'Ik was al goed pissig toen jij me zag. Ik geloof dat het eigenlijk maar goed is dat hij er niet was.'

'Je kunt beter bij hem uit de buurt blijven, Liam, en het aan je advocaat overlaten.'

'Dat deed ik ook. Echt. Ik vond eigenlijk dat het niet de moeite waard was om me in dergelijke nesten te steken. Maar wie moet er voor Mudd opkomen nu Primo er niet meer is? Ik heb het geld niet om voor onbeperkte tijd een advocaat in te huren. En Mudd heeft iedere cent hard nodig.'

'Met bedreigingen naar Banks toe schiet je echt niks op.'

'Ik heb niemand bedreigd.'

'Liam, denk even na. Als Banks iets mocht overkomen, naar wie denk je dat ik dan zal kijken?'

'Als Banks iets mocht overkomen, wil ik niet in jouw schoenen staan, beste kerel. Rudy heeft alleen maar vijanden en door de jaren heen zijn dat er honderden geworden.'

Het Hollywood Terrace stond in een zijstraat op ongeveer anderhalve kilometer afstand van het politiebureau van Hollywood, vijf kilometer van de plaats waar Primo Ekerling in de kofferbak van zijn auto had liggen stinken. Het gebouw leek op een bunker, totaal verwaarloosd, rijp voor de sloopkogel. Geen plantje dat het grijs van het pleisterwerk wat kleur gaf, alleen maar ongelijk asfalt met een paar parkeerplaatsen die alle bezet waren. De glazen deur naar de hal zat op slot, maar er was een rijtje drukbellen met de namen van de bewoners ernaast. Ryan Goldberg woonde in flat E.

Decker drukte op de bel en even later klikte de deur open. De hal had de afmetingen van een gevangeniscel. Er lag vergeeld linoleum op de grond en het plafond schilferde. Er was maar één lange, slecht verlichte gang en toen Decker flat E had bereikt, klopte hij op de deur. Hij hoorde elektronisch lawaai en toen de deur werd geopend door een grote, dikke man, dreunde het geluid van de televisie in Deckers oren.

'Meneer Goldberg?'

De man had doffe bruine ogen die constant knipperden. Zijn gezicht leek te klein, benepen, en zijn huid was babyzacht. Hij droeg een slobberige broek zonder riem, een flanellen overhemd en liep op pantoffels. 'Wie bent u?'

'Inspecteur Peter Decker, rechercheur van het LAPD, maar ook een vriend van Liam O'Dell, die me uw adres heeft gegeven. Ik wil graag even met u praten.'

Goldberg staarde hem aan. Decker begreep meteen dat hij hem te veel informatie in één keer had gegeven. Hij begon opnieuw. 'Ik ben een vriend van Liam.'

'O.' Knipper, knipper, knipper. 'Oké.'

'Mag ik binnenkomen?'

'Ja, hoor.'

Maar Goldberg stapte niet opzij. Decker moest om hem heen manoeuvreren. 'Mag ik de tv wat zachter zetten, Ryan?'

'Ja, hoor.'

Decker zag dat de handen van de man trilden en vroeg zich af waarom hij eigenlijk was gekomen. Wat hoopte hij te ontdekken? Hij keek om zich heen en zag tot zijn verbazing dat de flat er keurig uitzag. Er stond een flatscreentelevisie op een gehavende ladekast tegenover een verzakte bank. Een paar schoottafeltjes stonden op hun kant tegen de muur. Er was een koelkast en een kookplaat. Het rook er niet bijster fris, maar het stonk ook niet. Hij zei tegen Goldberg dat hij best mocht gaan zitten.

Mudd zei: 'Mijn broer is arts.'

Decker knikte. 'O ja?'

'Longarts.'

'Dat is nogal wat.'

'Vroeger rookte ik. Nu niet meer.'

'Heel goed.'

'Mijn broer heeft me geholpen van het roken af te komen. Hij is longarts.'

'Hij lijkt me een aardige man.'

'Hij is een goede broer. Hij is arts.'

Decker knikte. 'Komt je vriend Liam O'Dell nog wel eens bij je op bezoek, Ryan?'

'Zeg maar gewoon Mudd. Iedereen zegt Mudd. Zelfs mijn broer. Die is arts.'

'Oké, Mudd. Komt je vriend Liam O'Dell nog wel eens op bezoek?'

'Ja. Liam is een goede vriend van me. Hij koopt dingen voor me.'

'Wat voor dingen?'

'Nou, dát...' Mudd wees naar de flatscreentelevisie. 'Mijn oude tv was niks meer waard, zei Liam.'

'En toen heeft Liam een nieuwe voor je gekocht?'

'Ja.'

Mudd stond nog steeds. Decker zei: 'Wil je niet gaan zitten, Mudd?'

Het voorstel leek hem te overdonderen. Mudd bleef met zijn ogen knipperen en schudde zijn hoofd. 'Nee, hoeft niet. Het is goed om te staan en te lopen. Anders krijg je misschien bloedpropjes in je benen. Dat zegt mijn broer. Die is arts.'

'En daar heeft hij gelijk in.' Decker onderdrukte een zucht. 'Speel je nog steeds gitaar, Mudd?'

'Ja.' Hij glimlachte. 'Ik speel nog steeds, maar ik mag niet hard spelen. Dan stoort het de buren. Ik mag mijn buren niet storen.'

'Heb je een akoestische gitaar?'

'Ik heb een Martin. Wilt u hem zien?'

'Graag.'

Mudd liep naar een keukenkastje en haalde er iets uit wat in een deken zat gewikkeld. Voorzichtig haalde hij de deken eraf en liet Decker een Martin Dreadnought zien. Decker had geen verstand van gitaren, maar zijn zoon Jake wel. Deze gitaar zag er schitterend uit. 'Mag ik hem even vasthouden?'

Zonder aarzelen gaf Mudd de gitaar aan Decker, die de label bekeek en het serienummer in zijn geheugen prentte. Toen gaf hij hem terug. 'Zou je iets voor me willen spelen?'

Een brede glimlach verscheen op het gezicht van de grote man. 'Ja, hoor.' Hij ging op de verzakte bank zitten en sloeg een paar akkoorden aan. Algauw speelde hij als de beroeps die hij volgens Liam was. De verandering die zich in hem voltrok was wonderbaarlijk. Alle spanning verdween uit zijn gezicht, zijn tic was bijna verdwenen. Decker luisterde een half uur naar hem zonder iets te zeggen. Toen moest hij echt gaan.

'Dat was erg mooi, Mudd.'

'Zal ik nog wat spelen?'

'Dat mag je doen, maar ik moet nu gaan. Ik moet weer aan het werk.' Met moeite kwam Mudd overeind, wikkelde de gitaar weer voorzichtig in de deken en zette hem terug in de kast. 'Dank u wel dat u op bezoek bent gekomen.'

'Geen dank. Die gitaar is erg veel geld waard.'

'Het is een Martin.'

'Dat weet ik. Zeg maar tegen niemand dat je hem hebt, oké? Anders komen er misschien nare mensen die hem willen stelen.'

'Dat zegt mijn broer ook.'

'Je broer heeft gelijk.'

'Goed. Ik zal het tegen niemand zeggen. Alleen tegen mijn broer.'

'Goed zo. Pas goed op jezelf, Mudd.'

'Dat doe ik al.' De grote man knikte. 'Ik heb mijn broer beloofd dat ik goed op mezelf zal passen. Mijn broer is arts.'

16

Nadat ze waren geland, had Marge nog een half uur over, net genoeg tijd om een auto te huren, de kaart te bestuderen en op tijd bij Arlington te zijn, als het verkeer geen problemen opleverde. En te oordelen naar wat ze van de stad zag, was het verkeer hier nooit een probleem. Een verlaten hoofdweg doorsneed een industrieterrein waar ze in een flits doorheen was en kwam uit in een woonwijk met bescheiden, uit baksteen opgetrokken huizen.

In het donker zag Marge dat het twee verdiepingen tellende huis van Arlington een aardige tuin had. De laan waar het huis aan stond was overschaduwd door lommerrijke olmen en de straatverlichting was zwak. Misschien lag het misdaadpeil hier zo laag dat de felle lampen die je in Los Angeles overal had niet nodig waren. Ze parkeerde voor het huis, liep over het betonnen pad en belde aan. De vrouw die de deur opendeed, had een baby op haar rechterheup, terwijl een kleuter aan haar linkerzijde de zoom van haar rok vasthield. Beide kinderen waren zo te zien meisjes. 'Brigadier Dunn?'

'Ja.' Ze liet de vrouw haar identificatie zien. 'Mevrouw Arlington?'

'Ja. Zeg maar Tish. Komt u binnen.'

'Dank je, Tish.'

De vrouw gaf de peuter een duwtje. 'Ga eens opzij, Crystal.' Het meisje verroerde zich niet. Tish tilde haar op en had nu beide kinderen op haar heupen. Ze slaagde erin ze te dragen terwijl haar rug kaarsrecht bleef. 'Kom erin.'

Het was een keurig huis dat conservatief was ingericht: een gebloemde bank met een bijpassende fauteuil, een lage tafel in het midden, hoektafels met lampen en tijdschriften, een schouw met familiekiekjes. Er stond ook een grote box die vol speeltjes lag. Tish zette beide meisjes erin. 'Lief spelen, hoor.' Ze draaide zich om naar Marge. 'Koffie?'

'Graag.'

Ze liep de keuken in maar praatte door. 'Hoe lang bent u al in de stad?'

'Vijfentwintig minuten,' antwoordde Marge terwijl ze de foto's bekeek. Arlington stak letterlijk met kop en schouders boven zijn vrouw uit en zij was toch zeker een meter zeventig. Hij had een veel donkerder huid dan zijn vrouw. Het haar van Tish zat meestal in een staart gebonden en ze had lichtbruine ogen, een lang gezicht en een slank postuur. 'Kan ik je ergens mee helpen?'

'Als u de kinderen in de gaten zou willen houden? Crystal is een schatje, maar ze is pas negentien maanden. Ze houdt veel van Moisha, maar soms iets te veel.'

'Voorlopig gedraagt ze zich heel netjes,' zei Marge.

'Nu maar hopen dat het zo blijft.' Een paar minuten later kwam Tish binnen met de koffie. 'Darnell komt zo. Hij is wat aan de late kant, want zijn ploeg zit in de regionale finale en nu trainen ze iets langer.'

'Gefeliciteerd.'

'Darnell heeft een goede ploeg opgebouwd. Toen we hier vijf jaar geleden kwamen, waren ze nergens.' Ze ging zitten en gaf Marge een kop koffie. 'Ik weet niet hoe u uw koffie drinkt. Neemt u zelf?'

'Dank je.' Marge deed suiker en melk in haar koffie. 'Waar woonde je eerst?'

Tish zei: 'Ik kom uit North Carolina, maar ik heb Darnell in Cleveland leren kennen. Grote steden hebben voor- en nadelen. Het lawaai, de misdaad en het verkeer mis ik niet, maar de zwarte gemeenschap wel. We zijn in Kensington goed ontvangen, maar ik voel evengoed nog steeds ogen in mijn rug.'

'Dan is het maar goed dat Darnell zo'n succes met het team heeft.'

'Ja, hij wordt op handen gedragen.'

'Heeft hij last gehad van racisme?'

'Niet openlijk, maar tot Darnell zichzelf had bewezen, werden we bijna nooit voor barbecues en zo uitgenodigd. Dat is nu veranderd, maar je vraagt je toch af wat er zou gebeuren als het team mocht verliezen.'

'Ze willen je kennen zolang je blijft winnen.'

'Precies.' Tish nam een slokje koffie. 'O, ik geloof dat ik hem hoor. Dan ga ik het eten opwarmen. Als u het niet erg vindt om weer een oogje op de kinderen te houden?'

'Nee, hoor.'

Marge hoorde dat een sleutel in het slot werd gestoken en even later vulde Darnell de deuropening. 'Brigadier Dunn?'

'Ja.'

'Sorry dat ik zo laat ben.'

'Dat geeft niet.' Op de achtergrond riep Crystal: 'Pa-pa-pa.' Arlington liep naar de box en tilde beide meisjes er moeiteloos gelijktijdig uit. Hij kuste beiden op het voorhoofd. 'Hallo, dametjes.' Hij glimlachte vluchtig naar Marge. 'Nog een ogenblikje, graag.'

Marge hoorde zachte geluiden in de keuken. Een gesprek, geen ruzie. Toen begon een van de meisjes te huilen. Na vijf minuten kwam Tish tevoorschijn met de meisjes op haar heupen. Crystal brabbelde 'baba', wat voor Marge net zo goed 'bad' als 'bed' kon zijn. Moisha krijste met een rood aangelopen gezichtje. 'Hoog tijd voor hun badje en dan naar bed.'

'Welterusten, meisjes.'

Tish haastte zich de trap op. Even later kwam Darnell de keuken uit met een bord in zijn hand terwijl hij een grote hap van een boterham nam. Hij was lang en breed, maar had afhangende schouders, een rond gezicht en lange ledematen. Hij droeg een overhemd en een lange broek, wat waarschijnlijk verplicht was op de school waar hij werkte. Hij verontschuldigde zich nogmaals dat hij zo laat thuis was.

'Eet maar rustig, hoor.'

'Wilt u ook iets?'

'Nee, ik heb al gegeten.'

Arlington ging in de fauteuil zitten en liet het voetenbankje omhoogkomen. 'Neem me niet kwalijk dat ik mijn gemak ervan neem. Het is een lange dag geweest. Voor u ook, neem ik aan. Wanneer bent u geland?'

'Een half uur geleden, maar ik ben niet moe.'

'Als u iets wilt eten...'

'Echt niet. Dank u.'

'U hoeft tegen mij geen u te zeggen, hoor.' Arlington stak het laatste stuk brood in zijn mond en nam een lange teug van zijn bier. 'U bent de moord op doctor Ben dus opnieuw aan het onderzoeken?'

'Ja.'

'En... hebt u al iets ontdekt?'

'We ontdekken altijd wel iets. Of het belangrijk is, is altijd maar de vraag.' Ze pakte haar notitieboekje. 'Wat kun je me over doctor Ben vertellen?'

Arlington keek naar het lege bord. 'Hij was een geweldige vent. Ik vond het vreselijk toen ik hoorde wat er was gebeurd.'

'Er is me verteld dat je op de avond in kwestie een basketbalwedstrijd speelde voor een publiek van honderd man?'

Hij hief zijn blik op, maar sloeg zijn ogen toen weer neer. 'Ik hoorde het later pas. Een vriend uit North Valley belde op om het me te vertellen.' Hij keek Marge aan. 'Ik was er kapot van.'

'Waarom? Voor zover ik weet, kwam het door hem dat je van North Valley werd gestuurd.'

Arlington schudde zijn hoofd. 'Nee, zo was het niet. Dat ik van school werd gestuurd, had ik helemaal aan mezelf te wijten. Niet aan doctor Ben.'

'Toch zul je best kwaad zijn geweest.'

'Dat ik uit Los Angeles ben vertrokken, is het beste wat me had kunnen overkomen.'

'Vond je dat toen ook?'

'Nee,' gaf Arlington toe. 'Toen ik van school werd getrapt, was ik woedend.' Hij keek Marge recht in de ogen. 'Ik was een nogal agressief heerschap. Ik zocht met iedereen ruzie. Een vaderloze jongen met een aan drugs verslaafde moeder. Mijn broertje en ik waren helemaal op onszelf aangewezen. Ik begon al vroeg hasj te roken. Toen ik elf was, was ik al overgestapt op drank en harddrugs. Doctor Ben heeft zijn best gedaan, maar hij kon me moeilijk dag en nacht in de gaten houden. Iedere keer dat hij niet in de buurt was, ging ik de mist in. Ik heb het aan mijn grootmoeder te danken dat ik nu niet in de gevangenis zit.'

'Waarom ben je bij je grootmoeder gaan wonen?'

'Toen ik van school was getrapt, heeft ze voogdijschap over ons aangevraagd. Mijn moeder was allang blij dat ze van ons af was. Mijn grootmoeder heeft ons allebei weer op het rechte pad gebracht.'

Marge zei: 'Dus je was kwaad op doctor Ben, maar je was er evengoed kapot van dat hij dood was?'

'Ja. Het is gebeurd toen ik ongeveer een jaar uit Los Angeles weg was. Ergens had ik nog naar hem terug willen gaan om te zeggen: "Zie je nou wel?" Ik had hem en alle anderen willen laten zien dat ze het mis hadden gehad. Toen doctor Ben dood was...' Hij schudde zijn hoofd. 'Ik weet het niet... ik voelde me... ellendig.'

'Op school ging je zeker om met de gevaarlijke jongens?'

Arlington bleef zijn hoofd schudden. 'We waren een stelletje slampampers... We zopen en gebruikten drugs en voerden geen donder uit.'

'Waren jullie ook misdadig?'

'Ja. Winkeldiefstal, inbraak, vandalisme, graffiti.' Hij keek weer op naar Marge. 'Maar ik heb nooit geweld gebruikt. Ik heb nooit iemand overvallen. Ik heb ook nooit vuurwapens gebruikt. Ik was bang voor vuurwapens, brigadier. Toen ik acht was, heb ik met mijn eigen ogen gezien hoe mijn oom werd doodgeschoten.' Hij hield zijn hand vlak voor zijn gezicht. 'Vlak voor mijn neus. Alles zat onder het bloed. Ik ook. Nee, van vuurwapens moet ik niks hebben.

Ik weet dat ik veel geluk heb gehad dat ik daar ben weggehaald...' Hij haalde diep adem. 'Ik ga iedere zondag naar de kerk. Daar heb ik mijn vrouw leren kennen, in het kerkkoor. Dank u, Jezus, dat u me een goede zangstem hebt gegeven.'

Marge zei: 'En je vrienden van North Valley... Wat vonden die van doctor Ben?'

Hij liet zijn hoofd hangen. 'We vonden alle leraren stomme idioten. We waren veel te cool voor school, weet u wel?'

'Maar je bent toch op school gebleven. Waarom?'

Hij schraapte zijn keel. 'Omdat ik sommige dingen wel leuk vond. Ik zat in het basketbalteam en het footballteam. Ik hield van muziek, van het orkest, het jazzensemble, het koor. En ik mocht doctor Ben erg graag.' Hij grinnikte. 'De rest kon me gestolen worden. Ik zag het nut van leren niet in en wist ook niet hoe het moest. Van wie had ik moeten leren hoe je je huiswerk moet doen en dat soort dingen?'

'Waarom ben je uiteindelijk van school gestuurd?'

'De eerste keer dat doctor Ben het voor me heeft opgenomen, was toen ik in de bibliotheek de muren vol leuzen had gespoten. Ik heb toen plechtig beloofd dat ik het nooit meer zou doen. Ik moest de muren schilderden en daarmee was de kous af. Daarna heb ik echt mijn best gedaan om me netjes te gedragen maar er was niemand die over me waakte en ik had geen geld. En er zijn altijd manieren om aan geld te komen, als u begrijpt wat ik bedoel.'

'Met drugs dealen?'

Zijn gezicht werd een tintje donkerder van schaamte. 'Doctor Ben kon niet voorkomen dat ik van school werd gestuurd, maar hij heeft er wel voor gezorgd dat ik niet in de gevangenis terecht ben gekomen. Ik heb geluk gehad dat hij aan mijn kant stond. En ik geloof dat de school ook liever had dat het incident in de doofpot werd gestopt. Ik heb erg geboft.' Hij keek omhoog. 'Dank u, Jezus.'

'Hoe lang heb je in drugs gehandeld?'

'Een jaar ongeveer. Ik verdiende er redelijk wat geld mee. En gaf het ook grif uit. Nadat ik was opgepakt, heeft mijn grootmoeder voogdijschap aangevraagd.' Weer verdonkerde zijn gezicht, maar nu vermoedelijk van boosheid. Zweetdruppels parelden op zijn voorhoofd. Toen beheerste hij zich weer. 'En dat is maar goed ook.'

Maar hij klonk nog steeds gebelgd. Marge vroeg: 'En je vrienden van toen? Werden die ook door doctor Ben onder handen genomen?'

'Uiteraard. Iedereen die in moeilijkheden raakte, kreeg met hem te maken. Maar als u denkt dat zij iets met zijn moord te maken hebben, zoekt u het in de verkeerde hoek. Doctor Ben interesseerde hun niet.'

'Wat doen je voormalige vrienden nu?' vroeg Marge.

Arlington haalde diep adem. 'Met de meesten heb ik geen contact meer. Ik ben een heel andere weg ingeslagen.'

'Leg eens uit?' drong Marge aan.

'Sommigen van hen zitten in de gevangenis, anderen zijn dood, misschien zijn er een of twee die het gered hebben.'

'Kun je een lijstje maken van wie het allemaal waren?'

'Dat wil ik wel doen, maar nogmaals, zij hebben niets met doctor Bens dood te maken. Ze gaven niks om hem. Waarom zouden ze hem dan vermoorden?'

'Iemand heeft hem vermoord.'

'Iedereen zei dat hij gewoon op het verkeerde moment op de verkeerde plek was.'

'Hij was naar een gemeenteraadsvergadering geweest en zou regelrecht naar huis gaan. Na de vergadering heeft niemand nog iets van hem vernomen. Wat is er volgens jou gebeurd?'

'Verkeerde plek, verkeerde tijd. Een carjacking. Hij reed in een dure auto.'

'Hoe kon iemand als doctor Ben zich zo'n auto eigenlijk veroorloven?'

Arlington haalde zijn schouders op. 'Dat zou ik niet weten.'

Te nonchalant? Misschien verbeeldde Marge zich dat. 'Heeft iemand met je over de moord gepraat?'

'Ja, ik heb van vrienden gehoord wat er was gebeurd.'

'Klinken de namen Calvin Vitton en Arnie Lamar je bekend in de oren?'

'Nee...' Een korte stilte. 'Wie zijn dat?'

'Rechercheurs die de moord op doctor Ben onderzocht hebben. Het verbaast me dat ze je niets zeggen. Rechercheur Vitton heeft je destijds opgebeld om je vragen te stellen.'

'Dan heeft hij zeker met mijn grootmoeder gepraat.'

'Dat klopt. Maar volgens zijn dossier heeft hij ook met jou gesproken.'

Arlingtons gezicht betrok. 'Sorry, dat herinner ik me niet.'

'Je herinnert je niet door de politie ondervraagd te zijn?'

'Het is lang geleden, brigadier. Ik was erg aangeslagen. Als u zegt dat hij met me heeft gepraat, dan zal dat wel zo zijn, maar dat herinner ik me niet.'

'Zegt de naam Primo Ekerling je iets?'

Arlington dacht na en schudde toen zijn hoofd. 'Nee.'

'Rudy Banks?'

Een aarzeling voordat hij sprak. 'Die naam komt me bekend voor.' Hij streek bedachtzaam over zijn kin. 'Iemand op school... Misschien iemand van het koor?'

'Het is een producer.'

'Ah... dan zal het iemand van het koor geweest zijn.'

'Rudy Banks en Primo Ekerling waren leden van een punkrockgroep genaamd de Doodoo Sluts.'

'Punk...' Arlington keek peinzend. 'Ik had niks met punk: opstandig gedoe van blanke jongens. Hou ik niet van.'

'Waar hou je dan wel van?'

'Rhythm & blues, hiphop. Ik speel basgitaar. Dat speelde ik in het orkest. Later ben ik overgegaan op elektrische bas.'

'Speel je nog steeds?'

'Af en toe, in het schoolorkest. Vinden ze leuk. Soms heb ik zin om weer een bandje op te richten, maar met mijn werk en de kinderen heb ik er eigenlijk geen tijd voor.'

'Heb je dan eerder in bands gespeeld?'

Arlington sloeg zijn ogen neer en glimlachte. 'Ja, voordat ik getrouwd was.' Hij lachte. 'Zingen en gitaarspelen is altijd een goede manier geweest om meisjes te krijgen. Toen ik pas bij mijn grootmoeder woonde, moest ik van haar in het kerkkoor. Aanvankelijk wilde ik helemaal niet.

Het leek me vreselijk. Maar na een poosje begon ik het leuk te vinden. Als je muzikaal bent, ben je toch wel bijzonder.'

'Speelde je in Los Angeles ook in een band?'

'Nee, mijn vrienden daar hielden alleen maar van rap. Het is eigenlijk wel grappig. Ik had het meeste talent. Als iemand succes had kunnen boeken als rapper, was ik dat wel. Maar mijn grootmoeder had een hekel aan rap. Ze vond het stompzinnig gerijmel en zei dat ik daar veel te goed voor was. Ik hou er nog steeds van, maar nu ik zelf kinderen heb, zie ik wel wat ze bedoelde.'

'Maar je mocht van je grootmoeder wel in een band spelen.'

'Ze houdt van rhythm & blues. Ze heeft smaak.'

'Tussen haakjes, Rudy Banks heeft ook op North Valley High gezeten.'

Arlington glimlachte. 'Dan moet ik hem van het koor kennen. En die andere... Ekermen...?'

'Ekerling.'

'Heeft die ook op North Valley gezeten?'

'Nee, die kwam uit New York.'

'Daarom komt die me niet bekend voor en Rudy wel.'

Marge knikte.

Maar ze waren niet van dezelfde leeftijd. Marge zou het nog nakijken, maar volgens haar was Rudy al van school tegen de tijd dat Arlington in de brugklas zat. Als er reden was hem opnieuw te ondervragen, zou Marge die tegenstrijdigheid alsnog te berde brengen.

De enige reden waarom Decker zijn mobieltje hoorde, was dat die nog in de zak van zijn jasje zat dat in de kast op de slaapkamer hing. Hij was weer eens vergeten hem op de oplader aan te sluiten, maar nu kwam dat goed uit. Hij stapte zo zachtjes mogelijk uit bed om zijn vrouw niet wakker te maken, en was nog net op tijd bij het telefoontje voordat de voicemail het overnam. Hij deed de deur van de kast dicht en zei: 'Decker.'

'Wat wil je *nu* weer van me?'

Het duurde nog een seconde voordat Decker zijn brein helemaal wakker had geschud. Hij had de zachte, geïrriteerd klinkende stem wel meteen herkend. 'Hoe laat is het?'

'Bij jou of bij mij?'

'Maakt niet uit. Je bent in ieder geval nog laat op.'

'Zal door de drugs komen.'

'Wat kun je me over Rudy Banks vertellen?'

De ander lachte zacht. 'Je vuurt namen op me af alsof ik alle gluiperds op deze aardkloot ken.'

'Vat het op als een compliment. Hoe weet je trouwens dat hij een gluiperd is?'

'Omdat je me naar hem vraagt.'

'Het is een producer. Een voormalige partner van Primo Ekerling.'

'Die in de kofferbak van de Benz lag.'

'Goed geheugen.'

'Mijn hersenen zwemmen in alcohol, en iedereen weet dat alcohol een uitstekend conserveringsmiddel is.'

'Ekerling en Banks waren eind jaren tachtig leden van een punkrockgroep genaamd de Doodoo Sluts.'

'Toen was ik twaalf, Decker.'

'Je bent musicus.'

'Klassiek.'

'Ooit van die band gehoord?'

'Vaag. Wat is er met Banks?'

'Hij belt me niet terug.'

'Misschien mag hij je niet.'

'Heb jij soms een goede tip over hoe ik zijn aandacht kan trekken?'

'Nee.'

'Heb je toevallig familieleden in de muziekindustrie die een reactie van de man kunnen uitlokken?'

Donatti lachte. 'Ik heb overal vrienden. Pas dus maar op.'

'Dat kan ik ook tegen jou zeggen. Geef eens een naam.'

Stilte op de lijn. Decker wachtte af. 'Sal Crane.'

'Sal Crane,' zei Decker en hij schreef het op. 'Wat doet die?'

'Veel dingen.'

'In de muziekindustrie.'

'Hoe zal ik het zeggen?' Een lange stilte. 'Sal houdt zich bezig met... vergoedingen. Als een band bijvoorbeeld een bepaald nummer van een andere band uitbrengt, zorgt Sal ervoor dat de oorspronkelijke artiest zijn royalty's krijgt.'

'Dan kan het gunstig zijn als ik zijn naam laat vallen. Zou hij het vervelend vinden als ik dat doe?'

'Ja, heel vervelend. Maar als je zijn naam laat vallen in een gesprek met

Banks, denk ik niet dat die Sal zal bellen om te vragen of je een vriend van hem bent. En als hij dat toch zou doen, zou Sal het telefoontje niet aannemen. Sal vindt het niet prettig als onbeduidende mensen hem storen. Dat irriteert hem.'

'Sal heeft dus een kort lontje?'

'Ach, wie heeft dat niet?'

17

Rina schonk koffie in. 'Met wie heb je gisteren in de kast zitten bellen?'

Decker verborg zich achter de krant. 'Hoe bedoel je?'

'Ik heb heus wel gemerkt dat je bent opgestaan, de kast hebt opengedaan en heel zachtjes hebt zitten praten.'

Gesnapt. 'Met een verklikker.'

Rina lachte. 'Je hebt dus niet stiekem een virtueel leven?'

'Kijk gerust op mijn computer,' zei Decker. 'Je zult er niets opwindenders vinden dan de Porsche Turbo.'

Rina ging zitten. 'Punt een, waarom praat jíj met een verklikker? En punt twee, waarom belde die verklikker zo laat?'

'Het antwoord op je eerste vraag is dat ik aan een echte moordzaak werk in plaats van alleen bureauwerk te doen zoals de meeste inspecteurs. Het is erg belangrijk dat we deze zaak oplossen en ik heb hulp nodig. Het antwoord op je tweede vraag is dat verklikkers geen kantooruren aanhouden.' Hij keek naar haar en glimlachte. 'Nog meer vragen, nieuwsgierig Aagje?'

'Eentje maar. Moet ik op mijn hoede zijn?'

Decker keek naar het gezicht van zijn vrouw: een masker van bezorgdheid. 'Voor wie of wat?'

'Voor ongure types die misschien opeens bij ons op de stoep staan.'

'Nee. De verklikker woont hier vijfduizend kilometer vandaan en zal jou nooit kwaad doen.'

'O...' zei ze zachtjes. 'Is hij het.' Ze deed alsof het haar koud liet, maar dat was niet zo. Ze had geen idee waarom hij Donatti als informatiebron gebruikte. Snel ging ze op een ander onderwerp over. 'Cindy heeft gebeld. Ze komen voor de sjabbes en ze vroeg of je haar wilde bellen.'

'Nu meteen?'

'Wanneer het je uitkomt, zei ze. Dat kan dus ook nu meteen zijn.'

Hij keek op zijn horloge. 'Als je het niet vervelend vindt, doe ik dat dan. Misschien tref ik haar nog thuis.'

'Ga je gang. Ik ga onderhand de schone slaapster wakker maken. Kun jij haar naar school brengen?'

'Ja, goed. En als jij tussen de middag een uurtje kunt vrijmaken, kunnen we misschien samen lunchen.'

'Doen we.' Ze ging op haar tenen staan en gaf haar man een kusje op zijn wang. 'Bel me nog wel even als je niet tot over je oren in het werk zit. En wees alsjeblieft voorzichtig. Ik weet dat die verklikker je waarschijnlijk veel kan vertellen, maar het houdt wel in dat je je in het hol van de leeuw waagt.'

Decker gaf daar niet meteen antwoord op. Rina was erg scherpzinnig, maar hoeveel verklikkers had hij ook die vijfduizend kilometer bij hen vandaan woonden? 'Ik ben altijd voorzichtig,' zei hij toen, voor de zoveelste keer. 'Ik weet wie en wat ik tegenover me heb.'

'Dat hoop ik dan maar.' Ze beet op haar lip. 'Als je er maar voor zorgt dat hij het is en niet jij, als er iemand door de leeuw wordt verslonden.'

Decker stak bemoedigend zijn duim op. Zodra ze de keuken had verlaten, belde hij naar het mobieltje van zijn oudste dochter. 'Hoi, Rina zei dat je had gebeld.'

'Klopt. Momentje.' Het werd stil op de lijn, maar de verbinding werd niet verbroken. Op de achtergrond was verkeersgeruis te horen. 'Kun je me verstaan?'

'Je bent buiten, hoor ik. Ben je al op je werk?'

'Ja, dus ik moet het kort houden. Rip Garrett is erachter gekomen dat je belangstelling hebt voor de moord op Ekerling. Tito en hij vinden dat niet leuk. Dat wilde ik even aan je doorgeven.'

'Doen ze moeilijk?'

'Nee, want ik doe net alsof ik aan hun kant sta. Toen ze me nadrukkelijk vroegen wat er aan de hand was – en je wist dat ze dat zouden doen – heb ik gezegd dat ik je wel wilde bellen om te vragen waar je mee bezig bent. Al wist ik dat natuurlijk al. Daarna heb ik aan Rip en Tito doorgegeven dat je had gezegd dat je aan een cold case werkt en dat je verder niet veel wilde loslaten. Toen heb ik iets gezegd van "Zo is mijn pa nu eenmaal. Die steekt overal zijn neus in. Moet ik iets van jullie aan hem doorgeven?" En toen zeiden zij iets van "Zeg maar dat hij ons moet bellen als hij vragen heeft, in plaats van zo stiekem te doen." Vandaar mijn telefoontje.'

'Alles wat in het dossier staat, had ik ook van Marilyn Eustis los kunnen krijgen.'

'Die trouwens verantwoordelijk is voor je problemen. Ze heeft Rip opgebeld om hem te vertellen dat je op zoek bent naar andere verdachten dan Geraldo Perry en Travis Martel. Ze wilde weten wat er aan de hand is. Dat vond hij niet leuk.'

'Ik bel Garrett en Diaz wel even om uit te leggen wat ik aan het doen ben. Bedankt voor de tip en sorry dat ik je hierbij moest betrekken. Ik regel het verder wel.'

'Graag. Want ik moet wel met deze jongens werken natuurlijk. Als een of andere gluiperd een pistool op me richt, moet ik zeker weten dat mijn partner me aardig vindt.'

Je kon van Marge zeggen wat je wilde, maar efficiënt was ze. Om zes uur 's ochtends had ze haar aantekeningen al vanaf het vliegveld in Ohio doorgemaild. Tegen de tijd dat ze terug was op het politiebureau had Decker ze twee keer gelezen en wat opmerkingen in de kantlijn gezet. Hij keek naar zijn favoriete rechercheur, die dit keer een blauw jasje, lichtgeel topje, bruine broek en flatjes droeg. Haar onopgemaakte gezicht zag er fris uit, en ze was verdraaid opgewekt voor iemand die, omgerekend naar plaatselijke tijd, al sinds één uur op was.

'Ik heb tijdens de vlucht heerlijk geslapen,' legde ze uit. 'Zodra we waren opgestegen, heb ik twee slaappilletjes ingenomen en ik werd pas wakker toen we gingen landen. Drugs zijn best nuttig... De legale tenminste.' Ze wees naar de aantekeningen. 'Wat vind je ervan?'

'Ik heb een paar vragen.'

'Zeg het maar.'

'Waarom zei Darnell dat hij samen met Rudy Banks in het schoolkoor had gezeten als ze helemaal niet in dezelfde periode op school zaten?'

'Een bliepje op zijn eerlijkheidsradar of gewoon een vergissing.'

'Weet je zeker dat de datums kloppen?'

'Nee, niet echt. Daarom ga ik alles nog een keer opzoeken. Voor zover ik weet was Rudy al een jaar van school af toen Darnell op North Valley High kwam.'

'Kunnen ze samen op een ander koor hebben gezeten?'

'Darnell heeft niets over een ander koor gezegd. En er zit nog een smetje op de zogenaamd goede staat van dienst van meneer Arlington.

Een leugen. Want het bestaat niet dat hij zich Cal Vitton niet herinnert.'

'En dat is een erg domme leugen, want dat hij door hem is ondervraagd staat in het dossier.'

'Het is duidelijk dat hij zich van de moord wil distantiëren.' Marge zette wat cijfers op papier. 'Volgens mijn berekening was Rudy vijf jaar van school toen Ben Little is vermoord. Arlington zat in de eindexamenklas in Ohio en Rudy en Primo brachten als de Doodoo Sluts platen uit in Los Angeles.'

Decker zei: 'Als Darnell zei dat de naam Rudy Banks hem bekend voorkomt, is wel zeker dat hij hem kent. Het schoolkoor was het eerste wat in zijn hoofd opkwam. Dus moeten we ons afvragen waar ze elkaar dan wél van kennen en of het iets te maken heeft met de moord op Little.'

'Misschien muziek, misschien drugs, misschien allebei,' zei Marge. 'Arlington heeft toegegeven dat hij drugs verkocht. Hij kan koerier zijn geweest en daar Rudy van kennen.'

'Maar wat heeft dat met Little te maken?'

'Little wist dat Darnell drugs verkocht. Misschien was Little van plan daar werk van te maken, zodat Rudy zijn belangrijkste leverancier kwijt zou zijn. En misschien heeft Banks Little daarom laten vermoorden.'

'Arlington woonde hier al lang niet meer toen Little werd vermoord. Rudy had vast wel een andere bron gevonden.'

Marge dacht daarover na. 'Oké, andere mogelijkheid. Darnell was de dealer op North Valley en bleef alleen daarom op school. Darnell werd gepakt. Little slaagt erin dat stil te houden en Darnell weg te krijgen. Stel dat Rudy een paar maanden later Darnells oude plek overneemt en begint te verkopen. Little komt daar achter en steekt een spaak in het wiel van Rudy's business.'

'Dat is nogal een stap, van koper naar verkoper.'

'Dat valt nog wel mee,' zei Marge. 'Alles wat we tot nu toe hebben gehoord, wijst erop dat Rudy erg ondernemend is.'

'Goed. We gaan er even van uit dat je gelijk hebt. Daarmee zou de link tussen Banks en Arlington gelegd zijn. Maar hoe zit het met Primo Ekerling?'

'Misschien werkten Ekerling en Banks samen. Misschien kreeg Ekerling last van zijn geweten. Hij kon Banks niet uitstaan. Misschien wilde hij zijn leven beteren en wilde hij Rudy daarom aangeven. Toen heeft Rudy hem óók vermoord.'

'Na vijftien jaar?'

'Ja, dat is niet erg logisch, hè? En het verklaart ook niet waarom Cal Vitton vlak nadat jij hem had opgebeld over de moord op Little zich van kant heeft gemaakt.'

Decker zei: 'Tijdens jouw afwezigheid heeft Oliver de financiële positie van Little bekeken.'

'En?'

'Hij was eigenaar van veel mooi speelgoed: een Mercedes, een kleine boot, een aanhangwagen voor die boot, een camper. Verder had hij wat spaargeld en een aparte studierekening voor de jongens. Dat kan afkomstig zijn van verzekeringen... of uit andere bronnen.'

'Aha...' Ze verwerkte de nieuwe informatie. 'Jij denkt dat Little misschien in drugs handelde?'

'We hebben geen enkele indicatie dat hij geen brave burger was.'

'Maar we weten dat zijn vrouw na zijn dood aan een ernstige gokverslaving leed... Wat inhoudt dat ze waarschijnlijk al aan een kleine gokverslaving leed toen hij nog leefde. Misschien had Little wat besteedbaar inkomen nodig. Een paar honderd dollar hier en daar kan aardig oplopen, vooral als het om zwart geld gaat.'

'Aan wie zou hij die drugs dan verkocht hebben?' vroeg Decker. 'Ik neem aan dat hij pienter genoeg was om niet zijn eigen nest te bevuilen.'

'Misschien betrok Little de drugs van Darnell en verkocht hij ze aan Banks en heeft de punkrocker hem verraden. Het zou kunnen dat Ben Little daarom voor Darnell in de bres is gesprongen toen die gepakt was.'

Decker schetste een paar diagrammen. 'Oké. Dit weten we tot nu toe. Er is een duidelijke band tussen Arlington en Little. En het ziet ernaar uit dat er ook een band is tussen Arlington en Banks.'

'En tussen Arlington en Cal Vitton. Cal heeft hem ondervraagd.'

'Ja, er zijn heel wat vingertjes die naar Arlington wijzen.' Decker tekende pijlen. 'We hebben Arlington en Little, Arlington en Banks misschien, en Arlington en Cal Vitton. Tot nog toe geen band tussen Arlington en Primo Ekerling.'

'We hebben Banks en Ekerling, Banks en Little, en misschien Banks en Arlington. Maar niet Banks en Vitton.' Marge dacht even na. 'En ik kan hier nog iets aan toevoegen. Op de middelbare school was Darnell bevriend met een stelletje wilde jongens. Hij heeft me een lijstje gegeven van zijn oude maten. Zijn twee beste vrienden wilden rappers worden.'

Ze keek in haar aantekeningen. 'Jervis Wenderhole, die zich A-Tack liet noemen, en Leroy Josephson, die bekendstond als Jo-King. Ik weet inmiddels dat Josephson dood is. Geen idee waar Wenderhole is, maar ik weet wel dat hij een paar nummers heeft uitgebracht. Veel succes had hij niet, maar Rudy was ook geen succesvolle producer.'

'Ik zal het uitzoeken.' Decker haalde zijn schouders op. 'Ik geloof dat we de link tussen Banks en Arlington nader moeten bekijken. Die twee leven tenminste nog. Alleen reageert Banks niet op mijn telefoontjes. Ik heb nog één geheim wapen. Als ik daarmee niks bereik, zal ik de straat op moeten.'

18

Decker had Rip Garrett nooit ontmoet maar herkende hem meteen: overwerkt, onderbetaald, chagrijnig. De rechercheur was halverwege de dertig, had een normaal postuur, een dikke bos donker haar en lichtbruine ogen. Hij was gekleed in een lichtbruin kostuum, een wit overhemd met een verkreukelde boord en een rode stropdas. Decker stelde zich aan hem voor en gaf hem een hand. Zodra ze aan een hoektafeltje hadden plaatsgenomen en de serveerster hun bestelling had opgenomen, legde Decker uit hoe de situatie in elkaar zat en nam hij de eerste hap van de zure appel.

'Ik had meteen moeten bellen, maar ik wilde zien wat ik op eigen kracht kon ontdekken alvorens jullie ermee lastig te vallen.'

Rip Garrett bekeek hem achterdochtig en klonk nog steeds chagrijnig toen hij zei: 'En u bent nu niet veel verder dan toen u bent begonnen.'

'Jawel. Ik zit nu ook nog met een dode politieman in mijn maag.' Decker haalde zijn schouders op. 'Hij had een fatale dosis slaappillen geslikt en er zaten kruitsporen op zijn rechterhand. Ik wacht nog op het sectierapport en omdat het zo lang duurt begin ik me af te vragen of iemand het soms heeft gedaan toen hij al dood was.'

'Waarom denkt u dat?'

'Vanwege de timing. Als ik iemand opbel en een afspraak maak om over een vijftien jaar oude zaak te praten en de man de volgende dag opeens dood is, voel ik me knap belazerd.'

Garrett zei: 'Het zal aan uw karma liggen.'

Decker had genoeg van zijn vitterige houding. 'En hoe lang werk jij al bij Moordzaken?' Toen Garrett daarop geen antwoord gaf, keek hij de jongeman indringend aan. 'Je hebt erin toegestemd met me te praten omdat (a) ik een hogere rang heb en je geen nee zegt tegen een inspecteur met meer dan dertig jaar ervaring voor wie je misschien ooit zult moeten werken, (b) je wilt weten wat ik in mijn schild voer, en (c) je diep in je hart weet – als je tenminste een béétje intuïtie over moordzaken hebt – dat het met die arrestaties niet goed zit: twee domme tieners die een auto stelen, Ekerling vermoorden, hem in de kofferbak leggen en gaan joyriden in een dure Mercedes?'

'Dom is het woord waar het hier om gaat,' beet Garrett terug.

'Schei toch uit. Je weet dat er iets niet goed zit, maar je weet niet wat. Je dacht dat je goed zat omdat je twee jeugdige delinquenten hebt opgepakt die een strafblad hebben van hier tot ginter. Als ze Ekerling níét hebben vermoord, kan de rechterlijke dwaling je niet eens veel schelen, omdat ze uiteindelijk toch wel in de gevangenis zouden zijn beland.'

Garrett wilde iets zeggen maar bedacht zich.

Decker nam wat gas terug. 'Normaal gesproken ben ik niet zo onbeschoft, maar ik word door de hoge omes onder druk gezet. Op den lange duur, Garrett, zal ik je meer goed dan kwaad doen. Ik heb een bijzonder goed geheugen en dat is voor ons beiden gunstig.'

De serveerster kwam naar hun tafel met een clubsandwich voor Garrett en een bord met cottage cheese en fruit voor Decker. De watermeloen was vers, maar de rest kwam uit blik. Decker prikte een stukje ananas aan zijn vork, maar stak het niet in zijn mond. 'Het is nu niet meer zomaar een cold case. Ik zit nu met een dode politieman. Ik wilde Cal Vitton wat vragen stellen over Little. Hij had er geen zin in, maar ik heb aangedrongen tot hij ja zei. Vierentwintig uur later was hij dood.'

'U hebt me nog steeds niet uitgelegd wat Cal Vitton met Primo Ekerling te maken heeft.'

'Dat weet ik nog niet.'

'En wat is de relatie tussen Ben Little en Primo Ekerling, afgezien van de manier waarop ze vermoord zijn?'

Voor het eerst in het gesprek zag Decker oprechte nieuwsgierigheid in Garretts ogen. 'Dat weet ik ook nog niet.' Hij roerde in de cottage cheese. 'Wat kun je me vertellen over Martel en Perry?'

'Ze hebben allebei een lang strafblad: rijden onder invloed, drugsbezit, winkeldiefstal, illegaal bezit van vuurwapens, inbraak, autodiefstal...'

'Gewapende overvallen?'

'Dacht ik niet.'

'Mishandelingen?'

'Ook niet.'

'Geen lichamelijk geweld dus.'

'Maar als je met een vuurwapen rondloopt, zit die mogelijkheid er altijd in.'

'Daar heb je gelijk in.' Decker legde zijn vork neer en boog zich naar voren. 'Ik ben geïnteresseerd in een man die Ekerling goed heeft gekend en die Little misschien ook kende. Een producer uit Hollywood. Zijn naam is Rudy Banks.'

Garrett dacht na en schudde toen zijn hoofd.

'Twintig jaar geleden zaten Banks en Ekerling samen in een punkrockband, de Doodoo Sluts. De laatste tijd lagen Banks en Ekerling juridisch met elkaar overhoop. Banks heeft op North Valley High gezeten, de school waar Ben Little lesgaf. Tot nu toe is hij mijn enige gemene deler.'

'Beetje zwak.'

'Je moet ergens beginnen en Rudy lijkt een goede keus. Ekerlings vriendin vindt hem een schoft en alle andere mensen met wie ik heb gesproken, zijn dezelfde mening toegedaan. Ik wil daar graag zelf over oordelen, maar Rudy heeft me tot nu toe niet teruggebeld.'

'Waarom zou hij ook?'

'Daar heb je gelijk in, rechercheur. Hij kon mij het beste negeren, omdat ik het normaal gesproken te druk heb om veel tijd te besteden aan zwakke schakels. Maar met de oplossing van deze zaak is veel geld gemoeid en degene die ons dat geld wil geven, zit mijn baas op zijn huid. Ik heb een dringende boodschap op Rudy's antwoordapparaat ingesproken. Als hij me niet snel terugbelt, ga ik me zorgen maken.'

'Zal ik zien of ik iets te weten kan komen?'

'Graag. Niet alleen over Banks, maar ook over Ekerling, Little en dat schorem dat je achter de tralies hebt gezet. Alle informatie is welkom.'

'Daarvoor had u me gewoon kunnen bellen.'

'Ja, dat weet ik. Ik had ook even bij jullie langs kunnen gaan. Soms heb ik het zo druk dat ik mijn manieren vergeet. En dat brengt me op iets anders. Ik zou graag een kopie willen van het Ekerling-dossier.'

'Hebt u dat dan niet?'

'Nee,' loog Decker met een stalen gezicht, in de hoop dat zijn leugentje Cindy uit de problemen zou halen waar ze wegens hem in verzeild was geraakt. 'Anders zou ik er niet om vragen.'

Garrett bekeek hem taxerend. 'Ik zal zorgen dat u een kopie krijgt.'

'Dank je wel.'

'Die Rudy Banks... Met wat voor soort muziek houdt hij zich bezig?'

'Voor zover ik weet geeft hij hoofdzakelijk compilaties uit van oude bands zoals die waar hij zelf in speelde. Maar ik heb op internet gezien dat hij het ook probeert met nieuwe groepen: hiphop en rap.'

Garrett zei: 'Martel heeft bij "beroep" ingevuld dat hij een aankomende rapper is. Dat zijn ze tegenwoordig allemaal. De gevangenis zit vol hoopvolle rappers.'

'Goede tip, Garrett. Het is zeker de moeite waard dat nader te bekijken,' zei Decker. 'Ekerling was trouwens ook producer. Sterker nog, die avond had hij moeten tafelen met een populaire band die ook al aan hiphop en rhythm & blues doet. Hij wilde hun nieuwe cd uitgeven.'

'Ja, dat weet ik. Maar hoe weet u dat als u het dossier niet hebt?'

'Ik heb met Marilyn Eustis, Ekerlings vriendin, gepraat. Zij heeft jou daarna gebeld om te vragen waarom ik me ermee bemoeide. Waar je zo kwaad om bent geworden. Ik zou trouwens zelf precies zo hebben gereageerd. Ik hou er ook niet van als mensen hun neus in mijn zaken steken. Als Travis Martel ambities heeft rapper te worden en als Ekerling hem had afgewezen, zou dat voor Martel een beweegreden kunnen zijn geweest om Ekerling van kant te maken.'

'En wat zou dat dan te maken hebben met de moord op Little?'

'Dat weet ik niet. Ik zit gewoon hardop te denken. Ik laat je profiteren van mijn jarenlange ervaring.'

Garrett glimlachte en at weer door. 'Bevalt het eten niet, inspecteur? Of bent u op dieet?'

'Niet echt, al mag ik best een paar kilo afvallen.' Decker dronk zijn koffie op. 'Nee, het is gewoon zo'n dag dat cottage cheese me niet smaakt.'

Het mobieltje ging om vijf uur 's middags. Op het venstertje zat Decker dat het een privénummer was. De man schreeuwde in zijn oor: 'Wie ben je en wat moet je?'

Decker nam even de tijd om zijn gedachten op een rijtje te zetten. 'Inspecteur Peter Decker van het LAPD. En met wie spreek ik?'

'Een inspecteur? Heeft Sal Crane een inspecteur in zijn zak? God zal me bewaren!'

'Nogmaals: met wie spreek ik?'

'Met Rudolph Banks. Weet u dat ik voor dit nummer zowel de inkomende als de uitgaande gesprekken moet betalen?'

Decker wilde zeggen: Dan had je jezelf aardig wat geld kunnen besparen als je me meteen had teruggebeld. In plaats daarvan zei hij: 'Om te beginnen heeft niemand mij in zijn zak, en Sal Crane al helemaal niet. Ik heb de naam gebruikt om uw aandacht te trekken, omdat u niet op mijn vele telefoontjes reageerde.'

'Dat kon niet, omdat ik de afgelopen vijf dagen juryplicht had. Als reservejurylid! Het is verdomme godgeklaagd. Niet alleen moest ik een stompzinnige rechtszaak bijwonen die een totale verkwisting van mijn tijd en van het geld van de belastingbetaler was, maar ik mocht nog niet eens zeggen of ik vond dat de schoft schuldig was of niet. Nee, ik moest buiten de rechtszaal op een harde houten bank zitten wachten tot twaalf idioten hun oordeel hadden uitgesproken. Voor het geval een van hen opeens een hartaanval mocht krijgen. En voor dat genoegen heb ik een vergoeding van vijftien dollar per dag en drieënvijftig cent per kilometer gekregen. Let wel: alleen voor de héénweg!'

'U hebt uw burgerplicht gedaan.'

'Nee, zij hebben hun plicht gedaan en ik was de klos. Maar goed, ik ben er vanaf. Wat wilt u van me, inspecteur?'

'Aardig dat u ernaar vraagt. Ik werk momenteel op Moordzaken, meneer Banks...'

'Wat wilt u dan van mij? Wie er ook vermoord is, ik heb het niet gedaan.'

'Het gaat over Primo Ekerling.'

'De daders zijn gepakt. Het heeft in de krant gestaan, inspecteur. Als u me uw e-mailadres even geeft, zal ik u wat artikelen opsturen.'

'Ik heb een paar vragen waar u misschien het antwoord op hebt.'

'Vraag maar.'

'Ze gaan over dingen die ik liever in een persoonlijk gesprek behandel.'

'Ik heb hem niet vermoord. Einde van het gesprek.'

'De manier waarop hij is vermoord, lijkt erg veel op een moord die vijftien jaar geleden is gepleegd. Dat slachtoffer was een leraar genaamd Bennett Alston Little. Ik heb gehoord dat u op North Valley High hebt gezeten, waar doctor Little lesgaf in geschiedenis, maatschappijleer en sociale wetenschappen.'

De korte stilte was veelzeggend.

'Ik heb inderdaad op North Valley High gezeten. Samen met duizenden anderen. Ik ben in de vijfde klas van school gegaan, toen Little nog springlevend was. Wat heeft dit dus met mij te maken?'

'Meneer Banks, het is voor ons allebei echt heel belangrijk dat we de koppen eventjes bij elkaar steken. Wanneer schikt het u?'

'Hebt u enig idee wat een achterstand ik heb opgelopen in mijn werk?'

'Nogmaals, dit is voor u erg belangrijk. Hoe eerder we het doen, hoe eerder u van me af bent.'

Weer een korte stilte. Decker hoorde de man diep ademhalen. 'Ik bel u volgende week dan nog wel even.'

'Nee, dat duurt te lang, meneer Banks. Ik zal u niet lang ophouden. Eén uur is genoeg. Wat mij betreft kan het zelfs vanavond.'

'Nou, wat mij betreft niet. Ik weet allang wat u me wilt vragen. Dingen over Primo. Ja, ik heb Primo gekend. Ja, we lagen juridisch met elkaar overhoop. Ja, al een hele tijd. Maar ik heb hem niet vermoord.

Uw slachtoffer herinner ik me niet, maar ik herinner me de moord nog wel. Vaag. Ik woonde toen in Los Angeles. Meer kan ik er niet over zeggen. Het enige wat me toen interesseerde was meisjes versieren. Bovendien was ik constant zo stoned als een garnaal. God, ik zou nu ook wel een shot kunnen gebruiken.'

'Dan spreken we voor morgen af.'

'Waarom dringt u zo aan?'

'Ik wil alleen maar een paar vragen stellen, meneer Banks. Ik kan naar uw kantoor in Hollywood komen. Ik ben daar al eens geweest en heb toen mijn kaartje onder de deur door...'

'Goed, goed. Best. Kom dan morgen maar om drie uur. Als ik er ben, zal ik met u praten. Bel niet aan, want de bel doet het niet. En als u op de deur klopt, garandeer ik nog altijd niet dat ik opendoe. Om drie uur is het meestal rustig. Soms val ik in slaap, en ik slaap nogal vast. U komt dus voor eigen risico.'

'Ik verwacht van u dat u er zult zijn.'

'O ja? En omdat u dat verwacht, moet dat zo zijn? Nu moet u even goed naar me luisteren, inspecteur. Ik verwácht ook van alles. Maar ik krijg lang niet alles wat ik verwacht. In plaats daarvan krijg ik te maken met allerlei hufters die iets van me willen. Ondankbare honden die me aanklagen om geen andere reden dan hebzucht. Juryplicht op de godvergeten reservebank. De ene teleurstelling na de andere, inspecteur, omdat de wereld nou eenmaal vol zit met leugenaars, hypocrieten en dieven. Ik weet heus wel dat het leven één grote mesthoop is, maar een knappe jongen die mij kan dwingen erin te gaan liggen!'

19

De lift deed het nog steeds niet en in het trappenhuis was het niet koeler geworden. Decker had een bezwete kop, maar niet van de hitte of de hoge vochtigheidsgraad op de gang. Zijn knokkels waren rood van tien minuten vergeefs kloppen. Hij had veel zin om de deur in te trappen, maar in plaats daarvan haalde hij diep adem en dacht na over wat hij het beste kon doen. Normaal gesproken zou hij nog een poosje wachten, maar het was vrijdag en vanwege zijn religie kon hij die avond niet de wacht houden.

Misschien dat Marge of Oliver ertoe bereid was...

Er klonken voetstappen in het trappenhuis. De deur ging open. Liam O'Dell slenterde op zijn dooie gemak naar Decker. 'Hallo.'

Decker probeerde niet te laten merken hoe verbaasd hij was. 'Hé, jij ook hier?'

'Ik kom net bij Millie's vandaan. Je moet hun enchilada special eens proberen. Uit de kunst!'

'Wat doe je hier, Liam?'

'Zelfde als jij. Ik moet Rudy hebben.' Hij stak zijn hand in zijn zak en gaf Decker een verkreukeld stuk papier. 'Jij bent blijkbaar belangrijk. Hij heeft de moeite genomen je een briefje te schrijven.'

Decker streek het papier glad en las:

Onverwachte kink in de kabel. Maandag, zelfde plek, zelfde tijd.
Bel niet. Ik bel toch niet terug.

'Wat een hufter!' mompelde Decker.

'Ben je er ook achter?'

'Hij had kunnen bellen.' Decker stak het briefje in zijn zak. 'Nu kom ik op de terugweg naar de Valley in de spits te zitten.'

'Als dat de enige manier is waarop hij je heeft genaaid, mag je nog blij zijn.'

Decker bekeek O'Dell. Dit keer droeg hij een afgeknipte spijkerbroek en een hawaïhemd. Zijn armen en benen zaten vol tatoeages. 'Kom jij hier elke dag of zo, O'Dell?'

'Ik vond dat ik het nog wel een keertje kon proberen voordat ik terugga naar Venice.' Hij ontblootte zijn vlekkerige tanden in een brede grijns. 'Was je bang dat ik hem van kant had gemaakt? Trap de deur in, dan kunnen we samen kijken wat er aan de hand is.'

'Ik kan de deur niet intrappen tenzij het vermoeden bestaat dat meneer Banks iets is overkomen.' Hij keek O'Dell indringend aan. 'Is er een reden waarom je denkt dat meneer Banks iets is overkomen?'

'Tja, ik weet het natuurlijk niet zeker, maar volgens mij zal hem wel iets overkomen. Je kunt je niet eeuwig zo schofterig blijven gedragen. Op een gegeven moment grijpt er iemand in.' Hij keek Decker rustig aan. 'Als je je zorgen maakt, moet je de deur intrappen.'

'Niet nodig.' Hij had een slothaak aan zijn sleutelbos en wurmde ermee in het sleutelgat tot het slot opensprong.

O'Dell zette grote ogen op. 'Met jou kun je uit vissen gaan.'

Decker zei: 'Blijf op de gang. Als je ook maar één voet over de drempel zet, neem ik je in hechtenis wegens huisvredebreuk.'

'Jij bent de baas. Ik ben alleen maar een toeschouwer.'

'Ik meen het, O'Dell.' Decker ging naar binnen en voelde meteen hitte op zich afkomen. Er was geen airconditioning. 'Meneer Banks?'

Geen antwoord.

In de zitkamer was het vrij donker omdat de gordijnen dichtzaten. De flat was niet onaardig ingericht in art-decostijl. Aan de muren hingen olieverfschilderijen, bijna allemaal van naakte vrouwen.

'Meneer Banks?'

Hij liep snel door de flat: twee slaapkamers, twee badkamers, een keuken en een bijkeuken met een stortkoker voor afval.

'Meneer Banks?'

Hij keek in alle kastjes en kasten. Hij tilde het luik van de stortkoker op en tuurde erin. De koker rook naar rottend afval, maar dat was ook alles.

'Meneer Banks?'

De flat was niet brandschoon, maar wel netjes. Toen Decker ervan overtuigd was dat er niets mis was, trok hij de voordeur achter zich dicht in het slot. O'Dell zat op de gang met gesloten ogen naar een iPod te luisteren en wiegde mee op het onhoorbare ritme. Decker liep naar hem toe en tikte hem op zijn schouder. O'Dell deed meteen zijn ogen open en sprong overeind. 'Alles in orde?'

'Ja.' Decker keek hem onderzoekend aan. 'Waarom had je dat briefje meegenomen, Liam?'

'Ik was in een ondeugende bui.' O'Dell veegde zijn handen af aan zijn broek. 'Ik was benieuwd voor wie het was, dus heb ik dat afgewacht. Toen zag ik jou...' Hij grijnsde. 'Ik had het ook kunnen houden.'

'Ja, erg fideel van je. Enig idee wat de onverwachte kink in de kabel was?'

'Bij Rudy kan dat van alles zijn. Meestal zegt hij zulke dingen om ergens onderuit te komen.'

'Je zou hier niet zo vaak moeten komen, Liam, vooral niet als je denkt dat hem iets zal overkomen,' zei Decker met een glimlach. 'Dat maakt je verdacht.'

'Verdacht! Ik ben een verdachte! Mag ik in de film mezelf spelen?'

'Ik meen het.'

'Ja, ik weet dat je het goed bedoelt.' O'Dell keek op zijn horloge. 'Half vier. Als ik jou was, ging ik ervandoor. Als je nog langer wacht, kom je geheid in de file.'

Decker hield de deur naar het trappenhuis voor hem open. 'Na jou, Liam.'

'Als je erop staat.'

'Ik sta erop.' Hij wachtte iets langer op O'Dell dan nodig was. Pas toen Liam hem was gepasseerd en in het trappenhuis stond, liet Decker de deur dichtvallen. Ze liepen zwijgend naar beneden, begeleid door het harde geluid van hun schoenen op de metalen treden.

Het beeld dat Decker in zijn hoofd had gehad, was dat van een bijna veertigjarige verlopen rocker: een vadsige vent met een gezicht dat gezwollen was van de drank en de drugs. Maar op foto's van een jaar geleden zag Rudy Banks er nog verdraaid goed uit: scherpe kaaklijn, haviksneus, helderblauwe ogen, parelwitte tanden en een kuiltje in zijn kin. Met zijn donkere, krullende haar en stoppelige kaken had zijn foto op een van de binnenpagina's van de *New York Post* kunnen staan, met als onderschrift dat hij een veelbelovende acteur was.

Het uiterlijk van de man was zo in strijd met zijn ongure karakter, dat Decker in meerdere zoekmachines naar foto's van hem zocht om er helemaal zeker van te zijn dat hij de juiste man had. Door welke omstandigheden was zo'n knappe jongen zo'n verbitterde, onbehouwen kerel geworden?

Misschien kwam het juist omdat hij zo knap was. Als je het uiterlijk van een adonis had, kwam je soms innerlijk niet tot bloei, omdat het dan doodgewoon niet nodig was solide karaktertrekken te ontwikkelen.

Decker voelde dat er iemand achter hem kwam staan en toen hij achterom blikte, keek hij in de ogen van zijn oudste dochter.

'Knappe man,' zei ze.

'Ja, maar daar houdt het ook mee op.'

'Wat heeft hij gedaan?'

'Nog niets.' Hij gaf Cindy een kusje op haar wang. 'Hoe lang ben je er al?'

'Tien minuten.'

Hij glimlachte naar zijn dochter. Ze droeg een eenvoudig zwart jurkje en zwarte schoenen met hoge hakken. Haar haar glansde in de kleuren van een laaiend vuur. 'Wat zie je er leuk uit.'

'Ik doe mijn best.'

'Waar is Koby?'

'Die komt iets later.' Ze trok een stoel bij. 'Wie is dat?'

'Rudy Banks. Een van de oprichters van de punkrockband de Doodoo Sluts. De andere was Primo Ekerling.'

'Aha.' Ze keek naar het scherm en begon de tekst te lezen. 'Ik heb gehoord dat Rip Garrett en jij min of meer vrede hebben gesloten.'

'Samenwerking is altijd beter dan wrok. Maar waarom zeg je "min of meer"?'

'Rip en Tito vinden het nog steeds niet leuk dat jij je met hun zaak bemoeit. Maar in ieder geval kijken ze mij niet meer met van die moordzuchtige blikken aan.'

'Op je pa kun je altijd rekenen.'

'Mijn pa is anders degene die me in de problemen had gebracht.' Ze stond op. 'Als je die artikelen even afdrukt, kunnen we ze na het eten samen doornemen. Nu ga ik Rina helpen in de keuken. Niet dat ze mijn hulp nodig heeft. Bij haar loopt alles altijd op rolletjes.'

Decker klikte op Afdrukken. 'Ik help Rina wel. Ga jij maar even naar Hannah. Ze heeft jou veel liever dan mij.'

'Dat komt doordat ze ongelimiteerd kleren van me mag lenen.'

'Wat de reden ook is, ze lacht altijd als ze jou ziet. Dat is de enige keer dat ik haar tanden te zien krijg.'

Cindy schoot in de lach. 'Was ik net zo chagrijnig?'

'Zou kunnen, maar jij woonde niet bij mij. Ik denk dat je moeder het meeste tienerchagrijn heeft moeten verduren.'

'En ze heeft me evengoed nog steeds niet verstoten. Ik zou haar op een voetstuk moeten zetten.' Ze stond op. 'Ik heb Rina beloofd dat ik de sla zou maken. Zoek jij nog maar even verder naar Banks, dan bekijken we alles straks. Vergeet niet dat Primo Ekerling oorspronkelijk mijn zaak was.'

'De autodiefstal was jouw zaak. Voor zover ik weet werk je niet op Moordzaken.'

'Daar hebt u gelijk in, inspecteur, maar ik mag er toch wel van dromen?'

Schoongewassen en uitgedost in hun beste outfit zat de familie rond de tafel. Rina had haar culinaire overdadigheid beperkt tot slechts één vleesgerecht, dat bestond uit kalkoen gevuld met rijst en overgoten met verse cranberrysaus, met daarbij gestoofde asperges. Aan de vogel waren twee voorgerechten voorafgegaan: wortel-gembersoep en een salade van rucola en grapefruit. Het dessert bestond uit gegrilde ananas en perzik.

'Veel te veel lekkers,' zei Decker nadat hij het laatste stukje van het warme, zoete fruit had verorberd. 'En zoals gewoonlijk heb ik veel te veel gegeten.'

'Ik ook,' zei Koby.

Decker keek naar zijn schoonzoon, een meter tachtig lang maar zo mager als een lat. Misschien kwam dat door al die jaren van voedseltekort in Ethiopië. Zoals altijd op de sabbat droeg Koby een wit overhemd met korte mouwen en een zwarte lange broek. Sandalen aan zijn voeten, en dat was een concessie. Hij had een hekel aan schoenen.

'Het was allemaal even lekker,' zei Cindy. 'En helemaal niet zwaar op de maag, als je tenminste maat weet te houden.'

'Ik ben blij dat je het zegt,' antwoordde Rina. 'Ik kook wat gezonder. Hannah heeft de soep gemaakt.'

'Dat was niks bijzonders,' zei Hannah met een schouderophalen.

'Maar hij was heerlijk en het is beleefd om "dank je wel" te zeggen als iemand je een compliment maakt.'

Hannah glimlachte. 'Dank je wel, ima, ik ben blij dat je de soep lekker vond.'

'Als ik me niet vergis zat er kokosmelk in,' zei Koby op een vragende toon.

'Klopt,' zei Hannah.

'Goed van je, Han,' zei Cindy.

'Dank je wel,' zei Hannah.

'Ik zal de tafel wel afruimen,' zei Decker. 'Ik moet een beetje bewegen.'

'Ik zal je niet tegenhouden,' zei Rina. 'Ik laat alles graag aan jullie over, dan kan ik de krant lezen.'

'Ik help je wel, pap,' zei Cindy.

Hannahs gezicht klaarde op. 'Gaan jullie over je werk praten?'

'Misschien wel,' antwoordde Cindy. 'Hoezo? Heb je belangstelling voor de fijne kneepjes van politiewerk?'

'Au contraire, ik vind dat het niet juist zou zijn als ik zou horen wat jullie bespreken. Daarom zou ik willen vragen of ik niet hoef te helpen met afruimen en afwassen.'

Rina wierp haar een wat schampere blik toe. 'Heb je geen beter smoesje?'

Cindy glimlachte. 'Zelfs als we niet over ons werk zouden praten, Hannah, wil ik jouw taak wel overnemen. Als je moeder het tenminste goedvindt.'

Hannah keek naar haar moeder.

Rina hief waarschuwend haar vinger op. 'De volgende keer maak jij ook de kip.'

'Goed!' Ze omhelsde Cindy. 'Jij bent de beste zus op de hele wereld!'

'Daar kun je wel eens gelijk in hebben,' beaamde Cindy.

Nu richtte Hannah haar aandacht op haar zwager. 'Kun jij even met me meelopen naar het huis van mijn vriendin?'

Decker zei: 'Ik heb gezegd dat ik je na de afwas zou brengen.'

'Koby vindt het vast niet erg.'

'Misschien niet, maar daar gaat het niet om.'

Hannah slaakte een diepe zucht. Ze zat nog aan tafel, maar was in gedachten al bij haar schoolvriendinnen. Koby schoot haar te hulp. 'Ik heb wel zin om een stukje te lopen. Als jij het goedvindt, Peter.' Hij keek naar zijn schoonvader. 'Jij mag het zeggen.'

Decker hief zijn handen op. 'Het kind weet iedereen om haar vinger te winden.'

'Je zou haar ook vindingrijk kunnen noemen. Dus je vindt het goed?'

'Voor deze ene keer dan,' zei Decker. 'Dank je wel, Koby.'

'Ja, dank je wel.' Ze sprong overeind. 'Ik ga mijn tas inpakken.'

Rina greep haar arm. 'We hebben nog niet gebeden.'

'O...' Ze ging weer zitten. 'Sorry.' Haastig zei ze haar gebeden en was verdwenen voordat de rest klaar was. Ze stormde naar haar kamer en liet de deur met een klap dichtvallen.

'Ze haat ons,' zei Decker toen hij klaar was met bidden.

'Ze houdt van ons,' zei Rina. 'Ze wil alleen niet in ons gezelschap verkeren. Wij zijn saai.'

'Hoe zou ze dat moeten weten?' klaagde Decker. 'Ze praat nooit met ons.'

Cindy legde haar hand op zijn arm. 'Dat verandert nog wel, pap. Kijk maar naar mij. Ik vond jou en mam vroeger ook de saaiste mensen op de hele wereld...'

'Echt waar?' zei Decker. 'Hoe kon je mij nou saai vinden?'

'Het ging niet om wát je was, maar wíé je was. Ouders zijn saai. Bovendien was jij een grote, angstaanjagende politieman. Daardoor was iedereen ook bang voor mij.'

'Je had vriendinnen,' protesteerde Decker. 'En vriendjes.'

'Dankzij mijn eigen charme en charisma.'

Koby schraapte zijn keel en keek op naar het plafond. Cindy gaf hem een stomp tegen zijn schouder. Ze praatten nog even over haar jonge jaren door maar nog geen halve minuut later kwam Hannah alweer binnen met haar tas. 'Ik ben zover.'

'Dat was snel,' zei Koby.

'Die tas heeft ze van de week al ingepakt,' zei Decker. 'Ze weet niet hoe gauw ze hier weg moet komen.'

Hannah zette de tas neer en sloeg haar armen om haar vaders hals. 'Abba, je bent een bovenste beste. Ik hou heel veel van je en dat zal altijd zo blijven, maar meisjes hebben nu eenmaal andere dingen aan hun hoofd.' Ze glimlachte naar Koby. 'Zullen we?'

'Wees voorzichtig, Koby.' Cindy klonk onzeker. 'Zou je mijn dienstwapen niet meenemen?'

'Dat lijkt me geen goed idee,' zei Koby. 'Als de buren een gewapende zwarte man zien, kom ik misschien juist in de problemen.'

Rina zei: 'Ik loop wel mee. Kan ik lekker even mijn benen strekken.'

'Dat hoeft echt niet, Rina. Ik zal heus niet gelyncht worden. En zo ja, de verbouwing is klaar, dus hoeft Cindy zich nergens zorgen over te maken.'

'Dat is niet grappig,' zei Cindy.

Rina zei: 'Nee, echt, Koby; ik wil graag een eindje lopen.'

'Kunnen we nu alsjeblieft gaan?' vroeg Hannah korzelig.

Rina kuste Decker. 'We zijn over een half uurtje terug.'

Koby voegde eraan toe: 'En zo niet, waarschuw dan de politie.'

20

Ze ruimden de tafel af en zetten het serviesgoed in een teiltje met warm zeepwater. Cindy bond een schort voor en stroopte haar mouwen op. 'Zal ik wassen of drogen?'

'Je hoeft alles alleen maar af te spoelen en op de handdoek te zetten. Ik zet het wel in de vaatwasser. Die heeft een speciale sjabbestimer en is zodanig geprogrammeerd dat hij vannacht om drie uur aangaat.'

'Hé, wat goed! Als je morgenochtend wakker wordt is alles schoon. Ik ben nog steeds zo blij met onze keuken. Mike Hollander heeft schitterend werk geleverd. Ik denk dat hij extra zijn best heeft gedaan omdat ik jouw dochter ben. Of misschien omdat hij zich dankzij jou weer een echte rechercheur voelde.'

'Hij wás weer een echte rechercheur. Hij had de techniek ontdekt waarmee Beth Hernandez uiteindelijk geïdentificeerd kon worden. Ook nu hij gepensioneerd is, is het erg handig om hem in de buurt te hebben. Al die jaren ervaring zijn van onschatbare waarde.'

Cindy pakte een handvol bestek en gaf het aan Decker. 'Vertel eens wat er precies mis is met de knappe meneer Banks?'

'Hij vloekt als een ketter, is verwikkeld in een groot aantal rechtszaken, wordt door diverse mensen beschuldigd van oplichterij, houdt zich niet aan zijn afspraken en maakt in ieder opzicht een onbetrouwbare indruk. Maar het is niet aan mij over hem te oordelen. Ik wil hem gewoon een paar vragen stellen, maar heb de grootste moeite hem te spreken te krijgen.'

'Waarom wil je hem over de dood van Primo Ekerling ondervragen?'

'Ekerling was de stuwende kracht achter de rechtszaak inzake de Doodoo Sluts. Volgens hem had Rudy Banks de "best of-cd" op de markt gebracht zonder de voormalige leden van de band hun deel van de opbrengst te geven.'

'Wie zet de rechtszaak voort nu Ekerling dood is?'

'Dat weet ik niet. Ik heb de twee andere bandleden gesproken. De drummer, Liam O'Dell, kan Banks niet luchten of zien. Het andere lid, Ryan Goldberg, is amper aanspreekbaar. Die is geestelijk helemaal kapot. Ekerling werkte als producer, dus was het voor hem logisch, neem ik aan, om juridische stappen te nemen.'

'En denk je nu dat Rudy het zo zat was dat hij Ekerling zelf heeft vermoord of Geraldo Perry en Travis Martel heeft ingehuurd om hem van kant te maken?'

'Ik zeg niet dat Banks Ekerling iets heeft aangedaan. Ik zeg alleen dat Ekerling een paar zaken tegen Banks aanhangig had gemaakt.'

'Oké, het is dus mogelijk dat Banks iets met de dood van Ekerling te maken heeft. Maar wat ik niet snap, is wat hij te maken heeft met je cold case.'

'Banks zat op North Valley High toen Ben Little daar lesgaf.'

'Aha. Hadden ze indertijd contact met elkaar?'

'Dat moet ik nog uitzoeken. Het interesseert me omdat bij beide moorden dezelfde methode is toegepast. Beide slachtoffers zijn in de kofferbak van hun eigen Mercedes gestopt.'

Cindy zei: 'Niet dat we in Los Angeles dagelijks te maken hebben met lijken in kofferbakken, maar het komt voor.'

'Als de plaats waar de moord is gepleegd een andere is dan de plaats waar het lijk wordt ontdekt, gebruikt men in bijna alle gevallen een auto om het lijk te vervoeren. En meestal legt de dader het lijk dan in de kofferbak. Maar een auto met het lijk er nog in – en nog wel een compleet lijk, dat niet aan stukken is gehakt of verbrand of verminkt om identificatie te voorkomen – dat is toch wel iets anders.'

'Hoe zit het met de jongens die ze in hechtenis hebben genomen? Vind je dat je Perry en Martel met een gerust hart als verdachten kunt schrappen?'

'Nee, nog niet. Ekerlings auto zat vol met hun vingerafdrukken. Als zij de énigen zijn die achter de moord op Ekerling zitten, bestaat er geen verband tussen Ekerling en Little. Maar we gaan er even van uit dat hun verhaal waar is.'

'Oké, dan waren Perry en Martel naar Jonas Park gegaan om drugs te scoren en zagen ze toevallig de Mercedes met de sleuteltjes in het contact en een lijk in de kofferbak.'

Decker glimlachte. Zo gesteld leek het nogal vergezocht. 'Als je iemand vermoordt en het lijk in de kofferbak van zijn of haar eigen auto legt, wil je die auto snel bij de plaats van de moord weg hebben en neerzetten op een plek waar een geparkeerde auto niet opvalt. Het parkeerterrein van een openbaar park zou daarvoor geschikt zijn. Daar is 's nachts meestal geen hond, dus heeft niemand in de gaten wat je doet.'

'Ja, maar er is een keerzijde. Hoe komt de moordenaar daar dan weg? Openbaar vervoer is er 's nachts waarschijnlijk niet.'

'Dan moet hij een handlanger hebben. Of hij belt iemand op om te vragen of die hem kan oppikken. We weten al dat Perry en Martel de auto hebben laten staan en vrienden hebben gebeld met wie ze naar huis zijn teruggekeerd. Maar ze hebben gebeld vanuit een restaurant op de Strip, niet via een gsm-mast in de omgeving van het park.'

Cindy knikte.

'Stel dat Perry en Martel de Mercedes echt bij het park hadden zien staan. Dan is Ekerlings moordenaar misschien daarvandaan in een andere auto vertrokken. Als Rip Garrett en Tito Diaz de moeite hadden genomen hun beweringen na te trekken, hadden ze misschien niet alleen bandafdrukken van Ekerlings Mercedes gevonden maar ook die van de vluchtauto. Maar nu... hoe lang is het al geleden... drie weken? Nu is eventueel bewijsmateriaal op dat terrein natuurlijk al verknoeid of zelfs helemaal verdwenen,' mopperde Decker.

Cindy dacht erover na. 'Maar ook als iemand anders Ekerling heeft vermoord, niet die twee jongens, waarom verdenk jij Rudy Banks dan? Was het geschil waarin hij en Ekerling verwikkeld waren zo erg?'

'Dat weet ik niet. Ik heb alleen gehoord dat Banks bij een groot aantal rechtszaken betrokken is.'

'Maar waarom denk je dat hij de sprong heeft gemaakt van juridische schermutselingen naar moord?'

'Ik denk niks. Ik wil alleen maar met hem praten.'

'Niet waar. Je zou geen tijd verkwisten aan "praten" als je niet op iets uit was.'

Decker bukte zich om in de vaatwasser ruimte te maken voor nog een paar borden. Toen hij klaar was, richtte hij zich op en strekte zijn rug. 'Laten we zeggen dat ik een beetje in de pot roer om te zien of er iets komt bovendrijven.'

'Ik neem aan dat je nog meer mensen onder de loep neemt. Niet alleen Banks.'

'Uiteraard. Darnell Arlington, om maar iemand te noemen. Hij was Bennett Littles liefdadigheidsproject, maar toen hij op dealen werd betrapt, heeft Little hem van school laten trappen. Het probleem met Darnell is dat hij tweeduizend kilometer hier vandaan zat toen Little werd vermoord. Maar we zijn aan het bekijken of er sprake kan zijn geweest van huurmoordenaars, want Arlington had hier criminele vriendjes.'

'En hebben jullie al iets ontdekt?'

'Voorlopig alleen namen. In tegenstelling tot tv-series kunnen we niet zomaar naar de volgende scène overspringen. Mensen opsporen kost tijd. Verder had ik een gepensioneerde politieman die me misschien had kunnen helpen met Little, maar die is nu dood. En niet zomaar dood. Zelfmoord.'

Cindy's handen kwamen stil te liggen. 'Wie was dat?'

'Een rechercheur van het LAPD. Calvin Vitton. De zaak-Little was indertijd door hem behandeld. Ik zou met hem gaan praten, maar toen ik bij zijn huis aankwam, bleek hij dood te zijn. Vermoedelijk zelfmoord. Lege pillenflesjes en een kogel in zijn hoofd.'

'Waarom zeg je "vermoedelijk"?'

'Omdat ik het sectierapport nog niet heb ontvangen en het idee heb dat als Cal van plan was zichzelf van kant te maken, hij het niet zo laf zou hebben gedaan. Gewoon richten en schieten, geen pillen om de daad te verzachten. Dus ben ik gaan nadenken over oorzaak en gevolg. Ik bel Cal Vitton over Ben Little en een dag later is hij dood. Het is niet ondenkbaar dat Cal iemand heeft opgebeld en dat die persoon naar hem toe is gegaan, hem de pillen heeft gevoerd en doodgeschoten en de rest geënsceneerd.'

'Had Cal kruitsporen op zijn handen?'

'Ja, maar het kan best zijn dat iemand het vuurwapen in zijn hand heeft geklemd en de trekker voor hem overgehaald. En als het wél zelfmoord was, omdat hij iets te verbergen had, wat is dat geheim dan?'

'Voor de afdeling Moordzaken Hollywood en mij is nog belangrijker wat de zelfmoord van Vitton en de moord op Little met Primo Ekerling te maken hebben.'

'Goede vraag. Ik weet niet eens of ze er iets mee te maken hebben.'

Cindy zette haar handen in haar zij. 'Het is me duidelijk waarom je denkt dat Vittons zelfmoord iets te maken heeft met de moord op Little. Dat lijkt geen toeval. Maar ik snap niet wat Vitton of Little te maken heeft met de moord op Ekerling.'

Decker begon het aanrecht droog te wrijven, om zijn handen iets te doen te geven terwijl hij in gedachten met allerlei ideeën speelde, of knoeide. Misschien moest hij de twee zaken niet onder dezelfde noemer scharen. 'Banks is de schakel. Zij het een zwakke. In mijn achterhoofd zit de hardnekkige gedachte dat de omstandigheden rond de moord op Ben Little duidelijker zullen worden als ik ontdek wie Ekerling heeft vermoord. Ik moet echt meer te weten komen over Banks, vooral omdat Marge denkt dat er misschien een link tussen Banks en Arlington bestaat.'

'De verdachte met de misdadige vriendjes die zich op tweeduizend kilometer afstand bevond toen Little werd vermoord.'

'Precies. Marge is naar Ohio gegaan om Arlington vragen te stellen over Little.'

'En?'

Decker hield op met poetsen en ging zitten. 'Toen Marge hem naar Rudy Banks vroeg, reageerde hij nerveus. Darnell herinnert zich Banks als een jongen uit een hogere klas die samen met hem in het schoolkoor zat. Alleen hebben ze niet gelijktijdig op North Valley gezeten.'

'Misschien kende Darnell Banks gewoon van de straat.'

'Als dat zo is, had hij toch gewoon kunnen zeggen dat hij hem van de straat kende?'

'Ja, maar hij was nerveus en als je nerveus bent, durf je iets soms niet te zeggen omdat je niet weet of de ander je woorden zal verdraaien.'

'Pardon? Ik verdraai nooit iemands woorden.'

'Niet verdraaien dan. Verkeerd opvatten.'

Decker keek haar zuur aan. 'Ik zeg alleen dat er een aanwijsbare connectie is tussen Arlington en Little en een mógelijke connectie tussen Banks en Arlington. Bovendien is er een connectie tussen Arlington en Cal Vitton.'

Cindy keek hem verwachtingsvol aan. 'O ja?'

'Vitton heeft Arlington telefonisch ondervraagd. Dat staat in het dossier. Maar Darnell beweert dat hij zich dat gesprek niet herinnert, noch de naam van de rechercheur die met hem heeft gepraat.'

'Dat is gel... onzin. Dergelijke incidenten en namen vergeet je niet.'

'Wat vind jij ervan?'

'Ik denk nog steeds dat de kans groot is dat Ekerling en Little niets met elkaar te maken hebben, tenzij...' Cindy kreeg opeens een kleur van opwinding. 'Zouden Banks en Vitton iets met elkaar te maken hebben, pap? Zat Cal Vitton bij de recherche toen Banks nog op school zat? Rudy is niet zomaar opeens delinquent geworden. Je hebt alle kans dat hij als tiener al met de politie in aanraking is gekomen. Misschien zelfs met Vitton.'

In gedachten sloeg Decker zich voor zijn kop. Hij boog naar voren en gaf zijn dochter een dikke zoen. 'Goed gezien, Cin; bewaar dat idee zorgvuldig. Je zult het na de sjabbes opnieuw voor me tevoorschijn moeten halen.'

'Wat een stunt zou het zijn als jij erachter kwam dat Banks ooit door Vitton was gearresteerd wegens drugsbezit of...' Cindy zweeg abrupt. 'Als Banks is gearresteerd toen hij nog op school zat, zou dat dan niet in een verzegeld jeugddossier staan?'

'Niet per se.'

'Of misschien is hij ooit als volwassene gearresteerd.'

'Dat heb ik al onderzocht. Banks is opgepakt wegens ordeverstoring, openbare dronkenschap en rijden onder invloed toen hij nog bij de Doodoo Sluts zat. Alle incidenten hebben in West Hollywood en andere steden plaatsgevonden. Geen van zijn overtredingen zijn in ons district begaan, dus kan Vitton in dat opzicht niets met Banks te maken hebben gehad.'

'Jammer.'

'Maar ik blijf me afvragen wat Banks als tiener kan hebben uitgevreten...' Decker trommelde met zijn vingers op de keukentafel. 'Een jeugddossier kan inderdaad verzegeld zijn, maar ook als een dossier ontoegankelijk is, zijn herinneringen dat niet. Vittons partner, Arnie Lamar, leeft nog... Nog wel.'

Cindy trok een gezicht.

'Het was als grapje bedoeld, al ben ik eerlijk gezegd wel een beetje ongerust. In ieder geval kan het geen kwaad om zondag bij Lamar langs te gaan om te zeggen dat ik me zorgen maak. En als ik er dan toch ben, zal ik vragen of de naam Rudy Banks ooit op hun bureau is terechtgekomen.'

21

Het chassis van een 240Z nam een groot deel van de parkeerruimte in beslag. Het had geen banden, geen stoelen, geen noemenswaardig interieur, afgezien van het dashboard en het stuur en dat waren de originele exemplaren die er nog verrassend goed uitzagen. De ontmantelde wagen was omhoog getakeld en op bakstenen geplaatst. In de Datsun zaten een paar flinke deuken, de zilverkleurige lak was dof geworden en had hier en daar oranje roestvlekken, maar toch was het nog steeds een mooie wagen: gestroomlijnd en zijn tijd vooruit. Er stond een gereedschapskist naast, maar er staken geen benen onder de auto uit. De deuren van de vier garages waren gesloten.

Decker tuurde het terrein af of hij Arnie Lamar ergens zag, maar kon hem nergens ontdekken. De grond was keihard geworden tijdens de recente hittegolf en vertoonde een patroon van barsten waarin rode mieren rondscharrelden. Zonnestralen weerkaatsten op het oud ijzer waar het terrein mee bezaaid was.

Decker liep naar de voordeur en kreeg kriebels in zijn maag toen hij zag dat die wijd openstond, al zat de hordeur dicht en op de knip. Hij klopte op de deurpost, eerst zachtjes, en wat harder toen hij geen antwoord kreeg.

Dit zag er niet goed uit.

Hij tuurde door het gaas naar Arnies kleine, schemerige zitkamer. Hij hoorde een ventilator en voelde een flauwe luchtstroom naar buiten komen.

Wat nu?

De hitte had de smog weggebrand en de hemelkoepel was zinderend blauw. De grond dampte en boven het asfalt trilde de lucht. Donkere zwermen insecten vlogen rondjes alsof ze in een wervelwind gevangenzaten. Vliegen maakten duikvluchten op zijn gezicht. In zijn oksels was zijn overhemd doorweekt van het zweet en zijn rug was kletsnat. Zoals veel roodharigen had hij een lichte huid en kon hij niet meer dan honderd meter in de zon lopen zonder te verbranden. Een mug jankte in zijn oor. Hij sloeg zich op zijn wang.

Apathie daalde over hem neer, alsof er een klamme deken op zijn schouders werd gelegd. Zijn hoofd bonkte en zijn ogen brandden.

Hij keek op zijn horloge: tien over twee.

Ze hadden om twee uur afgesproken. Het liefst ging hij terug naar zijn Porsche om met de airconditioning in de hoogste stand weg te rijden. Hij was chagrijnig van de warmte en omdat hij geen zin had om alweer een lijk te moeten ontdekken. Hij vloekte binnensmond, keek verlangend naar zijn auto, maar hield stand.

De garage vormde een hermetische barrière tussen de achtertuin en de voortuin, maar aan de rechterkant van het huis was een hek. Het was een meter tachtig hoog en er hing een hangslot aan. Omdat Decker tien centimeter langer was, kon hij eroverheen kijken. De achtertuin was net zo bruin en van vegetatie verstoken als de voortuin, maar ook daar was geen spoor van Arnie te bekennen.

'Lamar?' Hij maakte een sprongetje om meer te kunnen zien. 'Arnie, ben je daar? Ik ben het. Pete Decker.'

Geen reactie.

In de verte blafte een hond zo fel dat hij er hees van werd. Vogels vlogen op uit een naburige magnoliaboom die was beladen met bloemen zo groot als schoteltjes. Hij keerde terug naar de voordeur en klopte tot zijn knokkels pijn deden. Hij drukte zijn neus tegen de hor en riep: 'Hé, Arnie, ik ben het, Pete Decker.' Hij keek op zijn horloge. 'Het is kwart over twee...' Een harde roffel op de deurpost. 'Lamar, ben je daar?'

Hij zuchtte gefrustreerd en riep: 'Dit bevalt me niet, Lamar, zeker niet na Cal. Ik kom binnen.'

Met één tikje van zijn creditcard had hij de hordeur open. De zitkamer bevestigde zijn eerste indrukken: de kamer leek zich niets aan te trekken van het ontbreken van bewoners en er waren geen sporen van criminele activiteiten. Een grote ventilator blies een stormwind in zijn gezicht, wat een beetje irritant was omdat zijn haar alle kanten uit ging staan, maar de koelte was prettig.

Naast de zitkamer was de eetkamer en daarachter de keuken, ongeveer drie bij drie en zo donker als een bunker omdat alle luiken dichtzaten. Hij zag formica keukenkastjes vol krassen en oud linoleum dat hier en daar omkrulde. De koelkast was nieuwer dan de rest, en het fornuis ook. Er stond geen vuile vaat in de gootsteen. Impulsief keek hij in de koelkast. Er lag niets in wat bedorven leek te zijn, wel veel blikjes bier en een verse krop sla. Op het aanrecht lag een biefstuk te ontdooien.

'Lamar?' riep Decker.

Hij liep door naar de slaapkamers. In de kamer van Lamar was het bed opgemaakt. Lamar had twee stukken van de stam van een Californische sequoia als nachtkastjes naast het bed staan. Tegenover het bed stond een zelfgemaakte kast van dennenhout met een ouderwetse televisie op de bovenste plank. Geen kabeldoos of dvd-speler in zicht. Decker herinnerde zich dat er een antenne op het dak stond.

Gratis tv: lekker ouderwets.

'Arnie?'

Stilte.

Hij liep de gang door naar de andere slaapkamer, waarvan de deur dichtzat. Hij voelde dat zijn hart sneller ging kloppen en dat hij nog erger begon te transpireren. Er kwam geen stank uit de kamer en er zoemden geen vliegen bij de deur. Alleen een smerige paardenvlieg die onophoudelijk zijn gezicht aanviel, maar dat irritante insect was van buitenaf met hem meegekomen. Hij sloeg ernaar, drukte zijn oor tegen de deur en hoorde geknetter... een radio of televisie met veel storing.

Hij legde zijn hand om de deurknop en draaide die langzaam om. De deur zwaaide open en hij zag een donkere, smoorhete kamer zonder een greintje luchtcirculatie.

Decker kuchte vanwege de benauwde lucht, zijn ogen gericht op Arnie Lamar die onderuitgezakt in een luie stoel zat, met zijn blote voeten op een bankje, zijn enkels over elkaar geslagen. Zijn hoofd lag achterover gebogen, zijn mond hing open, speeksel droop langs de hoeken van zijn gebarsten lippen. Zijn gezicht baadde in het zweet, zijn ogen waren dicht en zijn armen hingen slap langs zijn zij.

Hij snurkte als een os.

Op de tafel naast de stoel stond een bierblikje en uit de krakerige radio kwam muziek uit de jaren vijftig.

Decker liep naar de gepensioneerde rechercheur en legde zijn hand op zijn schouder, maar dat drong niet eens tot Lamars bewustzijn door. De man zou zelfs van een aardbeving niet wakker worden.

'Hé, Arnie.' Decker schudde hem stevig en deed dat nog een paar keer. Lamar kwam langzaam in beweging. 'Wakker worden!'

Lamar deed één oog open en herkende meteen de man die naar hem keek. Hij schoot uit zijn stoel en veegde zijn natte mond af aan zijn mouw. 'Goeie genade, hoe laat is het?'

'Vijf voor half drie.'

Hij wreef in zijn ogen. 'Sorry.' Hij greep het blikje en zette het aan zijn mond. Toen er niks uitkwam, kneep hij het fijn. 'God, wat is het warm.'

'Zeg dat wel.'

'Biertje?'

'Graag. Eerlijk gezegd zou ik het liefst een koud biertje over mijn hoofd gieten, maar als je wilt dat ik me netjes gedraag, zal ik het gewoon opdrinken.'

'Laten we naar de zitkamer gaan. Daar heb ik een ventilator.'

'Goed plan.' Decker ging op de bank zitten, precies in de luchtstroom van de turbomotor die de luxaflex liet ritselen. Lamar kwam binnen met twee ijskoude biertjes. Decker dronk zijn blikje in een paar teugen half leeg en dwong zichzelf kalmer aan te doen met de rest. 'Heerlijk.'

Lamar nam een teugje. 'Ik heb er nog veel meer in de koelkast.'

'Dat heb ik gezien.'

'O ja?'

'Ja, ik heb in de koelkast gekeken voordat ik naar je op zoek ging in de slaapkamers. Ik wilde weten of het voedsel nog vers was.'

'Dacht je dat ik vermist werd?'

'Vermist, of dat je ergens lag te verrotten. Na mijn ervaring met je partner was ik een beetje nerveus.'

'Nou, ik word niet vermist en lig niet ergens te rotten. Ik zweet me alleen te pletter. Ik was buiten bezig met de Z. Het is opeens zomer geworden en ik zit te hijgen en te puffen, maar ja, ik wilde toch nog even één dingetje repareren. Dat was blijkbaar net iets te veel.'

'Niet verstandig.'

'Nee, maar na dertig jaar bij de recherche kun je dat niet laten. Nog één ding proberen, nog één spoor natrekken. Toen ik duizelig werd, leek het me verstandig even pauze te houden. Blijkbaar was ik toch wel erg moe.'

Decker glimlachte. 'Nou, ik ben blij dat je nog leeft, Arnie.'

Lamar glimlachte terug, nam een slok en leunde achterover in zijn stoel. 'Volgende week wordt er een herdenkingsdienst voor Cal gehouden. Heeft iemand je daar toevallig nog over gebeld?'

'Nee, maar zeg maar waar en wanneer. Ik kom in ieder geval.'

'Ik zeg het niet om je iets op te dringen. Maar Cals zonen... Je zei dat je wat vragen voor hen had. Die komen allebei.'

'Denk je dat ze bereid zijn met me te praten?'

'Dat denk ik wel.'

'Hoe is het met ze?'

'Nou, ze zijn natuurlijk een beetje van slag. Ik geloof dat Cal er de meeste moeite mee heeft. Misschien denkt hij dat het zijn schuld is dat Big Cal zich voor zijn kop heeft geschoten.'

'Is dat het officiële uitsluitsel?' vroeg Decker hem. 'Dat Cal zich voor zijn kop heeft geschoten?'

'Daar ging ik van uit...' Lamar leunde naar voren. 'Is dat dan niet zo?'

'Geen idee. Voor zover ik weet heeft de toxicoloog zijn rapport nog niet ingediend en heeft de patholoog de doodsoorzaak dus ook nog niet officieel vastgesteld. Ik heb een vraag voor je, Arnie. Leed Cal pijn? Bijvoorbeeld vanwege zijn rug of zijn nek...'

'Hij was oud, net als ik. Ik neem aan dat hij wel ergens pijn had.'

'Er stond een open flesje oxycodon op zijn nachtkastje. Zijn naam stond op het etiket, maar de houdbaarheidsdatum was al een jaar verstreken. Weet jij misschien waarom hij die pillen slikte?'

Hij dacht erover na. 'Toen we nog werkten, had Cal last van nierstenen. Misschien had hij die nu weer.'

'Dat kan inderdaad een verklaring zijn voor de oxycodon. Maar je weet niet of Cal dagelijks pijnstillers slikte?'

'Als dat flesje al een jaar oud was, neem ik aan van niet. Waar zit je aan te denken, Decker?'

'Dat weet ik niet, Arnie.' Hij zette alles op een rijtje. 'De pillen waren een jaar oud en het flesje was bijna vol. Misschien was Cal vergeten dat hij ze had. Ik kan me niet voorstellen dat hij eerst zijn medicijnen heeft ingenomen en zich daarna voor zijn kop heeft geschoten. Maar over zoiets kun jij beter oordelen dan ik. Wat denk je?'

Lamar staarde hem aan zonder iets te zeggen.

Decker zei: 'Je snapt wel wat ik bedoel. Ik wil zeker weten dat Cal niet door iemand is geholpen bij die zelfmoord.'

Lamar knikte. 'En wie zou dat geweest moeten zijn?'

'Dat wilde ik juist aan jou vragen.'

'Ik heb geen flauw idee. Ik geloof niet dat Cal veel vrienden had. Maar ook geen vijanden. Hij was erg op zichzelf.'

Decker pakte zijn notitieboekje. 'Kampte Cal met persoonlijke problemen ten tijde van de moord op Little? Was er aan die zaak iets wat hem kwaad gemaakt kan hebben?'

Lamar dacht erover na. 'Dat weet ik niet meer. Het is al zo lang geleden. Er is sindsdien zo veel gebeurd.'

'Je zei dat Cal junior zich misschien schuldig voelde over zijn dood.'

'Pure speculatie.'

'Waar hebben de zonen van Vitton op school gezeten?'

'North Valley, maar ze waren allebei vóór de moord op Little al van school.'

'Hoe lang?'

'Een jaar of vier, vijf.'

'Kenden ze doctor Little?'

'Ja. We hebben hun naar hem gevraagd en net als iedereen hadden ze niets dan lof voor hem. Vooral Cal junior was erg op hem gesteld. Hij had problemen met een paar jongens op school en ik geloof dat Little zich ermee heeft bemoeid en de gemoederen tot bedaren heeft gebracht.'

'Wat voor soort problemen had de jongen? Werd hij gepest?'

'Uiteraard.'

'Was hij het doelwit van homoseksuele grappen?'

'Dat zei men.'

'Dan wisten zijn klasgenoten vermoedelijk dat hij homoseksueel was,' zei Decker. 'Wist zijn vader dat ook?'

'Dat weet ik niet. Hij heeft er nooit iets over gezegd.'

'Door wie werd de jongen gepest?'

'Geen idee, maar ik geloof dat Cal inmiddels zover is dat hij het je gewoon zal vertellen als je hem ernaar vraagt.'

'Wanneer is hij uit de kast gekomen?'

'Lang na de moord. Een jaar of tien geleden.'

'Toen hij achter in de twintig was dus?'

'Zoiets. Het feit dat hij homoseksueel is had niets te maken met Little. Zoals ik al zei was Cal erg op doctor Ben gesteld. Zo noemde hij hem: doctor Ben.'

'En Cal is dus ongeveer vijf jaar vóór de moord van school gekomen?'

'Het staat me niet meer zo helder voor de geest, Decker. Zoals ik al zei kun je de jongens zelf al deze vragen stellen. Om te beginnen zijn ze een stuk jonger dan ik en hebben ze een veel beter geheugen. Op de tweede plaats stel je me allemaal vragen op het persoonlijke vlak, terwijl de jongens springlevend zijn en ze daar dus veel beter zelf antwoord op kunnen geven.'

'Ik vraag alleen naar dingen die te maken hebben met de zelfmoord van hun vader. Kampte hij indertijd met problemen op het persoonlijke vlak?'

'Ik herinner me niet dat Cal persoonlijk ergens over inzat, alleen over het feit dat we geen verdachte konden vinden. Niet dat we niet ons best gedaan hebben. Heb je ons dossier helemaal gelezen?'

'Ja.'

'Dan weet je hoeveel mensen we hebben ondervraagd.'

'We nemen zo veel mogelijk van hen nogmaals onder de loep. Een van mijn brigadiers is zelfs naar Ohio gevlogen om Darnell Arlington te ondervragen.'

'Ja, Arlington was een goede kandidaat, alleen zat hij aan de andere kant van het land. We hebben nog gedacht aan een huurmoord, maar waar had die jongen het geld daarvoor vandaan moeten halen?'

'Hij was drugsdealer.'

'Hij verkocht zakjes wiet en kon van de opbrengst nauwelijks zijn eigen verslaving bekostigen. Hij stelde niet veel voor, Decker. Little had zijn arrestatie nooit kunnen afwentelen als de jongen een belangrijke dealer was geweest.'

'Toch is het heel wat dat iemand erin is geslaagd de aanklacht teniet te doen. Dat moet een belangrijk persoon zijn geweest.'

'Ja, maar ik was het niet.'

'En Cal ook niet?'

'We zaten bij Moordzaken, niet bij Narcotica.'

'Heb je in West Valley op andere afdelingen dan Moordzaken gewerkt?'

'Natuurlijk: autodiefstal, Inbraak, Zedendelicten...' Lamar schokschouderde.

'Ik heb in Foothill op Zedendelicten gewerkt. Zaten Zedendelicten en Jeugddelicten bij jullie niet bij elkaar?'

'Ja.'

Deckers hart begon te bonken. 'Dus als er in jullie wijk jeugdige crimineeltjes zaten, wisten jullie wie dat waren?'

'Toen we op die afdeling werkten wel.'

'Hebben jullie vóór de moord op Little ooit met Arlington te maken gekregen?'

Lamar dronk zijn biertje op. 'Het is erg lang geleden. Ik kan me niet herinneren de jongen ooit opgepakt te hebben, maar dat is ook wel logisch. Hij was pas een jaar of tien toen wij van Zedendelicten overstapten naar Moordzaken. Ik weet nog wel dat we met een paar van zijn vriendjes hebben gesproken toen we bezig waren met de zaak-Little. In het bijzonder met ene Leroy Josephson. Die had het gebruikelijke strafblad: vernielingen, inbraak, vandalisme, diefstal, lichte mishandelingen, dronkenschap. Geen serieuze geweldplegingen, maar hij zat beslist op het slechte pad. Als verdachte konden we hem echter meteen schrappen.'

'Weet je nog waarom?'

'Zijn alibi bleek te kloppen. Ik herinner me hem alleen omdat iemand van South Central ongeveer vijf jaar na de moord op Little contact met me heeft opgenomen. Leroy was op het verkeerde moment op de verkeerde plek geweest en in zijn nek getroffen door een kogel die hem zo'n ongeveer onthoofdde.' Lamar schudde zijn hoofd. 'Hij was pas eenentwintig.'

Decker maakte aantekeningen. 'En toen je nog op Jeugddelicten werkte, heb je toen ooit ene Rudy Banks opgepakt?'

'Rudy Banks?' Arnie grijnsde van oor tot oor. 'Als je op zoek bent naar een echte klootzak, moet je hem hebben. Wat een bek had die vent.'

Decker probeerde niet te laten merken hoe opgewonden hij werd. 'Wat kun je me over hem vertellen?'

'Hij had een prachtige stem. En hij was erg knap om te zien. Een engel met een engelenstem. Maar zijn ziel...' Hij lachte zachtjes en schudde zijn hoofd. 'Zijn ziel behoorde toe aan Satan.'

'Waar heb je hem horen zingen?'

'In het schoolkoor. En in de kerk. Hij was een tenor... had een heldere, zuivere stem. En grote, blauwe ogen... Hij zag eruit als een Engelse koorknaap. Maar hij vloekte als een ketter.'

'Waar was hij voor opgepakt?'

'Diefstal. Allerlei soorten diefstal: tasjes van oude dametjes, inbraak, winkeldiefstal. Ik geloof dat hij zelfs uit de kerk stal. En dat allemaal nog voordat hij op de middelbare school zat. Ik heb gehoord dat hij een ster is geworden in een van die punkrockgroepen die op het publiek spugen.'

'Ik weet niet of je hem een ster kunt noemen. Hij speelde in een punkband genaamd de Doodoo Sluts.'

Lamar lachte. 'Echt iets voor Rudy.'

'Hij heeft als volwassene geen strafblad.' Decker vertelde Lamar over Rudy's huidige beroep en de talrijke rechtszaken. 'Jij herinnert je Rudy dus goed.'

Lamar haalde zijn schouders op. 'Ja.'

'Denk je dat Cal Vitton hem zich ook zo goed herinnerde?'

'Dat weet ik wel zeker. Sterker nog... Ik herinner het me nu opeens weer. Cal had verschrikkelijk de pest aan Rudy.'

'Koesterde hij een persoonlijke wrok tegen hem?'

'Zover zou ik niet gaan, maar hij had een enorme hekel aan hem. Het joch was ook een onuitstaanbare klier.'

Decker concentreerde zich op wat hij zei. 'Een klier en een pestkop?'

Lamar keek Decker onderzoekend aan. 'Wil je weten of Cal junior door Rudy werd gepest?'

'Ja.'

'Dat weet ik niet. Cal junior praatte met mij niet over zijn problemen. Hij praatte er trouwens ook niet met zijn vader over. Maar nu je het zegt, Rudy zat gelijktijdig met Cals zonen op school. Als er iemand de pik had op Cal junior, zal het Rudy Banks zijn geweest.'

'Misschien had Cal senior daarom zo'n hekel aan Rudy.'

'Pete, iedereen had een hekel aan Rudy... behalve misschien een paar domme meisjes die voor zijn knappe smoel vielen. Het ironische is dat de jongen talent had. Hij had met zijn zang een hoop geld kunnen verdienen, als hij een beetje aardiger was geweest, maar dat zat blijkbaar niet in zijn genen. Hij was echt verdorven.'

'Ben je er zeker van dat Cal junior en Rudy gelijktijdig op de middelbare school zaten?'

'Nee, niet honderd procent, maar dat kun je makkelijk opzoeken.' Lamar stond op en wreef met een handdoek over zijn gezicht. 'God, wat is het warm. Nog een biertje?'

'Liever water.'

'Ik heb alleen lauw kraanwater.'

'Doe dan nog maar een biertje.'

Even later kwam Lamar terug met twee ijskoude blikjes. 'Ga je met Rudy praten?'

'Als ik hem ooit te pakken krijg.' Decker trok het blikje open en dronk gulzig. 'Hij ontloopt me. Ik heb hem één keer aan de telefoon gehad en toen vloekte hij inderdaad als een ketter.'

'Is Primo Ekerling net als Ben Little in de kofferbak van zijn auto aangetroffen?'

'Ja.'

'En jij wilt met Rudy over de moord op Ekerling praten omdat Primo en Rudy verwikkeld waren in een slepende rechtszaak?'

'Ja.'

'Ook al heeft Hollywood al een paar joyriders in hechtenis genomen? Vinden ze het niet vervelend dat jij je neus in hun zaken steekt?'

'Ze vinden het niet leuk, maar we hebben een soort gewapende vrede gesloten.'

Lamar keek op zijn horloge. 'Ik wil nog even van het daglicht profiteren, als je het niet erg vindt.'

'Natuurlijk niet.'

'Hou me op de hoogte, Decker, en vice versa. Ik heb niet zo'n best geheugen, maar als het eenmaal in de juiste versnelling wordt gezet, kan het nog best een eind komen.'

22

Het mobieltje van Banks schakelde meteen over naar de voicemail. Het was waarschijnlijk zonde van de tijd en het geld van de belastingbetaler om helemaal naar de andere kant van de stad te rijden voor de afspraak, maar Decker deed het toch en zat een uur in een langzaam rijdende file. Hij was niet verbaasd toen zijn bescheiden klopje op de deur niet werd beantwoord. Ditmaal had Banks niet de moeite genomen een briefje voor hem achter te laten, dus liet Decker een briefje voor hém achter.

Hij wilde net weer gaan toen hij zag dat de deur naar het trappenhuis opengіng. Een netjes geklede man van halverwege de twintig kwam tevoorschijn. Hij had kort, donker haar en een sikje. Hij droeg een wit T-shirt, een spijkershort, liep op sandalen en had een tas bij zich van L.A. Art Supplies. Hij deed zijn best geen interesse te tonen voor Deckers forse, een meter negentig lange gestalte, maar zijn ogen schoten heen en weer als een kolibrie. Hij bleef voor de deur tegenover die van Banks flat staan en toen hij zijn sleutels tevoorschijn haalde, zag Decker dat zijn hand trilde.

'Pardon.' De man keek om. 'Ik ben inspecteur Decker van het LAPD. Zou ik u even kunnen spreken?'

De man keek hem aan. 'Waarover?'

'Uw buurman, Rudolph Banks.' Decker haalde zijn identificatie tevoorschijn.

De man zei niets, maar zijn blik ging naar het opengeklapte mapje. Decker zei: 'Ik had vanmiddag een afspraak met meneer Banks, maar hij is niet thuis en te oordelen naar mijn contact met hem tot nu toe, schijnt hij bijzonder weinig thuis te zijn.'

'Ik heb nooit veel met hem te maken gehad. Hij was niet erg aardig.'

'Ja, veel mensen hebben me verteld dat hij nogal een hufter is.'

'Daar ben ik het helemaal mee eens.' De man zette de tas neer. 'Hij is dit weekend verhuisd.'
Deckers kaakspieren spanden zich. 'Wanneer?'
'Gisteren.'
Decker blies langzaam zijn adem uit. 'En ik neem aan dat u zijn nieuwe adres niet hebt?'
De man schudde zijn hoofd. 'Nee. U hebt trouwens gelijk. Hij was niet vaak thuis, maar als hij er was, wist je het meteen. Dit is een oud gebouw met oude, dikke muren, maar ondanks die isolatie kon ik hem altijd horen vloeken en schreeuwen. Iedereen op deze etage had een hekel aan hem.'
'Hebt u hem zaterdag nog gezien?'
De jongeman klemde zijn lippen opeen. 'Nee, maar ik heb wel met de verhuizers gesproken.' Hij glimlachte vluchtig. 'Ik heb tegen een van hen gezegd dat ik hoopte dat Rudy heel ver weg ging wonen.'
'En hoe reageerde hij daarop?'
'Hij zei dat het zijn taak was om te sjouwen en verder niks. Maar nu u het zegt, het is wel vreemd dat Rudy er zelf niet bij was.'
Decker streek over zijn snor. 'Kan het zijn dat hij hier was toen u niet thuis was?'
'Ik was bijna de hele dag thuis. Ik ben alleen een poosje weggeweest voor een brunch. Het kan zijn dat ik hem toen ben misgelopen.'
Decker pakte zijn notitieboekje. 'Herinnert u zich de naam van het verhuisbedrijf?'
De man aarzelde. 'Nee...'
'Waren de verhuizers hetzelfde gekleed?'
'Hoe bedoelt u?'
'Verhuizers dragen meestal een T-shirt met de naam van het bedrijf boven de borstzak.'
Hij dacht erover na. 'Ik herinner me niet de naam van het bedrijf gezien te hebben, maar ze droegen wel dezelfde kleding: een donkergrijs T-shirt op een donkergrijze broek. Ze waren met z'n drieën. Een grote kerel vol tatoeages, een klein mannetje, Latijns-Amerikaans of Italiaans, met raar haar... het leek wel een toupet... en nog een donker type met stekeltjeshaar. Ze waren alle drie erg sterk.'
'En u herinnert u geen namen?'
'Nee, sorry. Ik ben visueel ingesteld. Op namen let ik nooit.'

‘Geeft niks. Hiermee ben ik al erg geholpen. Weet u nog hoe laat het was toen u met de verhuizers sprak?’

‘Om één uur ongeveer. Wat is er aan de hand?’

‘Ik had voor vanmiddag een afspraak met meneer Banks. Hij heeft niet gezegd dat hij van plan was te gaan verhuizen en beantwoordt zijn mobiele telefoon niet. Mag ik vragen hoe u heet?’

‘Baker Culbertson. Denkt u dat hem iets is overkomen?’

‘Geen idee. Is er een huismeester in dit gebouw?’

‘Niet inwonend.’

‘Wie belt u als er problemen zijn?’

‘Imry Keric. Als u een ogenblikje hebt, zoek ik zijn telefoonnummer wel even op.’ Culbertson deed de deur ver genoeg open om naar binnen te glippen en deed hem toen snel weer dicht. Dat deed hij vermoedelijk meer uit achterdocht dan uit onbeleefdheid. Decker stond nog aantekeningen te maken toen Baker terugkwam met een velletje papier. ‘Dit is zijn gewone nummer en dit is het nummer van zijn mobiele telefoon.’

‘Dank u wel, meneer Culbertson. Mag ik ook uw telefoonnummer?’

‘Waarom?’

‘Voor het geval ik nog vragen voor u heb.’

Hij dacht er lang over na, maar dreunde uiteindelijk een rijtje cijfers op. ‘Ik snap niet waarom u nogmaals met mij zou willen praten. Ik zou niet weten wat ik u nog meer zou kunnen vertellen.’

‘Het is maar voor het geval me iets te binnen schiet.’ Decker deed het notitieboekje dicht en stak het in zijn zak. Hij gaf Culbertson zijn visitekaartje. ‘En dit is mijn nummer, voor als u me soms wilt bellen.’

‘Waarom zou ik? Ik kende de man amper.’

‘U kende hem goed genoeg om een hekel aan hem te hebben.’

Weer die vluchtige glimlach. ‘Dat is waar. Ik kon die vent niet uitstaan.’

De barman schonk nog een borrel in en Oliver schoof het glas naar Nick Little toe. Ze zaten in een bar, geen opgedirkte, verwijfde bar waar appelmartini’s en bevroren strawberry daiquiri’s geserveerd werden, maar een ouderwetse bruine kroeg. Een donker interieur met een televisie die de hele dag stond afgesteld op een sportzender. Zaagsel op de vloer, barkrukken met rood skai en een hoogglanzende tapkast die geheimen had gehoord zo oud als de bijbel.

Het neonbord achter het raam meldde dat de kroeg Jackson’s Hole heette en Nick Little was er vaste klant. Hij goot de ene borrel na de andere in zijn keelgat. De drank maakte zijn tong los. Binnen een kwartier wist Oliver dat Nick twee keer was getrouwd en gescheiden, dat hij één kind uit zijn eerste huwelijk had en eentje uit het tweede. Beide exen waren ellendige rotwijven en vuile hoeren en het huwelijk was niks anders dan een wrede uitvinding van uitgekookte vrouwen die alleen maar op het geld van hun mannen uit waren.

Om met hem in te stemmen hoefde Oliver geen toneel te spelen, al waren hij en zijn ex inmiddels zover dat ze in dezelfde kamer konden zitten zonder elkaar te lijf te gaan. Hij kon niet zeggen dat hij zijn ex haatte, maar ze haalde wel al het negatieve in hem naar boven.

Nick Little had een erg mannelijk gezicht: een Romeinse neus, geaderd door te veel drank, en forse kaken bedekt met de zwarte stoppels van een zware baardgroei die hem een donker uiterlijk gaf. Zijn ogen hadden kerstkleuren: heldergroen met rode randjes. Metalen knopjes doorboorden zowel zijn oorlellen als de rest van de schelp, helemaal tot bovenaan. Hij had brede schouders, smalle heupen, en zijn gespierde armen waren rijkelijk met inkt bewerkt. Hij werkte in een pit crew en in zijn vrije tijd racete hij zelf ook. Hij was tevreden over wie hij was en wat hij was en wie er iets op tegen had, kon zijn rug op. Hij had de afgelopen dertig jaar ruig geleefd en was van plan om de komende dertig jaar minstens zo ruig door te gaan, als hem dat gegund was door de grote baas boven.

Oliver probeerde het gesprek op Nicks moeder te brengen, maar de man had het zo druk met schelden op zijn exen dat hij niet in staat was de knop om te zetten. Hij zou moeten wachten tot Mr. Macho was uitgeraasd. Dan – en dat zou waarschijnlijk zijn als Nick redelijk dronken was – zou hij over Melinda kunnen beginnen.

Pas een uur later was het zover, want de man kon goed drinken. Hij maakte nog steeds oogcontact en zijn handen trilden niet. 'Ze heeft haar best gedaan.' Hij likte aan zijn lippen. 'Het was natuurlijk een klotesituatie.'

'Hoeveel herinner je je ervan?'

'Alles. Ik was vijftien. Ik hield van mijn vader. Hij was een moordvent. Hij zou het misschien niet eens zijn geweest met mijn huidige manier van leven, maar hij zou mijn mening gerespecteerd hebben. Dat ik financieel onafhankelijk ben, zou hij in ieder geval op prijs gesteld hebben.'

'En je moeder?'

'Mijn moeder.' Hij knipperde een paar keer met zijn ogen. 'Mijn moeder had het heel moeilijk. Toen haar wereld ineenstortte, kon ze haar eigen verdriet niet aan, laat staan het onze.'

'Was ze vaak van huis?'

'Vaak? Altijd. Dat vond ik misselijk van haar, maar nu begrijp ik het wel. Soms dwingen de omstandigheden je iemand te worden die je eigenlijk niet wilt zijn.'

'Maar nu gaat het weer goed met haar.'

'Ja, ze heeft een goed huwelijk gesloten. Daar ben ik blij om.'

Geen enkele bitterheid te bespeuren, dacht Oliver. 'Waar heeft ze haar huidige man leren kennen?'

'Bij een liefdadigheidsdiner... Althans, dat zeggen ze.'

'Maar in werkelijkheid?'

'Waarschijnlijk aan een blackjacktafel in Vegas.'

'Ja, ik heb gehoord dat ze een probleem had.'

'Had?' Hij glimlachte. '"Had" wil zeggen dat het probleem niet meer bestaat.'

'Gokt ze dan nog steeds?'

'Is de paus nog steeds katholiek?'

'Hoe komt ze aan het geld ervoor?'

'Dat weet ik niet. Ik bemoei me niet met het louche leven van mijn moeder. We hebben niet veel contact. Ze vindt mijn manier van leven afkeurenswaardig. Toch wens ik haar alle goeds toe.' Hij sloeg nog een borrel achterover. 'Geen mens is volmaakt.'

'Dat ze er nu geld voor heeft, is wel duidelijk. Warren is bijzonder welgesteld...'

'Hoera voor Warren.' Little hief zijn glas op.

'Maar hoe kwam ze aan geld om te gokken toen ze nog met je vader getrouwd was?'

'Ik weet niet in hoeverre ze eraan verslaafd was toen mijn pa nog leefde. Hij hield haar vast in toom. Waarom vraagt u dat niet aan haarzelf?'

'Dat heb ik gedaan, en je hebt de spijker op de kop geslagen. Ze zei dat ze niet verslaafd was toen je vader nog leefde... dat het bleef bij af en toe een weekendje in Las Vegas.'

Little keek peinzend. 'Ik neem aan dat er na zijn dood allerlei verborgen gebreken aan het licht zijn gekomen.'

'Je vader was erg geliefd. Iedereen zegt dat hij een eerlijke vent was, ouderwets recht door zee.'

'Dat zei men, ja.' Little wierp hem een smalende blik toe. 'En?'

'Hij was leraar, Nick. Je moeder werkte niet. Toch konden je ouders zich veel dure extraatjes veroorloven.'

Little likte aan zijn lippen maar zei niets.

'Ik vroeg me af of jij enig idee hebt waar het geld daarvoor vandaan kwam.'

'Ik was vijftien.'

'Maar ik wil wedden dat je niets ontging.'

'Ik weet niets over andere bronnen van inkomsten van mijn vader. Ik weet niet eens of hij andere bronnen van inkomsten had. Kan hij als huurmoordenaar voor de maffia hebben gewerkt?' Hij haalde zijn schouders op. 'Wie weet.'

'Ik zoek het eigenlijk op een veel lager niveau, Nick.'

Weer die smalende blik. 'Hoe laag? Dat hij het zakgeld van zijn leerlingen stal?'

'Nee, ik zit te denken aan drugs.'

Nick lachte. 'Dat past absoluut niet bij het imago dat ik van mijn vader had en heb. Hij was er altijd voor me als ik hem nodig had. Dat is voor een kind het enige wat telt.'

'Waar zijn al die luxe extraatjes eigenlijk gebleven? De boot, de camper?'

Little fronste zijn wenkbrauwen. 'Goede vraag. Die waren net als mijn vader vrij plotseling uit mijn leven verdwenen. Mijn moeder zal alles wel verkocht hebben om rond te komen. Het was maar goed dat ze niet aan ons studiegeld kon komen, anders had ik niet naar een vooraanstaande universiteit kunnen gaan en was ik niet zo'n waardevol lid van de maatschappij geworden.' Hij lachte zijn gevlekte tanden bloot. 'Waar of niet?'

'Helemaal waar,' zei Oliver.

Little nam zijn woorden in zich op en krabde aan zijn wang. 'Ik dacht dat ik het studentenleven geweldig zou vinden. Op kamers wonen, weg van de buren met hun meelevende blikken. Weg van huis.' Hij knikte naar de barman, die nog een rondje inschonk. 'Op college ontdekte ik dat ik van rotzooi trappen hield. Dat vond ik geweldig... Ik werd er high van. Toen ik dat eenmaal had ontdekt, deed ik mee aan iedere protestdemonstratie die er werd gehouden. Het maakte me niet uit waar het over ging, als ik maar tekeer kon gaan. Op Duke heb ik ook leren drinken.'

'Zat je op Duke? Niet gek.'

Little dronk zijn glas in één teug leeg. 'Ik was aangenomen door iedere universiteit die ik had aangeschreven: Harvard, Yale, Princeton, Dartmouth... allemaal. Ik had redelijk goede cijfers en deed het goed bij de toelatingsexamens. De sleutel tot mijn succes was mijn vermoorde vader. Als je over zo'n onderwerp een essay schrijft, over hoe je moeder bergafwaarts gaat en je hoopt dat je nog een tweede kans zult krijgen en blablabla, dan zit je goed. Dat is precies het gewauwel waar die sentimentele eikels van houden. Bovendien had ik dankzij de vooruitziende blik van mijn vader geen beurs nodig.'

'Het studiegeld voor jou en je broer. Niet dat ik nu ga muggenziften, maar waar kwam dat geld eigenlijk vandaan?'

'Dat weet ik niet. Ik heb altijd gedacht dat mijn vader er gewoon geld voor apart had gezet, maar nu ik erover nadenk, was het misschien afkomstig van mijn grootouders, de ouders van mijn moeder.'

'Heb je nog contact met hen?'

'Toen ik klein was, kreeg ik altijd cadeautjes voor mijn verjaardag en met de kerst. Na de dood van mijn vader... Ik weet niet wat er precies is gebeurd. Mijn moeder kreeg ruzie met haar ouders. Waarschijnlijk vanwege haar gokschulden.'

'Leven de ouders van je vader nog?'

'Nee, die waren een stuk ouder. Ze zijn overleden toen ik nog heel klein was.'

'Ben je niet nieuwsgierig hoe het met je nog levende grootouders gaat?'

'Ik heb geen mot met ze of zo, hoor. Ik heb ze uitgenodigd toen ik ging trouwen, de eerste keer. Ze zijn niet gekomen, maar hebben een cheque gestuurd en daar had ik eerlijk gezegd veel meer aan.' Zijn ogen hadden nu een afwezige blik. 'De laatste keer dat ik hen heb gezien, was toen Jared aan Columbia afstudeerde, of misschien was het bij zijn bruiloft. Bel Jared maar. Die heeft regelmatig contact met hen. Hij is een goede vent. Een stuk beter geslaagd dan ik.'

'In welk opzicht?'

'Dat hij een goed beroep heeft.'

'Wat is er niet goed aan werken in een pit crew?'
Nick glimlachte. 'Niks. Ik bedoel dat Jared succesvoller is in de klassieke betekenis van dat woord. Hij is vastgoedjurist in La Jolla.'
'Ook juristen kunnen in de problemen komen.'
Nick lachte. 'Voor zover ik weet is Jared erin geslaagd over alle valkuilen heen te springen, maar ik weet natuurlijk niet alles. Maar al zou blijken dat hij stukken moeras verkoopt aan argeloze oude dametjes, hij is mijn broer en ik hou van hem. En daarmee is alles gezegd.'

23

Imry Keric was een griezelige man. Decker kon de aderen onder zijn transparante huid zien. Dikke, blauwe aderen die over zijn handen en pezige armen naar zijn nek en daarvandaan in zijn hoofd liepen. Hij zag eruit alsof hij kon worden aangesloten op het lichtnet.

Rudolph Banks was drie maanden voor de beëindiging van zijn huurcontract vertrokken, maar had een envelop met het geld voor de resterende huur bij Keric in de brievenbus gedaan. Wat de huismeester betrof was Banks een ideale huurder geweest, want hij had zijn huur altijd op tijd betaald en nooit wilde feesten gehouden.

'De buren zeggen anders dat hij erg schreeuwde,' merkte Decker op.

'Och...' Keric maakte een wuivend gebaar. 'Iedereen schreeuwt.' Hij stak de sleutel in het slot en deed de deur open. 'Hij heeft geen schade aangericht. En hij heeft de flat beter schoongemaakt dan mijn ploeg. Ik hoef niks te doen. Kijk maar.'

Decker liep naar binnen en zag dat de flat inderdaad helemaal leeg en volkomen schoon was, wat de kans zeer klein maakte dat hij iets van belang zou ontdekken.

Jammer.

Hij begon met de keuken. Banks was grondig te werk gegaan. De kastjes en de koelkast waren leeg. De planken waren afgelapt en zonder kruimels. Het fornuis zag er redelijk hygiënisch uit. De muren waren geschilderd met roomkleurige glansverf. Dergelijke verf verkleurde meestal na een aantal jaren, vooral in de keuken waar warmte en vochtigheid er invloed op hadden, maar hier was de kleur nog fris en de verf vertoonde nauwelijks beschadigingen, wat erop wees dat de keuken vermoedelijk nog niet zo lang geleden geschilderd was.

De muren van de woonkamer waren grijsgroen en naar de weinige beschadigingen te oordelen was ook hier de verf nog nieuw. De naaktschilderijen waren verdwenen en de spijkers waren de enige indicatie dat er iets aan de muren had gehangen. De houten vloer leek recentelijk in de was gezet te zijn. Decker vroeg Keric daarnaar.

'Als hij dat heeft gedaan, heeft hij mij niet om toestemming gevraagd.'

'Dus hij heeft de vloeren niet in de was gezet?'

'Jawel.' Keric schokschouderde. 'Maar ik klaag niet. Het ziet er goed uit.' De huismeester wees naar een plek in de hoek. 'Daar zitten wel krassen.'

'Dat zullen de verhuizers gedaan hebben.'

'Zou kunnen.'

'Enig idee waarom hij de vloeren in de was heeft gezet?'

'Nee. Behalve dat hij een goede smaak had. Erg... elegant.'

'Hij was anders geen elegante man.'

Keric maakte een onverschillig gebaar. 'Tegen mij gedroeg hij zich altijd netjes. Verder nog iets?'

'Heeft meneer Banks u zijn nieuwe adres gegeven?'

'Nee. Misschien weten ze dat op het postkantoor.'

Dan was het nieuwe adres niet bekend. Decker had het plaatselijke postkantoor gebeld toen hij op de huismeester stond te wachten. 'Ik wil ook een kijkje in de andere kamers nemen.'

'Gaat dat lang duren?'

'Dat denk ik niet.' Hij bekeek de badkamer. Ook daar waren de kastjes volkomen leeg. De slaapkamers waren respectievelijk beige en bruin geschilderd. Alles zag er keurig uit, afgezien van spijkergaatjes in de muren. 'Gaat u deze kamers opnieuw schilderen?'

'Ze zien er goed uit. Als niemand iets aan te merken heeft, laat ik ze zo.' Keric rammelde met zijn sleutels. 'Klaar?'

Decker bekeek de parketvloer in de slaapkamers. In de woonkamer had het parket een ruitpatroon, maar in beide slaapkamers waren de planken parallel gelegd. Belangrijker was dat het zo te zien de originele vloeren waren en dat er al jaren niets aan was gedaan: ze waren dof en de kiertjes zaten vol stof. Het was niet zo dat ze er verwaarloosd uitzagen. Ze moesten alleen opnieuw in de was gezet worden. Als Rudy dat in de zitkamer had laten doen, waarom dan niet in de rest van de flat?

'Klaar?' dramde Keric.

'Een ogenblikje nog.' Decker liep terug naar de zitkamer en bekeek de plinten. Die waren ook geschilderd, in wit. De elektriciteit van de flat was afgesloten. Er was nog wel daglicht, maar niet genoeg om details te kunnen onderscheiden.

Decker haalde een zaklantaarn uit zijn zak, hurkte in een hoek en liet de lichtbundel op de grens tussen de plint en de vloer schijnen. Behoedzaam kroop hij door de kamer om iedere centimeter van de plint te bekijken. Toen hij klaar was met de zitkamer, stond hij op en deed hetzelfde in de keuken. Het duurde allemaal veel langer dan Keric lief was.

'Kunnen we nu gaan?'

Er lag een hoopvolle klank in Kerics stem. Decker vond het sneu dat hij die hoop teniet moest doen, maar het was nu eenmaal niet anders. 'Nog niet. Als u nog heel even geduld hebt, heb ik dit varkentje zó gewassen.'

'Varkentje? Welk varkentje?'

'Het is een uitdrukking. Ik ga een proefje doen.'

'Een proefje doen? Poeder op de muren spuiten?'

'Nee, nee.' Decker liep de flat uit en daalde in snel tempo de trappen af. 'Ik ga alleen maar met een wattenstokje op een paar plekken langs de plint strijken.'

'Met een wattenstokje?' Keric had moeite hem bij te houden, dus vertraagde Decker zijn tempo. 'Waarom?'

Ze waren nu in de lobby. Decker liep naar zijn auto en haalde een in cellofaan gevat pakketje uit het dashboardkastje. 'Ik heb in de zitkamer en de keuken een paar vlekjes tussen de plint en de vloer gezien. In dit pakketje zitten spullen waarmee ik kan nagaan of het bloedvlekken zijn.'

Keric trok wit weg. 'Waarom zouden het bloedvlekken zijn?'

'Ik zeg niet dat het zo is.' Keric hijgde zwaar toen ze weer de trappen op liepen en omdat Decker al heel lang niet had geoefend op beademingsprocedures, vertraagde hij zijn tempo. Even later waren ze weer boven. Tegen die tijd was Baker Culbertson uit zijn hol gekomen en stond hij in de gang te loeren naar wat er gebeurde.

'Is alles in orde?'

Decker glimlachte en knikte. 'Ik ben bijna klaar.'

'Hij zoekt naar bloed,' vertelde Keric de kunstenaar.

'Naar blóéd?' Culbertson keek onthutst. 'Waarom?'

'Ik zeg niet dat het zo is. Laten we geen voorbarige conclusies trekken.' Decker keek hem aan. 'U hebt vrijdagavond niet toevallig rare geluiden in Banks flat gehoord?'

'Nee, het was rustig,' antwoordde Culbertson. 'Niet dat ik de hele avond thuis was. Ik heb wel wat beters te doen.'

Decker glimlachte strak naar hem. 'Het is waarschijnlijk het beste dat u hier niets over zegt. We willen geen paniek zaaien in het gebouw.' Hij wendde zich tot Keric. 'Dat zou vooral voor u erg vervelend zijn.'

'Dat u hier bent is al vervelend genoeg voor mij.'

De uitdrukking op Deckers gezicht veranderde niet. 'Pardon...' Hij liep de flat weer in, hurkte en haalde een wattenstokje over een vlekje onder de plint in de keuken. De punt van het stokje werd blauw.

'Wat is dat?' vroeg Keric.

'Dit wil zeggen dat het monster dat ik hier heb genomen, waarschijnlijk bloed is.' Hij stond op. 'Het kan menselijk bloed zijn, maar het kan ook van vlees of kip zijn. Het kan ook het sap van mierikswortel of een aardappel zijn. Daarvan verandert de kleur ook.'

'Waarom doet u het dan?'

'Omdat de keuken en de zitkamer pas zijn opgeknapt, maar de rest van de flat niet en ik me afvraag waarom dat zo is.' Decker liep naar de zitkamer, naar de vlekjes die hij daarstraks had gezien, en haalde er een wattenstokje overheen. Elke keer werd het stokje blauw.

'Ook bloed?' vroeg Keric.

'Zo te zien wel.'

'Of aardappel?'

'Dat is in de zitkamer minder waarschijnlijk.' Decker pakte zijn mobieltje. 'Het spijt me dat ik u dit moet aandoen, meneer Keric, maar ik moet deskundigen van de technische recherche erbij halen. Die kunnen me vertellen of het om mierikswortel gaat of om mensenbloed.'

'Waarom zoekt u hier naar bloed? Ik kreeg wel klachten dat Rudy erg schreeuwde, maar niet afgelopen weekeinde.'

'En dat, meneer Keric, baart me juist zorgen.' Decker zocht in het telefoonboek van zijn mobieltje naar het nummer van het recherchelaboratorium. 'Dat Rudy is verhuisd en niemand hem heeft horen vloeken en tieren.'

Het probleem met bellen na kantoortijd was dat je altijd een antwoordapparaat kreeg. Oliver weerstond de verleiding de telefoon neer te smijten en probeerde een zen/yoga/pilates/tai chi-achtige ik-ben-niet-booshouding aan te nemen toen een anonieme stem zei: 'Voor Richard

Poulson, toets 1. Voor Annette Delain, toets 2. Voor Cyril Bach, toets 3. Voor Jared Little, toets 4.'

Oliver drukte op vier.

Hij hoorde dat de telefoon overging en schrok ervan toen een echte stem antwoord gaf.

'Meneer Little?'

'Met Jared Little. Met wie spreek ik?'

'Met rechercheur Scott Oliver van het LAPD.'

'O ja. Mijn broer zei al dat u zou bellen. Hij zei dat het onderzoek naar de moord op mijn vader is heropend.'

'Ja, daar werken we momenteel aan en ik wil daar graag even met u over praten.'

'Natuurlijk. Voor mijn vader is niets me te veel.'

'Wanneer schikt het u?'

'Maakt me niet uit.'

'Wat dacht u van...' Oliver keek op zijn horloge. Het was half zes. 'Woont u nog steeds in La Jolla?'

'Ja.'

'Dan zou ik vanavond kunnen komen. Ik kan tussen acht uur en half negen bij u zijn.'

'Vanavond ga ik uit eten met mijn vrouw. Ik denk niet dat ik voor tienen terug ben en dan wordt het voor u wel wat laat om nog terug te rijden naar Los Angeles.'

'Dat vind ik niet erg. Ik zal u mijn telefoonnummer geven. Ik ben in het begin van de avond in La Jolla. Bel me even wanneer u weer thuis bent, dan kom ik naar u toe.'

'Ja, dat is een goed idee. Ik zou het niet prettig vinden als u plompverloren met uw penning in uw hand aanbelde en oma de stuipen op het lijf joeg.'

'Oma? Past uw moeder op de kinderen?'

'Nee.' Hij grinnikte. 'Míjn oma. Mijn grootouders zijn onze babysitters. Ze zijn dol op hun achterkleinkind. Het is voor ons allemaal een handige regeling.'

'Zijn het de ouders van uw moeder?'

'Ja. De ouders van mijn vader zijn lang geleden al overleden.'

'Eerlijk gezegd zou ik dan ook wel met uw grootouders willen praten. Zou dat kunnen?'

Stilte op de lijn. Toen: 'Ik kan hen wel even bellen om te vragen of ze dat goedvinden.'

'Heel graag. Ik weet dat u zich veel over die tijd herinnert, maar u was evengoed pas dertien. Volwassenen hebben toch een andere kijk op bepaalde zaken.' Het bleef stil op de lijn. 'Ik weet van uw broer dat uw moeder niet op goede voet staat met haar ouders.'

'Dat is iets te simpel gesteld,' zei Jared. 'Je kunt beter zeggen dat we allemaal van mam houden, maar dat ze lastig is. Gaat u me onbescheiden vragen stellen over mijn moeder?'

'Onbescheiden is een te groot woord.' Al was het dat niet. 'We kunnen moeilijk over uw vader praten zonder dat uw moeder daarbij ter sprake komt. Ik weet dat ze aan gokken verslaafd is geweest. Ik heb gehoord dat ze haar verslaving heeft overwonnen.'

Weer zo'n lange stilte. 'Het is eerder een wapenstilstand. Ik zal mijn grootouders even bellen en dan hoort u zo dadelijk nog van me.'

'Dank u. Hopelijk komen we nu een stapje verder.'

'Geen dank.' Hij zuchtte. 'Ik weet dat we snel geneigd zijn overleden dierbaren op een voetstuk te plaatsen, maar mijn vader was echt een goed mens. Mijn zoon Nelson heeft veel van hem. Dezelfde charismatische persoonlijkheid, dezelfde flonkering in zijn ogen, dezelfde gave respect af te dwingen. Ik weet dat dit vreemd klinkt uit mijn mond, maar ik zeg dit niet alleen als trotse vader. Hij zit sinds kort op de kleuterschool en de juf zegt dat hij een geboren leider is.'

'En zij kan het weten.'

'Eigenaardig toch, deze dingen. Een of andere vuile schoft heeft me mijn vader afgenomen, maar zijn genen leven voort.'

Marge klopte op de deurpost van Deckers kantoor en liep zonder op antwoord te wachten naar binnen. 'Je zou denken dat het niet erg moeilijk is om iemand met de naam Jervis Wenderhole op te sporen.'

Decker wees naar een stoel. 'Wie is dat ook alweer?'

'Een van Darnells voormalige vriendjes.'

'O ja. A-Tack. De rapper.'

'Wenderhole bezet een unieke plaats op Arlingtons lijst,' zei Marge. 'Hij is de enige die niet in de gevangenis zit of dood is.'

'Zolang je hem niet hebt gevonden, is dat laatste nog maar de vraag.'

'Ik heb naar hem gezocht in ons bestand. Hij heeft een strafblad maar is al een hele tijd niet misdadig geweest. En ik heb nergens een overlijdensverklaring gezien, dus is er nog hoop.'

'Staat hij niet in het telefoonboek?'

'Niet in Los Angeles in ieder geval. Ik heb de telefoongids van de Valley, maar ben op zoek naar die van South Central. Ik weet inmiddels dat Arlington, Josephson en Wenderhole op North Valley High zaten, maar dagelijks per bus uit Los Angeles kwamen, een rit van veertig kilometer heen en veertig kilometer terug. Ik dacht dat verplicht bussen in strijd was met de grondwet.'

'Vijftien jaar geleden was het nog toegestaan. Veel ouders deden dat omdat ze dachten dat hun kinderen op een blanke school een betere opleiding zouden krijgen.'

'Heb jij nog ideeën hoe ik achter zijn verblijfplaats kan komen?'

'Zei je niet dat Wenderhole een rapper is?'

'Ja. Maar ik heb geen enkele cd van hem gevonden.'

'Hoe weet je dan dat hij een rapper is?'

'Van een van zijn vriendjes van toen die nu in de gevangenis zit. Misschien is Banks zijn producer. Dat zou mooi zijn.'

'Het zou nog mooier zijn als we erachter konden komen waar Banks is.'

'Heeft hij geen adres achtergelaten?'

'Nee, maar hij heeft wel menselijk bloed in zijn flat achtergelaten. Dat heeft het lab al bevestigd.'

'Jemig...' Marge ging zitten. 'Veel?'

Decker zei: 'Een plasje achter een plint dat tot op de vloer was gelekt.'

'Kunnen we erachter komen of het van Rudy zelf is?'

'Daar wordt aan gewerkt, al zie ik niet hoe het van hem kan zijn. De verf is nieuw, maar ook weer niet zó nieuw. Ik heb Rudy vrijdag nog gesproken.'

'Of iemand die zei dat hij Rudy was,' zei Marge.

'Daar heb ik aan gedacht,' zei Decker. 'Hij vertelde me dat hij jurydienst had gehad. Dat heb ik nagevraagd en het is waar. Banks had tot en met vrijdag jurydienst in het gerechtshof van Los Angeles.'

'De vraag is dus van wie dat bloed is,' zei Marge. 'Van Primo Ekerling?'

'Wie weet.'

Oliver stak zijn hoofd om de hoek van de deur. 'Ik ga naar La Jolla.' Hij keek naar Marge. 'Hé, je bent er nog. Wil je mee?'

'Wat ga je in La Jolla doen?'

'Praten met Jared Little, en als extraatje mag ik ook een praatje maken met de ouders van Melinda Little, Delia en Mark Defoe, die tussen haakjes weinig tot geen contact meer hebben met hun dochter.'

'Dat lijkt me wel interessant.' Marge stond op en hing haar tas over haar schouder. 'Interessanter dan wat ik zelf had gepland. Ik ga dus graag mee.'

'Wat had je dan gepland, Margie?' vroeg Decker.

'Helemaal niks. Will heeft avonddienst, Vega doet vrijwilligerswerk – ze geeft achterstandskinderen computerles – en mij wachtte een saaie avond. Tenzij je wilt dat ik me ga bezighouden met de forensische bevindingen uit Banks' flat?'

'Nee, dat doe ik wel,' zei Decker. 'Maar bedankt.'

'Welke forensische bevindingen?' vroeg Oliver.

'Dat vertel ik je onderweg wel. Ik val trouwens om van de honger. Zullen we sushi halen? Dan eten we dat in de auto op.'

Oliver keek haar ongelovig aan. 'Hoe kan ik sushi eten als ik moet rijden?'

'Ik voer het je wel.' Marge schudde haar hoofd. 'Ik zal zelfs de saus van je kin vegen.'

'Je doet net alsof ik een kwijlende, ouwe kerel ben.'

Ze kneep in zijn wang. 'Welnee. Ik wil alleen maar behulpzaam zijn... je een beetje verwennen. Als een soort geisha, maar dan eentje die met een pistool op zak loopt.'

24

Ze hadden de zonsondergang aan hun rechterkant, een vurige bal die zijn gouden stralen op de gladde, grijze zee richtte. Nog zo'n vijftien kilometer te gaan. De wegen waren kronkelig, maar het uitzicht was mooi en de sushi was een succes, behalve dat je er zo'n dorst van kreeg. Oliver zat aan zijn tweede cola light toen hij de afslag La Jolla Village Drive zag.

'Die moeten we hebben,' zei Marge. 'Melinda's ouders heten dus Mark en Delia Defoe?'

'Ja. Als de Defoe van *Schateiland*.'

'Dat was Robert Louis Stevenson,' zei Marge. 'Defoe heeft *Robinson Crusoe* geschreven.'

'Opschepper.'

'Geen kwestie van opscheppen. Ik zei het alleen om... Laat maar.'

'Vind je het niet knap van me dat ik wist dat Defoe een boek over schipbreukelingen in de Zuidzee heeft geschreven?'

'Heel knap. Je literaire IQ is een paar punten gestegen. Zullen we het nu even over de zaak hebben?'

'Oké. Melinda's ouders passen vanavond op hun achterkleinzoon. Ze lopen allebei tegen de tachtig en Jared heeft me verzocht hen niet te hard aan te pakken. Hoe heet de wijk waar Little woont?'

'La Jolla Pines.'

Oliver minderde vaart. 'Wat staat er op dat bord?'

'La Jolla Woods.'

Hij reed in een kalm tempo verder. 'En op dat bord?'

'La Jolla Hills. Volgens de kaart was het vijf kilometer vanaf de afslag. Dit is nog geen vijf kilometer.'

'Wat staat daar?'

'La Jolla Shores.'

'Ze hebben hier niet veel fantasie.'

'Rij nou maar door...' Ze reden zwijgend verder. Marge tuurde in de duisternis. 'Daar is de afslag naar La Jolla Pines.'

Oliver sloeg links af. Ze kwamen terecht in een lommerrijke woonwijk waar tussen het groen veel wit pleisterwerk en hout te zien waren. Mooie huizen van twee verdiepingen waarvan de stijl hen deed denken aan Cape Cod. De huizen waren vrijwel identiek in bouw, maar toch individueel dankzij de afwerking met verschillende soorten bouwmateriaal en de variatie aan planten, tuinaccessoires, hekken en heggen. Oliver volgde de bochtige straten die flauwtjes stegen en daalden, het asfalt overschaduwd door grote eucalyptussen en dennenbomen. Groene gazons, veel bloemen en overal citrusbomen. Er hing een kruidige geur in de vochtige lucht en de temperatuur lag onder de twintig graden.

Ze stopten voor een wit bakstenen huis waar bloeiende struiken tegenaan groeiden. Toen ze uitstapten, ging het licht in de tuin meteen aan en werd de voordeur geopend. Een bejaarde vrouw kwam naar buiten en bleef op het bordes staan. Ze was tot in de puntjes gekleed in een witte broek, witte blouse en rood jasje. Haar getoupeerde haar was blond, ze had lange nagels die waren gelakt met wit paarlemoer, en haar magere vingers waren gesierd met grote diamanten ringen.

Marge stelde zich voor en liet haar identificatie zien. 'Mevrouw Defoe?'

'Delia.' Ze liep een paar stappen naar hen toe en legde haar vinger tegen haar lippen. 'Mijn man is op de bank in de zitkamer in slaap gevallen. Maar we kunnen in de televisiekamer gaan zitten.'

In de hal was het donker, maar in de zitkamer brandde licht. Het plafond had een hoogte van minstens vier meter en een panoramaraam bood een schitterend uitzicht op de verlichte heuvels van La Jolla. Achter de lichtjes deinde de gloed van de zon nog op het water van de oceaan.

'Deze kant op,' fluisterde Delia.

Het eerste wat je opviel in de televisiekamer was een levensgrote flatscreentelevisie die tegen de muur was gemonteerd. Verder waren er planken vol dvd's en cd's en wat pocketboeken. Het meubilair was eenvoudig maar gerieflijk en beige van kleur. Ook de vloerbedekking was beige. In de hoek stond een open kist vol speelgoed.

'Neemt u plaats. Kan ik u iets aanbieden uit de bar?'

Oliver keek om zich heen en zag een kleine kast met een halve deur. 'Een biertje, graag.'

'Mineraalwater, als u het hebt,' zei Marge.

'Komt eraan.' Ze liep naar de kast die als bar diende en deed een kleine koelkast open. Ze werkte snel en efficiënt. Het bier was zo koud dat het glas besloeg en het sodawater bruiste in een kristallen glas. 'Alstublieft.'

'Dank u wel,' zei Marge.

Oliver nam een slok en zuchtte. God, wat smaakte dat lekker. 'Uw kleinzoon heeft uw man dus gevloerd, om zo te zeggen?'

'Achterkleinzoon,' verbeterde Delia hem. 'Het is een schat van een jongen. Meestal slaapt hij al als we komen oppassen, maar vandaag wilde hij opeens vlak voor bedtijd verstoppertje spelen. Hij werd er zo wild van dat hij moeite had in slaap te komen, in tegenstelling tot mijn man. Ik moest Nelson vier boekjes voorlezen, terwijl mijn man meteen in slaap viel.'

'Op kinderen passen is leuk zolang je het niet fulltime hoeft te doen,' zei Oliver. 'Dat vind ik het aardige van mijn eigen kleinkinderen. Je kunt ze knuffelen en verwennen en als ze helemaal hyper zijn, kun jij lekker naar huis om te relaxen.'

'Hoeveel kleinkinderen hebt u, rechercheur Oliver?'

'Vijf. Vier jongens en de laatste is een meisje. Zij is een uitzondering. Ik heb namelijk drie zonen. Bij ons in de familie voeren de Y-chromosomen duidelijk de boventoon.'

'Wat op zich helemaal niet erg is. Jongens zijn makkelijker in de omgang dan meisjes. Althans, die ervaring heb ik. En u, brigadier?'

'Ik heb een volwassen dochter. Ze studeert.'

Delia knikte en wendde zich weer tot Oliver. 'Hoe oud zijn uw kleinzonen?'

'De oudste zit al op de middelbare school. Goh, waar blijft de tijd?'

'En dat wordt alleen maar erger naarmate je ouder wordt. De tijd vliegt voorbij! Ik kijk in de spiegel en heb moeite het gezicht te herkennen dat ik zie.'

Het was een mooi gezicht, vond Marge. Vriendelijke bruine ogen, een huid die een tikje gladder was dan je zou verwachten, al had de plastisch chirurg maat weten te houden. 'We stellen het erg op prijs dat u bereid bent met ons te praten,' zei Marge nog maar een keer. 'We willen het onderzoek naar de moord op uw schoonzoon nieuw leven inblazen.'

'Arme Ben... Hij was zo'n fijne vent. Niets was hem ooit te veel. Wat een energie had die jongen. We waren allemaal...' Een diepe zucht.

'Ik was er kapot van. En mijn man ook. En de jongens al helemaal.'

'En Melinda?'

De oude vrouw had een verre blik in haar ogen gekregen. 'Melinda?' Ze herstelde zich en keek Marge aan. 'Die stortte volledig in, hoewel daar bij haar eigenlijk nooit veel voor nodig was. Ze was als kind al zo teer. Ze was erg mooi en werd daarom erg verwend, vooral door haar vader. Hij was dol op haar. Nu heeft ze al een tijdje met ons gebroken en dat doet hem erg veel verdriet.'

'Uzelf vast ook,' zei Marge.

'Ik ben sterker dan mijn man.' Haar gekwelde uitdrukking sprak haar dappere woorden tegen. 'Ik heb begrip voor haar standpunt, maar ze wil het onze niet accepteren. Wat we ook doen of zeggen, in haar ogen zijn we...' De oude vrouw schudde haar hoofd. 'Maar we konden haar verslaving echt niet blijven bekostigen.'

'Wist u al dat ze aan gokken verslaafd was voordat Ben werd vermoord?'

'We wisten het zodra ze eenentwintig was geworden. En Ben wist het ook.'

Marge zei: 'Ben wist het en is evengoed met haar getrouwd?'

'Melinda wilde hem per se. Ze heeft alles gedaan om hem te krijgen. Ben was erg knap en charismatisch. Waarom zou ze anders genoegen hebben genomen met een leraar? Ze had altijd gezegd dat ze met een rijke man wilde trouwen.' Een vermoeide zucht. 'In ieder geval is ze nu met een rijke man getrouwd. Ik hoop dat ze samen gelukkig zijn.'

'Mag u uw huidige schoonzoon ook graag?'

'Ik ken hem amper!' zei Delia. 'Maar het is wel goed. We zijn dol op Jared en Amy. We hebben het erg goed samen.'

'En Nick?'

'Ik heb niets tegen Nick, maar hij is anders. Ik heb toenadering gezocht, maar Nick kampt zelf ook met problemen. Ik heb zijn kinderen met de kerst cadeautjes gestuurd en ze hebben keurig een kaartje teruggestuurd om me te bedanken, maar hij belt zelf nooit en ik moet maar gewoon accepteren dat hij met rust gelaten wil worden.' Haar stem zakte tot een fluistertoon. 'En eerlijk gezegd hebben we ook niets gemeen.'

'Ik begrijp het,' zei Marge, op een al even zachte toon. 'Ben was dus met uw dochter getrouwd ondanks het feit dat ze al aan gokken verslaafd was.'

'Ja.'

'Hoe wist hij het in toom te houden?'

'Door de hand op de knip te houden. Hij hield haar goed in de gaten en ze waagde het niet tegen hem in te gaan. En af en toe ging hij een weekendje met haar naar Vegas, zodat ze wat stoom kon afblazen.'

'Gaf hij daarmee niet juist toe aan haar verslaving?'

'Ergens wel, maar hij probeerde haar zo veel mogelijk tegemoet te komen. Zolang ze niet aan het geld kon komen, ging het wel.'

'Welk geld? Zijn geld?' vroeg Oliver.

'Nee, het geld dat we voor Melinda apart hadden gezet. Ze had een trustfonds. We hadden meer dan een half miljoen dollar voor haar apart gezet. Dat was bedoeld voor belangrijke dingen: een huis, studie, spaargeld. Geld dat ze als volwassene nodig zou hebben, niet geld voor de goktafels van Las Vegas.'

'Juist,' zei Marge. 'En wanneer zou ze dat geld krijgen?'

'In twee etappes. De helft wanneer ze vijfentwintig werd, en de rest op haar dertigste verjaardag. Maar we zagen de bui al hangen. We wisten al dat het niet ging lukken.' Ze liet haar hoofd hangen. 'In de voorwaarden van het trustfonds zat een clausule die speciaal voor dit soort problemen was opgesteld. Volgens die clausule konden we het geld op ieder moment weer uit het trust halen en op onze eigen rekening storten.'

'Ik snap het al,' zei Oliver.

'Ze was woedend. Ze dreigde dat ze nooit meer met ons zou praten en dat we onze toekomstige kleinkinderen nooit te zien zouden krijgen.' Delia kreeg tranen in haar ogen. 'Het was een afschuwelijke ruzie! Het was een geluk dat we Ben hadden.'

'Hoe is het afgelopen?'

Delia onderdrukte een snik. 'Hij is met een alternatief gekomen. Als we Melinda het geld gaven, zou hij het recht krijgen het te beheren.'

'En u had er niets op tegen dat uw schoonzoon het beheer kreeg over uw geld?' vroeg Marge.

'Wat hij er ook mee zou doen, het zou in ieder geval beter zijn dan wat Melinda ermee van plan was. Hij heeft ons beloofd dat hij het geld zou besteden aan dingen voor het gezin, zoals studiegeld voor hun toekomstige kinderen. De jongens waren toen nog niet geboren. Hij zei dat hij het voor een levensverzekering zou gebruiken, en dat hij af en toe iets voor het hele gezin zou kopen, bijvoorbeeld een boot of een auto. En hij zou voor Melinda sieraden kopen, zodat ze het gevoel zou hebben dat ze ook iets van zichzelf had. Hij beloofde dat hij haar geld goed zou beheren, en dat we ervan op aan konden dat hij het aan de juiste dingen zou uitgeven.'

'En Melinda stemde daarmee in?'

'Het was dit of niks.'

'Dus ze stemde ermee in?'

'We hebben het op schrift gezet en dat heeft ze moeten ondertekenen.' Ze wendde haar blik af en zuchtte. 'En die lieve Ben heeft zich aan zijn woord gehouden. Hij kwam steeds met ons overleggen als hij een grote uitgave wilde doen, ook al was hij dat niet verplicht. De Mercedes was een idee van onszelf. We wilden hem belonen.'

Ze schudde haar hoofd.

'Hoe hadden we kunnen weten dat hij zo vroeg zou overlijden? Toen hij er niet meer was, heeft ze alles opgemaakt: hun spaargeld, haar sieraden, de boot, de camper, de auto's en zijn levensverzekering. Godzijdank kon ze niet aan het studiegeld van de jongens komen. Ze vertelde me een kletsverhaal dat ze een privédetective had ingehuurd en daar al het geld voor nodig had. Voor de hoeveelheid geld die ze erdoorheen heeft gejaagd, had ze heel Pinkerton kunnen inhuren. Het was om te huilen, zo doorzichtig.'

Marge zei: 'Misschien wilde ze haar figuur redden.'

'Of ons overhalen haar meer geld te geven. Maar daar zijn we niet ingetrapt. We hebben alleen de jongens financieel gesteund. We hebben alles betaald wat ze nodig hadden, kleding, computers, hun gezondheidsverzekering, het lesgeld voor particuliere scholen. Ieder jaar kregen ze met de kerst een doos vol met het allermodernste speelgoed. Melinda kreeg een tegoedbon van vijfhonderd dollar voor Saks.'

'Dat is toch niet niks,' zei Marge.

'Ja, maar voor haar... Ze was woedend, maar machteloos. Ze kon de jongens niet zelf onderhouden. Ze had ons nodig.'

'En toen ze hertrouwde?'

'Toen heeft ze ons laten vallen als een baksteen.' Nieuwe tranen. 'Na alles wat we voor haar gedaan hadden, liet ze ons gewoon stikken. En tegenover de jongens gedroeg ze zich niet veel beter. We boffen dat de jongens zelf een goede band met ons hebben gehouden... of in ieder geval Jared.'

'Nick niet?'

'Zoals ik al zei zou ik Nick graag in ons midden terug hebben. Nick en Jared hebben wel veel contact. Iedere keer dat Jared zijn broer heeft gesproken, zegt hij dat we de groeten van Nick moeten hebben.' Ze haalde diep adem en blies die langzaam uit. 'Het is geven en nemen. Ik sta veel nader tot Jared dan Melinda... niet dat haar dat iets kan schelen. Gokken is haar grote liefde. Ze heeft verschrikkelijk geboft met Mike, omdat hij haar verslaving financiert. Het maakt hem niks uit. Hij is multimiljonair. Maar dacht u dat hij zijn stiefzonen ooit iets geeft?'

Oliver zei: 'Laat hij hen niet delen in zijn rijkdom?'

Delia aarzelde. 'Nee, wacht, nu ben ik niet fair. Misschien heeft hij het aangeboden en hebben ze het afgeslagen.' Ze droogde haar ogen. 'Maar het blijft zonde. Melinda is ons enig kind. Ik hou van haar. We houden allebei van haar, mijn man en ik. We zouden dolgraag een normale relatie met haar willen, maar niet als ze zich zo lelijk tegen ons gedraagt. Ik sta niet toe dat ze tegen ons schreeuwt. En ik wil geen litanieën meer horen over wat we allemaal verkeerd hebben gedaan.' Ze klemde haar handen ineen. 'God, wat mis ik Ben. Ik hoop dat u erachter komt wie hem heeft vermoord.'

'We doen ons best,' zei Oliver.

Marge vroeg: 'Wat waren de theorieën over de toedracht van de moord?'

'Hoe bedoelt u? De politie zei dat het een carjacking was.'

'Dat weet ik, maar Ben was op weg naar huis na een vergadering met de gemeenteraad. Er waren nog meer mensen op het parkeerterrein. Waarom is juist hij het slachtoffer geworden van autodieven?'

'Dat weet ik niet, brigadier,' zei Delia. 'Een gloednieuwe Mercedes trekt natuurlijk wel de aandacht.'

Oliver zei: 'Hij zou het toch wel gemerkt hebben als iemand op de auto afkwam? Hij hoefde alleen maar het gaspedaal in te drukken en weg te rijden.'

'Brigadier, soms zie je iets niet omdat je er te dicht bij zit. Ik had achterdochtig moeten zijn toen Melinda vroeg of haar vader haar wilde leren pokeren, maar ik vond het alleen maar schattig. Ik had achterdochtig moeten zijn toen Mark haar leerde dobbelen, maar ik vond het alleen maar leuk dat ze zo goed met elkaar overweg konden. Ik had achterdochtig moeten zijn toen we haar voor het eerst meenamen naar Vegas toen ze twaalf was en ze net zolang zeurde of ze een muntje in een van de fruitmachines mocht doen tot we ja hebben gezegd, ook al liepen we daarmee het risico dat men ons uit het casino zou zetten. Ik weet het aan jeugdige opwinding. Tegen de tijd dat ik eindelijk achterdochtig werd, was het te laat. Misschien is het met Bennett ook zo gegaan. Misschien had dat monster al een pistool tegen zijn hoofd gezet tegen de tijd dat hij hem in de gaten kreeg.'

Het was alweer laat geworden. Decker stopte één straat van zijn huis om te bellen. Hij wilde niet dat Rina het zou horen, omdat hij wist wat ze zou zeggen. Hij was van plan een bericht in te spreken en was verbaasd toen Donatti opnam. Het was aan de oostkust al één uur.

'Je ligt zeker in bed.'

'Was het maar waar. Ik heb al vierentwintig uur niet geslapen.'

'Neem dan ook niet zo veel uppers. Ze zijn slecht voor je lever en geven die mooie blauwe kijkers van je onaangenaam rode randjes.'

'Wat moet je?'

'Rudy Banks wordt vermist.'

'Nou en?'

'Ik dacht zo dat jij me daarmee wel kon helpen.'

'Jezus, Decker, ik weet amper wat hier, op mijn eigen terrein, allemaal gebeurt, laat staan aan de andere kant van het land. Wat wil je van me?'

'Alleen maar dat je ogen en oren openzet. Vragen stelt. We hebben in zijn flat bloed aangetroffen.'

'Daar hebben jullie toch wel deskundigen voor?'

'Natuurlijk. Ik denk dat er een misdaad is gepleegd, maar ik denk niet dat het bloed van Rudy is.'

'Als het niet van hem is, wat kan het je dan schelen?'

'Zie je, dat is nu juist het probleem. Dat het me iets kan schelen. Het enige wat jij hoeft te doen, is je humeurige vriend Sal vragen of hij hier en daar zijn licht kan opsteken. Het zou al handig zijn als ik wist of Banks nog leeft of niet.'

'En wat krijg ik daarvoor?'

'Mij als vaderfiguur. Beter dan het duivelsgebroed door wie je verwekt bent en het monster dat je heeft grootgebracht.'

'Ik heb inderdaad niet veel geluk gehad met vaders. Waarom zou ik jou dan ook nog willen?'

'Omdat er diep in je binnenste nog steeds een klein jongetje zit dat om hulp roept. O, sorry. Dat was ik vergeten. Diep in je binnenste zit alleen maar een kille psychopaat.'

Als reactie verbrak Donatti de verbinding. Decker klapte zijn mobieltje dicht en stak het in zijn zak. Er lag een glimlach op zijn gezicht.

25

Jared en Amy kwamen om kwart voor tien thuis. Iedereen werd snel aan elkaar voorgesteld, toen liep Amy naar boven en ging Delia haar man wakker maken. Tegen de tijd dat Jared zijn grootouders tot aan hun auto uitgeleide had gedaan, waren ze een kwartier verder. Toen hij terugkwam, zei hij: 'Een ogenblikje nog, alstublieft, dan ga ik me even omkleden.'

'Haast u vooral niet.' Oliver keek op zijn horloge. *Maar doe er ook niet al te lang over. Het is al over tienen.* Toen Jared buiten gehoorsafstand was, vroeg hij aan Marge: 'Wat vind jij?'

Marge zei: 'Dat verhaal van Delia verklaart de dure speeltjes van Ben Little.'

'En ik kan me voorstellen dat Melinda steeds meer afkeer kreeg van de hele situatie.'

'Ja. Dat hij over haar geld mocht beschikken.'

'Zij zag het waarschijnlijk als een complot tussen Ben en haar ouders.'

'Groeiende afkeer dus,' zei Marge. 'Maar genoeg om een moord te plegen?'

'Dat weet ik niet,' zei Oliver. 'Ik doorzie vrouwen meestal vrij snel – ik moet wel – maar Melinda vind ik moeilijk te doorgronden.'

'Ik vraag me af of Ben er inderdaad in slaagde Melinda's verslaving onder de duim te houden,' zei Marge.

'Ja, dat zit ik me ook af te vragen. Stel dat Melinda evengoed veel geld verkwistte omdat ze ervan uitging dat Ben haar schulden altijd zou dekken met het geld uit haar eigen trustfonds. En stel dat Ben haar opeens de beschikking over hun bankrekening ontzegde? Heeft de afkeer toen een hoogtepunt bereikt? Misschien had ze zich zo diep in de nesten gewerkt dat de uitkering van Bens levensverzekering haar enige redding was.'

'Een levensverzekering is altijd een goed motief voor een moord.'

Marge legde haar vinger op haar lippen toen ze Jared de trap af zag komen. De man had het blonde haar en de bruine ogen van zijn moeder, maar de robuuste gelaatstrekken van zijn vader. Hij had een trainingsbroek, sweatshirt en slippers aangetrokken, plofte op de bank neer en legde zijn hoofd achterover. Met gesloten ogen vroeg hij hoe het was gegaan.

'Het gesprek met je grootmoeder is erg goed verlopen, Jared,' zei Marge.

Oliver voegde eraan toe: 'Ze was erg openhartig.'

Hij deed zijn ogen open en boog zich naar voren. 'Openhartig over mijn moeder, bedoelt u? Ze heeft het er erg moeilijk mee dat ze zo van elkaar zijn vervreemd. Hebt u gekregen waar u op uit was?'

'Het enige waar we op uit zijn, is informatie,' zei Marge. 'Over hoe de verhouding tussen je ouders was toen je vader werd vermoord.'

'En of hun huwelijk soms ongewone aspecten had,' zei Oliver.

Marge zei: 'Sorry, maar we moeten het jou ook vragen.'

Jared zei: 'Ik was pas dertien. Ik had veel meer belangstelling voor de Lakers dan voor mijn ouders.'

'Als er problemen zijn, voelen kinderen dat meestal aan.'

Oliver zei: 'En sommige ouders laten duidelijk merken dat het niet allemaal rozengeur en maneschijn is.'

'De mijne niet,' sprak Jared hen tegen. 'Ze zullen vast wel eens ruzie hebben gehad, maar dat deden ze dan heel stil.'

'Dus voor zover jij weet, was alles in orde?' vroeg Oliver. 'Dit is van groot belang voor het onderzoek.'

Jared zakte weer onderuit en richtte zijn ogen als laserstralen op Oliver. 'Misschien is het vanuit uw gezichtspunt van groot belang voor het onderzoek, maar het komt op mij over alsof u mijn moeder ergens van beticht.'

Marge zei: 'Nee, zo moet je dat niet opvatten.'

Jared draaide zijn blik langzaam naar haar toe. 'Legt u me dat dan eens uit, brigadier.'

'Wat ik wil weten, is of je moeder toen veel gokte. Dat zou invalshoeken bieden, die toentertijd niet aan bod zijn gekomen.'

'Zoals de levensverzekering van mijn vader?' zei Jared op een ruzietoon.

'Dat hebben we inderdaad in overweging genomen,' antwoordde

Marge. 'Als je moeder veel gokte, zou die polis een manier zijn geweest om aan geld te komen. Maar ik denk eerder aan iemand uit de onderwereld die het op je vader had voorzien vanwege openstaande schulden van je moeder. Om het maar ronduit te zeggen: de moord is gepleegd in de stijl van de maffia.'

Slim gespeeld, Dunn. Oliver voegde er nog aan toe: 'Iemand werd met de neus op de feiten gedrukt. Kinderen hebben oren en horen veel, zoals brigadier Dunn al zei. Jij misschien niet, omdat je ouders naar je eigen zeggen geen schreeuwende ruzies hadden, maar we moeten er evengoed naar informeren.'

'Het is vijftien jaar geleden,' zei Marge. 'Je was dertien. We verwachten echt niet dat je je alles herinnert.'

'Ik herinner me niet eens wat ik gisteravond heb gegeten,' zei Oliver. 'Maar als je liever neutralere vragen hebt, kan dat. Kun je je herinneren of je vader in die tijd bezorgd of nerveus was?'

'Mijn vader was niet iemand die met zenuwen of zorgen bleef lopen. Hij was iemand die problemen meteen aanpakte.'

'En daarom zou het juist opvallen als hij nerveus was.'

'Nou, dat was hij niet... voor zover ik me kan herinneren. Mijn vader wist altijd wel iets te verzinnen om problemen op te lossen. En als het niet lukte, vond hij dat nooit erg, zolang we van onze fouten leerden.'

'Wat jou betreft was er dus niks aan de hand?'

'Nee. Hoe vaak moet ik dat nog zeggen?'

'Goed,' zei Marge. 'Heb je zelf dingen waarvan je denkt dat we er iets aan hebben?'

Jared was nog bezig met het vorige onderwerp. 'Hebt u al deze vragen ook aan Nick gesteld?'

'Niet allemaal,' antwoordde Oliver. 'In het licht van wat je grootmoeder ons heeft verteld, ben ik van plan nogmaals met hem te gaan praten.'

'Misschien herinnert hij zich meer dan jij,' zei Marge. 'Omdat hij ouder is.'

'Dat lijkt me niet,' zei Jared zachtjes. 'Nick had de gewoonte zich er helemaal voor af te sluiten als...' Hij wendde zijn hoofd af.

'Als je ouders ruzie hadden?' vroeg Marge. 'Het geeft niks, hoor, als ze soms ruzie hadden. Het geeft niks als je vader zijn stem verhief. Je moet eens weten hoe mijn vader kon schreeuwen. Die schreeuwde vaker dan hij praatte.'

'Mijn vader verhief zélden zijn stem.'

'Met een duidelijke nadruk op het woord "zelden",' zei Marge. 'Als hij dus zijn stem verhief, maakte dat grote indruk op jou.'

'Ik heb er verder niets over te zeggen.'

Oliver haalde zijn schouders op. 'Het is aan jou of je met ons wilt praten of niet.'

Stilte.

Marge stond op. 'We hebben meer dan genoeg van je tijd in beslag genomen, Jared. We stellen het erg op prijs dat je over deze pijnlijke onderwerpen wilde praten.'

Jared bekeek haar met een achterdochtige blik in zijn ogen. 'Ik heb rechten gestudeerd. Ik heb tijdens mijn opleiding heel wat mensen ondervraagd. Uw manier van ondervragen – al die schoten in de ruimte – maken me duidelijk dat u geen flauw idee hebt wie de dader is.'

Oliver glimlachte raadselachtig. 'We hebben aanwijzingen. Op den duur zullen we die allemaal in elkaar kunnen passen. En dan zullen we antwoorden krijgen op al onze vragen.'

Marge stak haar hand uit. 'Tot ziens, Jared. En nogmaals bedankt.'

Jared wachtte een paar seconden en vroeg toen: 'Gaat u mijn moeder nog een keer ondervragen?'

'Dat denk ik wel,' zei Marge.

'Vraag haar dan waar ze ruzie over hadden.'

'Dat hebben we al gedaan,' zei Oliver. 'Ze zei, net als jij, dat ze zelden ruzie hadden.'

'Of eigenlijk dat ze helemaal nooit ruzie hadden,' zei Marge. 'Maar dat lijkt me sterk.'

Jared zuchtte. 'Het ging om geld.' Marge wachtte af. 'De weinige keren dat ik mijn ouders heb horen ruziemaken, ging het om geld. Ze gaf te veel geld uit. Het waren geen slaande ruzies. Ik herinner me alleen dat mijn vader af en toe zijn stem verhief. En dat was niks voor hem.'

'Bedankt, Jared, dat je ons dit zo eerlijk vertelt.'

'En gaat het niet meestal om geld als man en vrouw ruzie hebben?' zei Jared.

'Geld is inderdaad vaak een twistpunt.'

'Geld, de kinderen, de schoonouders, seks...' Jared schokschouderde. 'Dat zijn zo'n beetje de belangrijkste twistpunten.'

Oliver zei: 'Geld, de kinderen, seks, de schoonouders, te weinig aandacht, te veel aandacht, dat je niet genoeg praat, dat je te veel praat, dat je te hard werkt, dat je niet hard genoeg werkt, dat je te veel thuis zit, dat je te vaak uit wilt, dat je te veel risico's neemt, dat je te behoudend bent, dat je te cultureel ingesteld bent, dat je een saaie piet bent, dat je verwaand bent, dat je ordinair bent.' Hij maakte een hulpeloos gebaar en glimlachte wrang. 'Mijn ex had een eindeloze lijst van onderwerpen waarover je ruzie kon maken.'

Dat het mantelpak duur was, zag je meteen. Evenals de schoenen, de handtas en de sieraden. Maar het ensemble stond haar niet goed. De schouders waren te breed, de hakken te hoog, de tas was te klein en de rok te lang. De sieraden daarentegen...

De sieraden waren helemaal goed.

Ze leek niet te weten waar ze moest zijn. Marge vroeg zich af hoe ze langs de afdelingssecretaresse was gekomen. Ze stond op en liep naar haar toe. 'Kan ik u ergens mee van dienst zijn?'

'Dat zou prettig zijn.' Marge zag dat de vrouw een kille blik in haar ogen had. 'Ik wil eigenlijk hoofdinspecteur Strapp spreken.'

'Zijn kantoor is aan de andere kant van het gebouw. Ik kan zijn secretaresse wel even bellen om te vragen of hij er is.'

'Doe geen moeite,' zei de vrouw. 'Hij is er niet. Erg onaangenaam.' Ze deed haar tas open, haalde er een briefje uit, gaf het aan Marge en vroeg, terwijl ze haar met een priemende blik aankeek. 'Klopt het dat deze persoon hier de leiding heeft?'

Marge las het briefje en wierp een blik in de richting van Deckers kantoor. 'Eh, gaat u zitten, dan zal ik kijken of inspecteur Decker er is.'

'U kijkt naar een open deur, dus is het duidelijk dat hij er is.' Ze knipte haar tas dicht. 'Fijn om te weten dat hier tenminste nog íémand werkt. Uw hoofdinspecteur kampt duidelijk met een absentieprobleem.'

'Mag ik vragen hoe u heet?' vroeg Marge.

'Genoa Greeves.'

Dat zei Marge niets. 'Als u een ogenblikje geduld hebt, mevrouw Greeves, zal ik kijken of inspecteur Decker er is. Zijn deur staat meestal open, ook als hij elders is.'

'Dank u.' Genoa begon in haar tas te rommelen.

Decker was er. Marge zei: 'Een of ander raar mens wil je spreken. Ze heet Genoa Greeves.'

'Genoa Greeves?' Decker stond op en trok zijn jasje aan. 'Waar is ze?'

'In de recherchekamer.' Marge schrok een beetje van zijn reactie. 'Dien ik die naam te kennen?'

'Zij is de multimiljonair die de zaak-Little heeft laten heropenen.'

'Ah, nou snap ik waarom ze zo uit de hoogte doet.'

'Hier wil Strapp vast bij zijn. Kun jij hem even bellen?'

'Hij is er niet.'

Decker fronste zijn wenkbrauwen. 'Dat is niet best. Zoek uit waar hij is en laat hem zo snel mogelijk hierheen komen, anders krijgt hij straks enorm de smoor in.' Hij kreeg zijn bezoekster in het vizier en liep met uitgestoken hand op haar af. Ze gaf hem een slap handje. 'Ik ben inspecteur Decker, mevrouw Greeves. Ik ben degene die het meeste werk aan de zaak-Little verricht. Komt u even mee naar mijn kantoor?'

Genoa liep achter hem aan. Toen Decker de deur dichtdeed, zei ze: 'Nogal armetierig, uw kantoor. Ik hoop dat het geen afspiegeling is van het niveau van uw bekwaamheid.'

Decker glimlachte toen hij een stoel voor haar bijtrok. 'Groter krijg je ze hier niet. En ik neem aan dat u niet helemaal hierheen bent gekomen om over architectuur te praten. Waar kan ik u mee van dienst zijn?'

'Waar is de hoofdinspecteur?'

'Ik denk dat hij zo wel zal komen. Als u wilt weten hoe het met de zaak staat, kunt u trouwens beter met mij praten.'

'Heeft hij de zaak dan op u afgeschoven?'

'Hoofdinspecteur Strapp heeft de leiding over dit hele politiebureau. Hij heeft u een grote dienst verleend door de zaak aan mij over te dragen. Ik heb al honderden moordzaken onderzocht en heb veel meer ervaring met cold cases dan hij.'

'Bent u goed in uw werk?'

'Bijzonder goed.'

'Toen ik u googelde, stond er dat u de rang van brigadier had.'

'Ik heb promotie gemaakt. Dat bewijst hoe goed ik ben.'

'Zijn er verdachten?'

'Onderzoekrelevante personen noemen we die tegenwoordig. En we hebben er een paar, ja.'

'Hoe lang gaat het nog duren voordat u de moord hebt opgelost?'

Decker nam haar eens goed op. Dure kleding, die haar niet goed paste. Opgemaakt, maar duidelijk niet gewend aan cosmetica. Halflang haar dat recentelijk leek te zijn geknipt. Maar het waren de donkerbruine ogen die het meeste over haar zeiden. Kil, berekenend, indringend. 'Ik hoop een paar weken tot maanden. Maar het kan net zo goed nog jaren duren.'

'Of eeuwig.'

'Dat kan ook.'

'Zouden degenen die de moord moeten oplossen harder gaan werken als ik hun individuele bonussen in het vooruitzicht stelde?'

Decker dacht na voordat hij antwoord gaf. 'Op de politiebureaus van de binnenstad van Los Angeles liggen veel mappen met cold cases. Mensen als Ben Little... neergeschoten, vermoord, dader nooit gepakt, niemand ooit terechtgesteld. Er zijn duizenden bedroefde mensen die niet weten hoe de laatste minuten van het leven van hun dierbare zijn verlopen, die niet weten of het monster dat hun vrouw, dochter, man of zoon van het leven heeft beroofd, nog steeds bezig is mensen te vermoorden. Als we meer personeel hadden, zouden we veel meer aan die zaken kunnen doen. Maar we hebben daarvoor niet voldoende mankracht, dus blijft negenennegentig procent van de cold cases in de kast liggen. Niets aan te doen.'

Genoa keek geprikkeld. 'Ik ben hier niet om naar sentimentele verhalen te luisteren, inspecteur. Ik ben alleen geïnteresseerd in resultaten.'

'En ik vertel u geen sentimentele verhaaltjes, dus luistert u alstublieft naar me. Normaal gesproken wordt een cold case niet aan een inspecteur toegewezen die aan het hoofd staat van een heel rechercheteam, maar in het geval van doctor Little is me te verstaan gegeven dat ik de zaak persoonlijk moest behandelen omdat u ons een grote som geld in het vooruitzicht hebt gesteld.'

'Op voorwaarde dat u de dader opspoort.'

'Op voorwaarde dat we de dader opsporen.' Decker zweeg even. 'Geloof me, deze afdeling kan het geld goed gebruiken. Ikzelf ook. U mag me best nog meer geld aanbieden. En als ik de dader opspoor, zal ik dat geld ook aanpakken. Ik hou van geld. Maar ik geef u de verzekering, mevrouw Greeves, dat ik niet nog harder kan werken dan ik nu doe. En ik heb echt geen extra stimulans nodig. De hoop dat ik de zaak zal oplossen, is mijn stimulans. Ik heb een hekel aan onafgewerkte zaken.'

Genoa staarde hem met kille ogen aan. 'U denkt dat u me met een kluitje in het riet kunt sturen.'

'Ik vertel u de waarheid.'

'Ik wil wedden dat u als kind een pestkop was.'

'U weet helemaal niets over mij, al kunt u vermoedelijk aan mijn postuur wel afleiden dat ik op school in het footballteam zat. Wilt u weten hoe het met het onderzoek staat? Dan zal ik u dat vertellen. Misschien komen er bij uzelf dan ook herinneringen los over Ben Little en uw verleden, dingen die ons een stapje verder kunnen brengen.'

De vrouw beantwoordde zijn harde blik, maar knipperde uiteindelijk toch als eerste met haar ogen. 'Goed.' Ze ging verzitten. 'Hoe ver bent u?'

'Wilt u soms een glaasje water of een kop koffie voordat ik begin? Er gaat wel wat tijd inzitten. En u zult wel vragen hebben.'

'Water graag. Normaal gesproken heb ik een rugzak bij me met mijn favoriete drankjes.' Ze streek haar rok glad. 'Normaal gesproken loop ik rond in een spijkerbroek en een T-shirt. Ik weet niet waarom, maar ik voelde me gedwongen me voor deze gelegenheid wat op te tutten.'

'Niet speciaal voor het LAPD, hoop ik.' Hij glimlachte naar haar. 'Het is lang geleden dat u in Southern Cal was.'

'Ik ben hier ook niet graag. Niets dan nare herinneringen.' Ze bekeek hem neutraal. 'U lijkt me redelijk scherpzinnig. Ik zou niet zo bits tegen u moeten doen.'

'Ik ben er wel aan gewend. En ik ben best een aardige vent.' Hij hield haar een schaaltjes voor met Rina's zelfgebakken koekjes. 'Koekje? Mijn vrouw heeft ze gebakken.'

'Is uw vrouw het melk-en-koekjestype?'

Decker schoot in de lach. 'Was het leven maar zo eenvoudig. Tast toe, dan haal ik onderhand een glaasje water voor u.' Toen hij terugkwam, had ze al een tweede koekje gepakt. Tegen de tijd dat Decker zijn verhaal had gedaan, kwam Strapp eindelijk opdagen. De hoofdinspecteur maakte een kalme, beheerste indruk, maar Decker kende hem goed genoeg om te weten dat hij nerveus was. Strapp stak zijn hand uit. 'Het spijt me dat ik niet aanwezig was, mevrouw Greeves. Als u me de volgende keer even kunt laten weten wanneer u komt, zal ik ervoor zorgen op kantoor te zijn.'

'Dat is juist de reden waarom ik het niet heb aangekondigd,' antwoordde Genoa. 'Ik wilde zien wat hier gebeurt voordat u de gelegenheid kreeg zich op mijn bezoek voor te bereiden. Inspecteur Decker heeft me inmiddels op de hoogte gebracht van de stand van zaken. Hij werkt hard, maar is nog niet ver gekomen. Misschien kunt u ervoor zorgen dat hij wat meer mankracht krijgt om Rudy Banks op te sporen.'

'Ik zal het bekijken,' zei Strapp.

Maar zijn gezicht stond wezenloos. Hij was slechts vaag op de hoogte van de zaak en had geen idee wie Rudy Banks was en wat die ermee te maken had.

Decker zei: 'Ik zat mevrouw Greeves net te vertellen dat ze bij bureau Hollywood ook wel willen weten waar Banks is, nu we bloed hebben aangetroffen in zijn flat.'

'Omdat zijn flat in die wijk ligt en vanwege de zaak-Ekerling,' zei Strapp in het wilde weg.

'Inderdaad,' zei Decker. 'Ik heb met Ekerlings vriendin gesproken. Zij had Primo's tandenborstel nog. Het lab is nu bezig met Ekerlings DNA. Maar zelfs als we iets vinden, zullen Rip Garrett en Tito Diaz dit verder moeten behandelen, omdat Ekerling hun zaak is.'

Strapp knikte.

'En hoe zit het met die kerels die al zijn opgepakt voor de moord op Ekerling?' vroeg Genoa.

'Die beweren alleen de auto te hebben gestolen. Ze zeggen dat ze niets met de moord te maken hebben.'

'En wat denkt u?' vroeg Genoa.

'Eerlijk gezegd heb ik daar nog geen oordeel over. Ik ben ermee bezig, maar moet discreet te werk gaan. Ekerling is niet officieel mijn zaak.'

'Dat is belachelijk. Uw teams zouden moeten samenwerken in plaats van moeilijk te doen over wat bij wie hoort.'

'Het is ook belachelijk, maar deze structuur bestond al voordat ik hier kwam werken,' zei Decker. 'Ik heb het er maar mee te doen.'

Genoa trok een ongeduldig gezicht. 'Zou het helpen als ik Hollywood een financiële stimulans aanbood in ruil voor samenwerking met u?'

Decker glimlachte. 'Uw bedoelingen zijn goed, mevrouw Greeves, maar zoiets zal misschien juist een averechtse uitwerking hebben. Vindt u het goed dat ik het nog een poosje op mijn manier blijf proberen?'

Genoa haalde haar schouders op. 'Zoals u wilt.' Ze stond op en wendde zich tot Strapp. 'Ik neem over een dag of veertien weer contact met u op. Ik heb uw bureau meer geld geboden voor een snellere oplossing, maar inspecteur Decker zegt dat hij onmogelijk nog harder kan werken dan hij nu al doet.'

Strapp oogleden trilden. 'Dat is ook zo.'

'Ik heb van de gelegenheid gebruik gemaakt om uw computer te bekijken. Die is hopeloos verjaard.'

'We krijgen afdankertjes,' zei Decker.

'Ik wil graag al uw computer vernieuwen. Ik kan de publiciteit wel gebruiken en u zult dan wellicht allerlei zaken sneller kunnen oplossen.'

'Vast wel,' zei Decker. 'Alle hulp is dan welkom.'

'Ja, heel hartelijk dank,' zei Strapp.

Genoa haalde haar zonnebril tevoorschijn en zette hem op. 'Uw inspecteur lijkt een man te zijn die nog principes heeft, hoofdinspecteur Strapp. In mijn wereld zijn zulke mensen bijzonder zeldzaam. De laatste man die nog principes had, was doctor Little. En u weet hoe het met hem is afgelopen.'

26

Strapp krabde op zijn hoofd. 'Ik snap niet hoe het je is gelukt haar zo te paaien, maar kun je dat trucje ook toepassen op mijn bazen? Die zitten me constant op mijn huid.'

'Zeg maar dat u bij haar in een goed blaadje bent komen te staan,' zei Decker. 'En om dat te onderstrepen, kunt u erbij vertellen dat ze ons nieuwe computers heeft beloofd.'

'Ze vinden het anders niet leuk als een bepaald bureau wordt voorgetrokken. Je weet hoe jaloers ze op elkaar zijn.'

'Maar als ze zoiets aanbiedt, kunnen we moeilijk weigeren. Stel dat we haar gevoelens kwetsen en dat ze dan het aanbod intrekt?'

Een zweem van een glimlach. 'Je hebt gelijk. Ze kunnen de boom in met hun gekonkel. En vertel me nu maar eens wie Rudy Banks is.' Decker bracht hem op de hoogte. Strapp zei: 'Als je wat extra mensen nodig hebt om hem op te sporen, kan ik dat wel regelen.'

'Dank u wel, maar ik wil toch nog wel even proberen of ik hem zelf kan vinden.'

'Goed, maar hou me op de hoogte.' En hij voegde er nog aan toe: 'Erg knap, zoals je Greeves hebt aangepakt, Pete. Als ze me nog een keer wil spreken, wil ik jou erbij hebben.' Toen de hoofdinspecteur vertrok, botste hij bijna tegen Marge en Oliver op, die net bij Decker naar binnen wilden gaan. Hij monsterde hen snel. Oliver droeg een blauw pak en Marge een donkere broek en een trui. Passende kleding, netjes, functioneel... Strapp was tevreden, want Oliver was vaak iets te extravagant uitgedost naar zijn smaak.

'Goedemiddag, hoofdinspecteur Strapp,' zei Oliver.

'Goedemiddag.' Een knikje naar Marge. 'Brigadier.'

Ze wachtten tot hij de recherchekamer had verlaten. Toen vroeg Marge aan Decker: 'Hoe is het gegaan met Genoa? Goed, slecht, middelmatig?'

'Goed.' Decker lachte. 'We krijgen nieuwe computers van haar cadeau.'

Oliver trok een waarderend gezicht. 'Hoe heb je dat voor elkaar gekregen?'

'Ze bood het zelf aan.' Hij gebaarde dat ze moesten gaan zitten. 'Zeg het eens.' Marge en Oliver gaven hem een samenvatting van hun gesprekken met Jared Little en Delia Defoe. Hij vroeg: 'En wat dachten jullie nu te gaan doen?'

Oliver zei: 'Ik heb Nick Little daarnet gebeld. Hij zei vrijwel precies hetzelfde als zijn broer. Dat hun ouders inderdaad soms ruzie hadden, maar dat zulke dingen in de beste families voorkomen. In tegenstelling tot Jared deed hij vaag over het onderwerp van de ruzies. Hij heeft weliswaar weinig of geen contact met zijn moeder, maar het is duidelijk dat hij niet van plan is haar te compromitteren.'

'Dat Ben het beheer had over haar trustfonds,' zei Marge, 'moet geleid hebben tot wrok.'

'Genoeg om een moord te plegen?' vroeg Decker haar.

'Dat weet ik niet. Haar moeder zei dat ze altijd met een rijke man had willen trouwen. Niet alleen heeft ze dat niet gedaan, maar het geld dat haar beloofd was, werd aan haar man in beheer gegeven.'

'Als ze hem heeft laten vermoorden, moet het geld daarvoor ergens vandaan zijn gekomen,' zei Decker. 'Je zei dat er geen geld op de bankrekeningen stond.'

'Ze heeft het geld van de verzekering er meteen doorheen gejaagd,' zei Oliver. 'Iedereen gaat ervan uit dat ze het meeste heeft vergokt, maar misschien heeft ze een deel gebruikt om de rekening voor dat karwei te betalen.'

Decker zei: 'Ik begrijp nog steeds niet wat ze met zijn dood dacht te bereiken. Als ze geld wilde, had ze veel meer aan hem zolang hij leefde. Ze wist dat haar ouders haar geen zeggenschap over het geld zouden geven. Zolang haar man haar financiën beheerde, had ze juist meer kans op extraatjes.'

Geen commentaar.

Decker ging door. 'Het heeft weinig zin hierover te speculeren tot we meer informatie hebben over de hoeveelheden geld die Melinda rond de tijd van de moord uitgaf. Neem haar financiën nog een keer door en zoek uit waar het geld van de verzekering is gebleven.'

Oliver zei: 'Ik zal kijken wat ik kan vinden.'

Marge zei: 'Hoe zit het met Phil Shriner, Scott?'

Decker zei: 'Ik dacht dat hij had gezegd dat hij haar pas na de moord had leren kennen.'

'Dat zegt híj,' antwoordde Marge. 'Hij maakte op ons een niet al te oprechte indruk.'

Oliver zei: 'Ik blijf erbij dat ze iets met elkaar hadden.'

Marge schudde haar hoofd. 'Dat denk ik juist niet. Melinda is daarvoor te... Ik weet het niet. Hij is ook veel te oud voor haar.'

'Als je erg om geld verlegen zit, Marge, hang je je principes snel aan de wilgen.' Ze moest toegeven dat hij daarin gelijk had. 'Ik zal zien of ik deze week een afspraak met Shriner kan krijgen.' Hij vroeg aan Marge: 'Hoe druk heb jij het?'

'Ik moet naar een paar rechtszaken en ben nog steeds op zoek naar Jervis Wenderhole. Als ik geen tijd heb, moet je maar zonder mij gaan. Misschien is dat zelfs beter, een gesprek van mannen onder elkaar.'

'Goed. Als het niet anders kan, ga ik in mijn eentje,' zei Oliver. 'Wie is Jervis Wenderhole eigenlijk?'

'Een vriendje van Arlington,' zei Decker.

Marge zei: 'Ik geloof trouwens dat ik hem al heb gevonden. In het Lynnwood Youth Center heeft een jeugdleider gewerkt die zo heet, maar hij werkt er nu niet meer en de secretaresse heeft geen idee waar hij is. Ik ben navraag aan het doen bij andere jeugdcentra.'

'En waarom wil je met hem praten?' vroeg Oliver.

'Omdat ik geloof dat Darnell Arlington iets achterhoudt. Als ik hem kan betrappen... als ik een verband ontdek tussen hem en Rudy Banks of Primo Ekerling, kan ik hem misschien de waarheid ontfutselen.'

'Goed plan.' Decker keek op zijn horloge. 'Ik moet weg. Ik ga naar de herdenkingsdienst voor Cal Vitton in Simi Valley. Arnie Lamar heeft me ingeseind en hij zei dat hij een paar van zijn oud-collega's zou meebrengen. Shirley Redkin, de rechercheur die het onderzoek naar Cals zelfmoord doet, komt ook. Misschien kan ze me vertellen wat er in het rapport van de lijkschouwer staat.'

'Komt er ook familie?' vroeg Marge.

'Ja, Cals ex zou komen. Ik heb van Lamar gehoord dat hun echtscheiding een veldslag was, maar toen Arnie haar belde, klonk ze toch wel verdrietig, zei hij.'

Oliver dacht daar even over na. 'Ik denk dat mijn ex ook wel een traantje zou laten als ik me voor mijn kop schoot.'

'Als je het maar laat,' zei Marge.

Decker zei: 'De zonen van Cal komen ook. De oudste, Freddie, brengt zijn gezin mee uit Nashville. Cal junior komt samen met zijn partner Brady.'

'Waar wordt de dienst gehouden?' vroeg Oliver.

'In de Kerk van de Goede Herder, waar die ook moge zijn.' Decker keek weer op zijn horloge. 'Ik mag wel wat extra tijd rekenen omdat ik de buurt niet ken. En het is ook nog de vraag hoe het zit met parkeergelegenheid, want ik heb gehoord dat de opkomst best groot zal zijn.'

'Volgens mij wordt het inderdaad een volle bak,' zei Marge.

'Dat is te hopen. Het zou erg triest zijn als ze een herdenkingsdienst hielden en er geen hond kwam opdagen.'

Het was een gigantische kerk, gebouwd in een tijd dat zowel grond als constructie goedkoop waren. Een façade van met de hand uitgehouwen stenen, majestueuze plafonds, glas-in-loodramen, en een pijporgel dat Bach waard was. Cal Vitton had zich geen mooiere plek kunnen wensen waar hij zich voor de laatste keer kon laten gelden. De Kerk van de Goede Herder stond in een heuvelachtig landschap vol eikenbomen, platanen en eucalyptussen. De veldbloemen – klaprozen, lupines, madeliefjes – stonden in bloei maar waren aan het verwelken nu de dagen lengden en de zon steeds warmer werd.

Er waren ongeveer vijftig mensen gekomen. Ze zaten voorin bij elkaar, met achter hen een zee van walnoothouten banken. Decker, die al honderden begrafenissen en herdenkingsdiensten had meegemaakt, hoorde meteen dat de dominee Cal niet had gekend. Zijn toespraak klonk ingeblikt, neutraal, alsof hij hem uit een studieboek voor dominees had gehaald, al droeg hij hem voor met galmende stem. Daarna mocht iedereen die iets over Vitton wilde zeggen, naar voren komen.

Freddie beet het spits af. Hij was een slanke, gebruinde man met donkere krullen, een rond gezicht en zachte gelaatstrekken. Zijn emoties leken oprecht, want hij schoot een paar keer vol. Hij sprak over de werkethiek van zijn vader, over zijn gevoel voor gerechtigheid en zijn trouw ten opzichte van zijn collega's.

Daarna sprak Cal junior, stoïcijns, met droge ogen. Hij herhaalde veel van de onderwerpen waar zijn broer al over had gesproken, noemde zijn vader een uitmuntende rechercheur, een noeste werker, een man bij wie gerechtigheid hoog in het vaandel stond. De ex kwam niet naar voren, maar een paar van Cals collega's wel. Arnie Lamar was degene die nog het meeste over Vitton te zeggen had en zelfs dat was niet veel. Alle loftuitingen gingen over Cal de agent en niet over Cal de echtgenoot en vader.

De dienst duurde iets meer dan een uur. Daarna was er een receptie in een zaaltje dat bij de kerk hoorde. Daar was ruimte te over voor de aanwezigen om zich te verspreiden, maar de groep verdrong zich rond de etenswaren: een aantal tafels met gebakjes, koekjes, fruit en broodjes. Er werd koffie en thee geserveerd, maar geen sterkedrank, waardoor het zo goed als zeker een kortstondige receptie zou zijn.

Omdat de gebroeders Vitton het druk hadden met condoleances in ontvangst nemen, vond Decker het een goede gelegenheid om een praatje te gaan maken met rechercheur Shirley Redkin en hij trof haar precies op het moment dat ze een stuk ananas in haar mond stak. Haar donkere ogen werden groot en ze stak haar wijsvinger op.

Decker zei: 'Ja, daar heb ik ook zo'n hekel aan. Je kunt onmogelijk elegant kauwen als er iemand staat te wachten die met je wil praten.'

Kauw, kauw, slik, slik. 'Inderdaad. Ik had u nog willen bellen over de sectie.' Ze zocht om zich heen naar een rustig plekje waar ze konden praten. Ze liepen naar een hoek van het vertrek. 'De lijkschouwer heeft geen definitief uitsluitsel gegeven, maar neigt naar zelfmoord.'

'Waarom weifelt hij?'

'Niet vanwege wat er ter plekke is aangetroffen. Vittons hand zat vol bloedspatten en kruitsporen en de schroeivlek had de juiste omvang voor iemand die van korte afstand de trekker had overgehaald. De pillen waren oud maar bevatten nog voldoende actieve ingrediënten om hem te hebben versuft. Er zijn geen verdachte stoffen aangetroffen in zijn bloed, behalve sterkedrank en oxycodon.'

'Dan vraag ik u nogmaals: waarom geen definitief uitsluitsel?'

'Vanwege de omstandigheden. U had Vitton over een cold case opgebeld en twaalf uur later was hij dood. Ik denk dat het lab wat speelruimte wil, voor het geval ander bewijsmateriaal boven water komt en we de zaak moeten heropenen.'

'Hebt u de familie al op de hoogte gebracht van de conclusies van de lijkschouwer?'

'Ja, en die hebben ze zonder meer geaccepteerd.'

'Heeft Vitton iets nagelaten wat waarde heeft?' vroeg Decker.

'Zijn huis en ongeveer tienduizend dollar aan spaargeld, dat zijn zonen moeten delen.'

'Ik ben niet bekend met Simi Valley. Wat is zijn huis waard?'

'Ongeveer vierhonderdduizend dollar. Na aftrek van commissies, belasting en wat er nog meer bij komt, zullen de zonen ieder ongeveer honderdduizend overhouden.'

Decker trok zijn wenkbrauwen op.

'Ja, ik weet het,' zei Shirley, 'mensen worden ook voor een kwartje vermoord, maar ik heb alvast een onderzoekje ingesteld naar de broertjes. Freddie heeft een jaarinkomen van zes cijfers en Cal junior heeft een goede baan als decorontwerper.'

'Hebben de broers verslavende gewoonten?'

'Niet voor zover ik weet, maar ik ben niet diep op het motief van winstbejag ingegaan. Vanuit ieders standpunt bezien was Cal Vitton een verbitterde, gedeprimeerde man. Iedereen houdt het vooralsnog op zelfmoord. Maar ik blijf uitkijken naar tegenstrijdig bewijs.'

Decker zei: 'Misschien moet ik gaan nadenken over wat Cal Vitton ertoe heeft aangezet zelfmoord te plegen, in plaats van te blijven hangen bij de vraag of het zelfmoord was of niet. Bedankt voor uw hulp, brigadier Redkin. U neemt contact met me op als u iets te weten komt?'

'Uiteraard.' Ze keek op haar horloge. 'Hoe gezellig het hier ook is, de plicht roept.' Een glimlach. 'Tot ziens, inspecteur Decker. Of misschien niet.'

Decker keek haar na en liep terug naar de tafels, maar werd halverwege aangesproken door Arnie Lamar die zei dat hij hem wilde voorstellen aan een groepje gepensioneerde rechercheurs. In snel tempo maakte Decker kennis met Chuck Breem, Allan Klays, Tim Tucker en Marvin Oldenberg, mannen die net als Arnie geaderde handen, levervlekken en een kalend hoofd hadden. Maar hun ogen waren nog scherp en namen, immer achterdochtig, alles op.

De eerste vijf minuten gingen op aan luisteren naar 'hoe het vroeger was'. Daarop volgden tien minuten aan sterke verhalen over de gebruikelijke verdachten: dealers, gangsters, klaplopers, pooiers en prostituees. Decker had het allemaal al honderd keer gehoord en deed niet eens moeite net te doen alsof hij luisterde. Hij keek juist demonstratief op zijn horloge terwijl hij zijn blik heen en weer liet gaan tussen Freddie Vitton en zijn jongere broer Cal junior. Lamar begreep de hint.

'Oké, mannen, nu moet ik hem even voorstellen aan de jongens,' zei Lamar. 'Hou de motor draaiende. Ik ben zo terug.' Hij liep met Decker naar Freddie en wachtte op een geschikt moment om hen aan elkaar voor te stellen. Vitton nam Decker taxerend op. 'Was u een vriend van hem?'

'Nee, ik was naar hem toe gegaan om over een oude zaak te praten die uw vader had behandeld.'

'Bennett Little,' zei Lamar behulpzaam.

Vittons blik dwaalde af. 'Bennett Little. Doctor Ben noemden we hem. De grote misser. Dat zei mijn vader altijd.'

'Heeft uw vader u veel over de zaak verteld?'

'Nee. Hij vertelde nooit iets. Niet dat we van elkaar vervreemd waren of zo, maar we gaven elkaar veel privacy. We zagen elkaar maar een paar keer per jaar, tijdens de feestdagen. Thanksgiving, Kerstmis, verjaardagen. Mijn vader was ook geen prater. Arnie kan dat bevestigen.'

'Klopt,' zei Lamar.

'Dat had ik al begrepen uit uw toespraak,' zei Decker tegen Freddie. 'U hebt mooi gesproken.'

'Dank u. Wat voor nieuwe informatie hebt u over Little?'

'Niets,' zei Lamar snel.

Decker zei: 'Ik geloof dat je vrienden willen dat je terugkomt, Arnie. Ze maken achter je rug nogal aanstootgevende gebaren.'

'Ik ga al,' zei Lamar. 'Tot zo dan, Freddie. Ga je nog steeds mee een hapje eten?'

'Ja.' De zoon keek weer naar Decker. 'Het valt me mee dat mijn vader bereid was met u over Little te praten. Toen hij eenmaal was gepensioneerd, wilde hij niks meer over politiewerk horen.'

'Hij wilde ook niet met me praten. Ik moest erg aandringen. Maar uiteindelijk vond hij het goed dat ik kwam. Daarom was ik zo verbaasd dat hij... er niet meer was toen ik bij zijn huis aankwam.'

'Denkt u dat er verband bestaat tussen uw telefoontje en zijn dood?' Freddie lachte zachtjes. 'Ja, natuurlijk. Waarom zou u er anders over beginnen? Denkt u dat mijn vader is vermoord? Bedoelt u dat? De lijkschouwer zei dat de doodsoorzaak nog niet definitief is vastgesteld. Wil dat zeggen dat ze er niet zeker van zijn?'

'Het wil zeggen dat het mogelijk is dat hij vermoord is, maar dat ze het niet zeker weten. Ik vraag me nu af of het hernieuwde onderzoek naar de moord op Little hem ertoe heeft aangezet zelfmoord te plegen.'

'Wat wilde u mijn vader eigenlijk vragen?'

'Ik was toen alleen nog maar bezig informatie te verzamelen. Sindsdien ben ik een en ander te weten gekomen. Zegt de naam Rudy Banks u iets?'

'Ja zeker. Rudy Banks is een vuile oplichter. Een man die iedereen besteelt en als je het waagt er iets van te zeggen, maakt hij je het leven zuur en klaagt hij je nog aan ook. Hij is een gehate figuur in de muziekindustrie. Maar mijn haat voor Banks ligt op het persoonlijke vlak. Hij heeft mijn broer vier jaar lang getreiterd. Als doctor Ben niet had ingegrepen, denk ik dat Cal zelfmoord zou hebben gepleegd.'

Decker haalde diep adem terwijl hij die informatie in zich opnam. Hij pakte zijn notitieboekje. 'Pestte hij je broer omdat die homoseksueel is?'

'Ja. Maar ook omdat hij ermee weg kon komen. Niet toen ik op North Valley zat. Rudy zat een paar klassen lager dan ik en de enige keer dat hij heeft geprobeerd mijn broer te pesten toen ik daar nog op school zat, heb ik hem heel duidelijk laten zien wie de baas was. Hij heeft moeten wachten tot ik van school was voordat hij zijn schrikbewind kon gaan voeren. God, wat een hufter.'

'Hij wordt vermist,' zei Decker. 'Hij is dit weekend verhuisd en sindsdien heeft niemand meer iets van hem gehoord.'

'Dan wordt hij niet vermist. Dan heeft hij het aan de stok gekregen met iemand die iets niet van hem pikte en heeft hij de benen genomen.'

'Treiterde hij uw broer alleen met woorden of ook met daden?'

'Hij schopte hem, sloeg hem, gebruikte hem als boksbal, liet hem struikelen, en dat was alleen een opwarmertje. Hij heeft ook een keer tijdens de gymles zuur tegen zijn achterwerk gegooid.'

'Jezus! Is hij daarvoor gearresteerd?'

'Mijn broer wilde geen klacht indienen bij de politie. Cal heeft nog geboft. Hij had zich op het laatste moment omgedraaid. Het zal u duidelijk zijn voor welk lichaamsdeel dat zuur bedoeld was.'

'Wat heeft uw vader daaraan gedaan?'

'Niks, want mijn broer heeft het hem niet verteld.'

'Uw vader moet geweten hebben dat er iets mis was.'

'Dat zal best, maar hij was er de man niet naar om over emoties te praten. En al had Cal het hem verteld, dan zou hij gezegd hebben dat hij het "als een kerel moest dragen".'

'Er is een verschil tussen vuistgevechten en brandwonden.'

'Ja, en misschien zou pa ook wel iets gedaan hebben als hij dat had geweten.'

'Wist uw vader niet dat Rudy Cal zo treiterde?'

'Geen idee. Ik was toen al van school en hoorde het pas toen ik tijdens een vakantie naar huis kwam en zijn gehavende huid zag. Cal zei dat het een ongelukje was geweest, maar toen ik aandrong, heeft hij me de waarheid verteld. Ik wilde Rudy meteen te grazen nemen, maar Cal hield me uit alle macht tegen. Hij zei dat doctor Ben zich ermee bezighield. Ik had veel respect voor doctor Ben. Daar heeft Rudy mee geboft. Anders had ik hem gecastreerd.'

Hij wrong zijn handen.

'Hoor eens, ik weet dat u informatie wil verzamelen, maar vraag Cal hier alstublieft niets over. Het heeft heel lang geduurd voordat hij eroverheen was. Ik bedoel niet alleen het trauma van wat Rudy hem had aangedaan, maar ook dat hij aan pa moest vertellen dat hij van de verkeerde kant was. Het gaat nu goed met hem. Hij heeft een goede baan en een leuke vriend. Ik wil hem niet opnieuw zien lijden. En dit zijn nu eenmaal pijnlijke onderwerpen.'

Decker knikte. 'Ik heb gehoord dat Rudy in de voorlaatste klas van school is gegaan.'

'Van school is getrapt.'

'Vanwege uw broer?'

'Ook. Maar ook om honderd andere redenen.'

'Wie heeft ervoor gezorgd dat hij van school getrapt werd? Doctor Ben?'

'De hele staf, denk ik. Wat heeft dit te maken met de dood van mijn vader?'

'Ik denk dat Rudy iets te maken heeft met de moord op Little, maar ik weet niet hoe en waarom. Daar komt nog bij dat Rudy al vijf jaar van school was toen Little werd vermoord en ik niet begrijp waarom hij zo lang heeft gewacht als hij Little wilde vermoorden. Heeft uw vader Rudy ooit als een verdachte in die zaak beschouwd?'

'Mijn vader besprak die zaak niet met mij. Ik was toen al het huis uit. Maar als er een reden was geweest om Rudy in hechtenis te nemen, zou mijn vader dat zeker hebben gedaan. Hij kon Rudy niet uitstaan, en niet alleen vanwege Cal. Rudy raakte voortdurend in moeilijkheden.'

Decker zei: 'U zegt dus eigenlijk dat Banks vermoedelijk niets te maken had met de moord op Little, want anders zou uw vader hem meteen opgepakt hebben.'

'Misschien verdacht hij hem ervan maar had hij geen bewijs. Als mijn vader afdoende bewijsmateriaal had gehad, zou hij hem beslist te grazen hebben genomen. Hij haatte Rudy.'

'En haatte Rudy hem ook?'

'Rudy haatte iedereen.'

'Inclusief Ben Little?'

'In het bijzonder Ben Little. Little had altijd iets op hem aan te merken, en met reden.'

'De moord lijkt het werk te zijn geweest van een huurmoordenaar. Zou Banks zoiets hebben kunnen regelen?'

'Makkelijk. Banks was op school al drugsdealer. Hij kende vast mensen uit de onderwereld.'

'Had hij er het geld voor?'

'Toen Little werd vermoord, hadden de Doodoo Sluts al een paar grote hits. Hij zal het geld er dus wel voor gehad hebben.'

'Ik heb gehoord dat hij zijn geld hoofdzakelijk aan drank en drugs uitgaf. Dat heeft een van de andere leden van de band me verteld.'

'Dat zal best. Dat weet ik niet.'

Deckers hersens draaiden nu op volle toeren. 'Hoe weet u eigenlijk dat Rudy drugs dealde?'

'Omdat ik mensen kende die bij hem kochten.'

'Zegt de naam Darnell Arlington u iets?'

Vitton schudde zijn hoofd. 'Nee. Wie is dat?'

'Iemand die ook op North Valley heeft gezeten, maar een stuk jonger is dan u. Hij was een van de zwarte jongens die met de bus uit een andere stad kwamen. En hij was een van de jongens om wie Ben Little zich bekommerde.'

'Sorry. De naam zegt me niks.'

'Hij verkocht ook drugs. Misschien kende hij Rudy Banks. Bleef Rudy drugs dealen nadat hij van school was?'

'Dat zou ik echt niet weten. Ik heb mijn biezen gepakt en heb nooit meer naar deze stad getaald.'

27

Door de herdenkingsdienst en de onverwachte ontmoeting met Genoa Greeves, naast al zijn andere dagelijkse verantwoordelijkheden, waren Deckers zenuwen tot het uiterste gespannen. Hij worstelde met allerlei ideeën en theorieën en het dienstrooster bezorgde hem hoofdbrekens nu de maanden in snel tempo op de zomervakanties afstevenden. Toen hij thuiskwam, wilde hij dan ook alleen nog maar douchen, eten en slapen.

Rina, daarentegen, was gekleed op een avondje uit in een roze truitje met korte mouwen, een bruine suède rok, sieraden en make-up. De keuken zei trouwens nog veel meer, want die was aromaloos en donker.

'Hannah blijft bij Aviva slapen, dus leek het me wel leuk om uit eten te gaan.' Ze bekeek hem. 'Maar ik kan ook wel snel iets maken, hoor.'

'Nee, nee.' Decker diepte een glimlach op. 'We gaan uit eten, in een goed restaurant.'

Rina glimlachte terug. 'Ik heb in de stad een tafeltje besproken, maar als dat je te ver is, regel ik wel iets anders.'

'Nee, ik vind het niet erg om te rijden. Ik ga even onder de douche en dan kunnen we.'

'Dat is lief van je. Want je ziet er echt moe uit.'

'Van een goede cabernet en een sappige biefstuk knap ik vanzelf wel weer op.'

'Ik denk eerder dat je daarvan in slaap zult vallen.'

'Dan mag jij op de terugweg rijden.'

Waar Decker van opknapte, waren de verhalen van Rina over hoe haar dag was verlopen: de kinderen, de school, het werk in de tuin, het nieuwe bloemenzaad dat ze had gekocht, het nieuwe gerecht dat ze voor de zaterdag wilde maken, Hannahs koorrepetities, Sammy die voor arts wilde gaan studeren. Decker hield van de melodieuze klank van haar stem. Hij vond het heerlijk om naar haar te kijken. Hij genoot van haar aanraking toen ze op de tafel elkaars handen vasthielden. Al deze dingen samen zorgden ervoor dat zijn hersens niet overbelast raakten.

Nadat hij een voorgerecht van sushirolletjes had verorberd, besefte Decker dat hij een reuze honger had. Hij bestelde een T-bone steak van de grill, medium rare, en at met smaak. Het nagerecht sloegen ze over, maar na de maaltijd dronken ze op hun gemak nog een kopje thee.

Rina bekeek hem door de damp die van haar kamillethee opsteeg. 'En wat heb jij voor nieuws?'

'Niet veel.'

'Nu jok je.'

'Ja.' Decker wreef over zijn voorhoofd. 'Vanochtend kreeg ik plotsklaps bezoek van Genoa Greeves.'

'De hightechmultimiljonair die het balletje aan het rollen heeft gebracht.'

'De enige echte. Het eerste wat ze zei was dat ik waarschijnlijk niet goed in mijn werk ben omdat ik maar zo'n klein kantoor heb.'

'Zei ze dat echt?'

Decker lachte. 'Iets van die strekking. Toen we begonnen te praten, ontdooide ze enigszins, maar niet van harte. Tegen de tijd dat we uitgepraat waren, had ze ons beloofd dat we nieuwe computers van haar zouden krijgen. Gratis en voor niks.'

'Heb je haar zo gecharmeerd, sluwe vos die je bent? Hoe reageerde Strapp daarop?'

'Zeer diplomatiek.'

'Logisch. Hoe heb je haar zover gekregen? Ik neem tenminste aan dat jij het was en niet Strapp.'

'Inderdaad. Ik denk dat ze mijn openhartigheid gewoon op prijs stelde. Ze bood mij persoonlijk geld aan voor de ontknoping van de zaak, zie je, en toen heb ik gezegd dat ze dat best mocht doen, maar dat ze er niets mee zou opschieten.'

Rina grinnikte. 'Echt iets voor jou.'

'Ja, dom hè?'

'Je bent gewoon erg integer.'

'Ik ben gewoon niet goed bij mijn hoofd.'

'En hoe was de herdenkingsdienst?'

'Triest.'

'Ben je nog iets te weten gekomen?'

'Ja, dat Rudy Banks de zoon van Cal Vitton op school erg heeft gepest.'

'De producer in Nashville?'

'Nee, dat is de oudste zoon. Banks had het op de homoseksuele jongste zoon voorzien.'

'Ik wist niet dat Cal Vitton een homoseksuele zoon had. Wat heeft Rudy hem aangedaan?'

'Afgezien van het gebruikelijke getreiter heeft Banks een keer zuur naar hem gegooid. Hij mikte op zijn geslachtsdelen, maar Cal draaide zich net op tijd om en toen kwam het zuur op zijn rug terecht.'

'Nee toch?!' zei Rina geschrokken. 'Ik hoop dat Banks daar een gevangenisstraf voor heeft gekregen.'

'Nee, want Cal junior heeft het voor zijn vader verzwegen.'

'Zijn vader zal toch wel geweten hebben dat er iets mis was?'

Decker haalde zijn schouders op.

Rina keek hem ongelovig aan. 'Peter, toen jij erachter kwam wat Sammy en Jacob was aangedaan, wilde je die ploert vermoorden!'

'Vitton was meer het type van "laat je niet kennen".'

'Zuur op zijn geslàchtsdelen, Peter?'

'Als Vitton het had geweten, had hij Banks heus wel in hechtenis laten nemen.'

'De arme jongen. Hoe heeft hij al die geestelijke en lichamelijke pesterijen kunnen verdragen?'

'Ik geloof dat doctor Ben hem te hulp is gekomen en dat Rudy toen van school is getrapt.'

'Rudy had dus een reden om Little te haten.'

'Ja, maar Little is pas vijf jaar daarna vermoord.'

Daar dacht Rina even over na. 'Als Little zich om Cals welzijn bekommerde, moet hij iets tegen Cals vader hebben gezegd.'

'Dat zal ook wel. Ik weet zeker dat Cal senior de pest aan Rudy had. Alleen had hij geen gegronde redenen om hem te arresteren.'

'Zuur op de geslachtsdelen... Dat laat je als vader toch niet over je kant gaan?'

'Ik denk niet dat hij daarvan op de hoogte was, Rina.'

'Een vorm van ontmanning...' Ze keek peinzend. 'Had Vitton wel een vermoeden dat zijn zoon homoseksueel was?'

'Lamar zei dat Cal junior er pas voor is uitgekomen toen hij al lang van school was, maar dat iedereen het wist.'

'Is Cal echt duidelijk homoseksueel of alleen maar... homoseksueel?'

Decker streek over zijn snor. Hij wist dat ze die vraag niet zomaar stelde. 'Nou... hij ziet er niet als een fatje uit, als je dat bedoelt. Hij heeft wel wat maniertjes, maar ik ken mannen met zulke maniertjes die met een vrouw getrouwd zijn. Ik heb maar een paar woorden met hem kunnen wisselen, maar hij blijft hier tot zaterdag. Misschien krijg ik hem morgen nog te spreken.'

'Op welke manier heeft Cal senior het verwerkt dat zijn zoon homoseksueel was?'

'Volgens Lamar door het voor zichzelf te ontkennen en er gewoon niet over te praten.'

'Hmmm...'

'Wat bedoel je daarmee?'

'Hoe zal ik het zeggen?' Ze dacht na. 'Ik heb ooit een zwaar religieus gezin gekend. Ze woonden in een van de strengorthodoxe wijken van Brooklyn. Ze hadden veel zonen. Een van hen was homoseksueel en is aan aids gestorven. De moeder was zo verdrietig... kapot was ze ervan. Maar de vader... voor hem kon de sjivve niet snel genoeg voorbij zijn. Ik dacht eerst nog dat ik het me verbeeldde, maar het viel meer mensen op.'

'Jouw indruk zal best juist zijn geweest.'

'Misschien wel, misschien ook niet. Het kan zijn dat die man diep in zijn hart veel van zijn zoon had gehouden, maar het was nergens aan te merken. Wel dat de geaardheid van zijn zoon walging in hem opwekte.'

'Ook al walgde Cal er misschien van dat zijn zoon homoseksueel was, ik durf er alles om te verwedden dat hij niet wilde dat de jongen werd mishandeld.'

'Natuurlijk niet. Dat zeg ik ook niet. Als hij had geweten wat Rudy had gedaan, had hij hem vast en zeker te grazen genomen. Ik vraag me alleen af... niet of hij het pesten gedoogde en zelfs niet of hij wist hoe erg het was. Net zoals ik zeker weet dat die vader niet had gewild dat zijn zoon aan aids zou sterven, maar dat zijn reactie evengoed vreemd was... niet zuiver. En net als bij die vader vraag ik me af of Cal senior het er heimelijk misschien mee eens was dat homoseksuelen werden gepest.'

Hij zette net zijn eerste mok koffie neer op zijn bureau toen de intercom kraakte. 'Goedemorgen, inspecteur Decker. Ik heb hier iemand die u wil spreken: Liam O'Dell.'

Dat was boffen. Hij had hem juist willen bellen.

'Dank je. Stuur hem maar door.'

Even later stond Mad Irish in zijn deuropening. Achter hem stond een forse latino agent die zijn blik strak op O'Dells nek gericht hield en zei: 'De metaaldetector piepte uiteraard. Ik heb hem gefouilleerd, maar niet gestript. Moet ik dat alsnog doen?'

'Nee, dank je. Het is wel goed zo.' Toen de agent weg was, zei Decker: 'Je bent vroeg op vandaag.'

'Ik ben helemaal niet naar bed geweest.'

Dat verklaarde waarom hij er zo belabberd uitzag: mismoedige, bloeddoorlopen ogen, een vlekkerige huid en een baard van twee dagen. En hij rook ook niet bepaald fris.

'Banks is hem gesmeerd.'

'Koffie?'

O'Dell reageerde geagiteerd. 'Hoor je me niet?' riep hij. 'Banks is hem gesmeerd!'

Decker stond op en deed de deur dicht. 'Ja, ik hoor je wel en als je niet ophoudt met schreeuwen, lig je zo dadelijk wijdbeens op de grond met je armen geboeid op je rug. Ga zitten!'

O'Dell zweeg beduusd en plofte neer op een stoel.

'Koffie?' vroeg Decker nogmaals.

Liam knikte. 'Graag. Bedankt.'

'Geen dank.' Decker belde om een kop koffie. 'Banks is afgelopen zaterdag verhuisd. Ik weet niet waarnaartoe. We zijn naar hem op zoek. Ik was al van plan je te bellen, dus ben ik blij dat je er bent. Waarom ben je zo kwaad?'

'Omdat ik geld van hem te goed heb en ik niet weet hoe ik dat nou ooit nog terug kan krijgen. Primo is dood. Aan Ryan heb ik niks. Ik sta er helemaal alleen voor en heb geen flauw idee waar Banks is. God, wat een klotesituatie!'

'Niet schreeuwen, zei ik.'

'Sorry.'

De koffie werd gebracht. Gek genoeg leek de cafeïne een kalmerend effect te hebben. Decker zei: 'Waarom breng je niet zelf een cd uit met hits van de Doodoo Sluts? Al was het maar om Banks uit zijn hol te lokken.'

'Waar moet ik het geld daarvoor vandaan halen? In deze business ben je zonder sponsor nergens.'

'Ik denk dat er heus wel oude fans van de Doodoo Sluts zijn die willen bijspringen. Ik heb gehoord dat jullie een hoop bewonderaars hadden, en niet alleen meisjes.'

'Dat is verleden tijd, man. Rudy heeft ze allemaal ingepikt. En ze waarschijnlijk ook genaaid.' Hij nam een gulzige slok van de hete koffie. 'Al mijn hoop was op de rechtszaak gevestigd. Niet voor mij, maar voor Ryan. De arme jongen heeft geen leven.'

'Dat weet ik. Ik ben bij hem geweest. Zijn broer is arts.'

'Heeft hij je dat verteld?'

'Ja, wel tien keer.'

'Dat klinkt als Ryan.'

'Krijgt hij hulp van zijn broer?'

'Ja... Barry is een goeie vent, maar hij heeft er ook het geld niet voor om Ryan in een geschikt tehuis te laten opnemen.'

'Ryan zei dat hij longarts is. Die verdienen meestal toch wel goed.'

'Hij heeft een baan op een universiteit.'

'O.' Decker nam een slokje koffie. 'Enig idee waar we Rudy kunnen vinden? Weet je misschien waar hij over het algemeen uithangt? Wat zijn favoriete nachtclub, bar, restaurant, casino, bordeel is?'

'Geen flauw idee. Ik weet niet wat hij deed en met wie. Als ik hem wilde spreken, probeerde ik hem altijd thuis te tackelen.'

'Te tackelen?'

'Bij wijze van spreken.'

'Wie is zijn advocaat?'

'Wat?'

'Rudy's advocaat. Hoe heet die? Je hebt een zaak tegen Banks aanhangig gemaakt. Je hebt een advocaat. Hij moet er ook een hebben. Gezien het aantal rechtszaken dat die vent heeft lopen, heeft hij er misschien wel meer dan één.'

'Rudy is zelf advocaat en vertegenwoordigt meestal zichzelf.'

'Met zo veel rechtszaken kan hij dat niet allemaal zelf doen.'

'Ik zou het aan mijn advocaat kunnen vragen.'

'Graag.' Decker gaf hem de telefoon.

'Nu?'

Het was net acht uur geweest. Decker zei: 'Als hij er niet is, laat je een bericht achter. Als er iemand weet waar Rudy is, moet het zijn advocaat zijn.'

'En die zal ons dat niet vertellen. Vertrouwenskwestie.'

'Dat weet ik. Maar dat is van later zorg. Ik wil eerst te weten zien te komen of Rudy nog leeft of niet.'

O'Dells lippen vormden een O. 'Denk je dan dat hij dood is?'

'Dat is nu juist de vraag.'

'Nee. Denk ik niet.' O'Dell wees de suggestie luchtig van de hand. 'Hij zal wel op de vlucht zijn voor zijn schuldeisers.'

'Of zijn dealers?'

O'Dell gaf niet meteen antwoord. Toen: 'Zou kunnen. Rudy was vroeger zelf ook een dealer.'

'Ja, dat weet ik. En ik denk dat hij ooit ene Darnell Arlington als een van zijn koeriers heeft gebruikt. Arlington was toen zestien. Een lange, zwarte jongen. Een geboren basketballer.'

'De naam komt me niet bekend voor, maar ik hoefde de drugs ook nooit te kopen. Dat deed Rudy. Rudy regelde alles voor de band: de drugs, de *roadies*, de meisjes, vooral de meisjes.'

'Wat voor soorten drugs?'

'Alles, van wiet tot heroïne. En als we niet high waren, zopen we. Ik kan me die Arlington niet herinneren, maar ik herinner me sowieso niet veel van die tijd. Zelfs de meisjes niet en dat vind ik erg klote. Dat ik me niet eens kan herinneren of het allemaal echt zo geweldig was of niet.'

'Hoe kwam Rudy aan het geld voor de drugs?'

'Dat zal hij wel van de winst van de band afgeroomd hebben. Hij ging over het geld. Het was stom van ons dat we alles aan hem overlieten, maar we waren te stoned om erover na te denken.'

'Ekerling leek iets helderder te zijn geweest. Waarom liet hij de financiën dan toch aan Rudy over?'

'Dat is de reden waarom we uit elkaar zijn gegaan: het geld. Toen Primo weer helder werd, kreeg hij door wat er gebeurde. Hoe helderder hij werd, hoe vaker hij ruzie kreeg met Rudy. Toen Rudy de band verliet, waren de Sluts de Sluts niet meer. We hebben het nog geprobeerd met een nieuwe zanger, maar het klikte niet. En de tijden waren aan het veranderen. Grunge was in opmars en iedereen wilde net zo klinken als Kurt Cobain. Ik haat Seattle.'

'Zegt de naam Jervis Wenderhole je iets? Zijn artiestennaam is A-Tack.'

'Nee, zegt me niks, maar ik ken natuurlijk niet iedereen.' Hij dronk zijn koffie op. 'Dus jij denkt dat Rudy dood is?'

'Hij is verhuisd en we kunnen hem niet vinden. Meer weet ik niet. Heb je echt geen idee waar hij zou kunnen zitten?'

'Hij zei altijd dat hij ooit in Mexico wilde gaan wonen. Omdat het leven daar goedkoop is en de vrouwen ook. Dat zei hij altijd.'

'Heeft hij een huis in Mexico?'

'Dat hoop ik. Het geld van de verkoop kan ik goed gebruiken.'

'Liam, als je iets te binnen schiet over waar hij zou kunnen zijn, of als je hem weet te vinden, bel me dan meteen. Er zijn bloedvlekken ontdekt in zijn flat. Meer bloed dan je van een sneetje in je vinger krijgt.'

'Echt waar?' O'Dell keek nu heel serieus. 'Was het van Primo?'

'Nee. Die had O positief. Dit bloed is B positief. Ergens ligt een naamloos lijk waar Banks meer over weet,' zei Decker. 'Was hij kwaad op iemand in het bijzonder?'

'Niet op iemand in het bijzonder. Hij was kwaad op de hele wereld.'

28

Decker gaf Marge een velletje papier met een naam, een adres en een telefoonnummer. 'Een van de advocaten van Rudy Banks. Ga naar haar toe en zoek uit of ze de afgelopen dagen met Rudy contact heeft gehad.'

Marge streek haar haar uit haar ogen. In haar blauwe broek, witte blouse en vest leek ze uit een reclame van Ralph Lauren te zijn gestapt. De naam die op het brief je stond was Hillary Mackleby en het adres was in de binnenstad. 'Kun je daar telefonisch niet achter komen?'

'Vanwege de vertrouwenskwestie tussen cliënt en advocaat zal ze ons niets over Rudy vertellen, maar een slimme rechercheur zal iets van haar gezicht kunnen aflezen als haar verteld wordt dat hij sinds zaterdag vermist wordt. Als ze daar kalm onder blijft, wordt hij niet echt vermist. Als ze ervan opkijkt, heeft hij misschien geen contact met haar opgenomen.'

'Weet jij waar dit adres is?'

'Aan Wilshire, tussen Crescent Heights en La Brea.'

Marge ging zitten. 'Dat komt dan goed uit, want ik was toch al van plan die kant uit te gaan. Ik heb Jervis Wenderhole namelijk gevonden.'

'A-Tack.'

'Ik ben er inmiddels achter waarom ze hem zo noemen,' zei Marge. 'Hij heet voluit Jervis Attarack Wenderhole. Attarack... A-Tack. We hebben met telefoontikkertje uiteindelijk een afspraak gemaakt. En nu ik toch in de stad moet zijn, kan ik hier mooi even langsgaan om te zien of ik Mackleby persoonlijk te spreken kan krijgen.'

Oliver klopte op de open deur en kwam binnen, gekleed in een bruin colbertje, wit overhemd en goudkleurige das. Marge bekeek hem. 'Je ziet eruit alsof je op weg bent naar Vegas.'

'Dat vat ik op als een compliment.' Hij trok een stoel naar achteren en ging zitten. 'Hoe was de herdenkingsdienst?'

'Freddie Vitton was een bron van informatie. Zijn broertje Cal junior is op de middelbare school jarenlang door Rudy Banks gepest. Banks is zelfs zover gegaan dat hij zuur naar zijn geslachtsdelen heeft gegooid...'

Marge zei: 'Jezus' en Oliver zei gelijktijdig: 'Ai'.

Oliver zei: 'Wat heeft Cal senior gedaan toen hij daarachter kwam?'

'Naar verluidt was hij niet op de hoogte van de pesterijen.'

'Schei uit.' Marge keek op van haar notitieboekje. 'Hij moet iets geweten hebben.'

'Volgens Freddie wist hij waarschijnlijk wel íéts, maar omdat Cal junior zijn vader nooit in vertrouwen heeft genomen, heeft die er ook nooit iets aan gedaan. Freddie zei wel dat zijn vader de pest aan Rudy had en dat hij hem beslist zou hebben opgepakt als was gebleken dat Rudy iets met de dood van Little te maken had. Rudy was toen al een jongen die vaak met de politie in aanraking kwam.'

'Dit lijkt mij gelul, hoor. Pa Vitton moet het geweten hebben. Een goede ouder weet het als er iets mis is.'

'Hij was niet zo'n goede ouder,' zei Decker.

Marge zei: 'Maar hoe kon Freddie weten dat zijn vader de pest aan Rudy had als junior zijn vader nooit heeft verteld dat Banks hem zo treiterde? En als pa Vitton de pest aan Rudy had omdat hij zulk schorem was, waarom besprak hij dat dan met Freddie?'

'Je hebt gelijk,' zei Decker. 'Freddie vertelde me ook nog dat Ben Little zich voor Cal junior had opgeworpen. Misschien was dat de reden waarom Cal senior zich er niet mee bemoeide. En uiteindelijk is alles opgelost toen Rudy van school werd gestuurd. Arnie Lamar zei dat Vitton veel moeite had met het feit dat zijn zoon homoseksueel was, dus kan ik me voorstellen dat hij het misschien wel prettig vond dat de situatie door iemand anders werd behandeld.'

Oliver zei: 'Als Little ervoor heeft gezorgd dat Banks van school werd gestuurd, had Banks een reden om hem te haten.'

'Maar ten tijde van de moord was Banks al vijf jaar van school,' zei Marge. 'Hij was toen al een rockster. Waarom zou hij zo lang hebben gewacht om Little te vermoorden?'

Decker zei: 'Misschien had hij eindelijk genoeg geld bij elkaar voor een huurmoordenaar.'

Marge schetste wat diagrammen. 'Banks treitert Cal junior, Little laat Banks van school trappen. Dan laat Banks Little vermoorden... en vijftien jaar later pleegt Cal senior zelfmoord?'

'O ja, ik heb het met rechercheur Shirley Redkin over de zelfmoord gehad. De lijkschouwer heeft geen definitief uitsluitsel gegeven.' Toen beide rechercheurs opkeken, legde Decker uit: 'Onder vier ogen vertelde ze me dat de patholoog-anatoom een slag om de arm wil houden voor het geval er aanvullende informatie binnenkomt.'

Even bleef het stil in de kamer. Toen zei Oliver: 'Is het mogelijk dat Rudy erachter is gekomen dat de moord op Little opnieuw wordt onderzocht en dat hij daarom Vitton heeft vermoord?'

Decker haalde zijn schouders op.

Marge schudde haar hoofd. 'We hebben Rudy Banks nog niet eens ondervraagd.'

'Ik heb hem wel gesproken.'

'Hoe lang?'

'Vijf minuten.'

'Dat bedoel ik nou,' zei Marge. 'We vinden hem wel een erg geschikte zondebok.'

'Omdat zijn naam voortdurend opduikt,' zei Oliver.

'Ik heb nog iets,' zei Decker. 'Freddie heeft me ook verteld dat Rudy op school drugs verkocht. Daarnet heb ik met Liam O'Dell gesproken en die zei dat Rudy altijd de drugs voor hun band kocht.'

'Banks handelde in drugs en Darnell was drugskoerier,' zei Oliver. 'Dat is de link tussen die twee. Toen Arlington werd opgepakt voor dealen, is Ben Little daarachter gekomen. Hij is er op de een of andere manier in geslaagd Arlingtons arrestatie in de doofpot te stoppen omdat hij Arlington graag mocht, maar was niet van plan zoiets voor Banks te doen omdat hij hem niet kon uitstaan. En omdat hij toen een bedreiging voor Rudy's business was geworden, heeft Banks hem laten vermoorden.'

Marge zei: 'Je gaat er dan wel van uit dat Rudy nog steeds aan de leerlingen van North Valley High leverde toen Darnell daar op school kwam.'

Oliver zei: 'Het werkterrein van die lui is nooit erg groot en Darnell was ideaal voor het baantje. Nadat Darnell was opgepakt, was Little een bedreiging geworden. Later heeft Rudy Darnell opdracht gegeven de situatie op te lossen. Tegen die tijd was Darnell al naar een andere stad verhuisd, maar hij had hier nog vriendjes. Misschien heeft hij een van hen ingeschakeld om Little te vermoorden.'

Decker keek sceptisch. 'De politie heeft Wenderhole en Josephson indertijd ondervraagd. Ze hadden allebei een alibi.'

'En waarom heeft Vitton Rudy niet gearresteerd als hij hem ervan verdacht in drugs te handelen?' vroeg Marge.

Oliver zei: 'Hij had waarschijnlijk geen bewijs. Net zoals wij geen bewijs hebben.'

Marge stak haar wijsvinger op. 'Of misschien wist Rudy iets over Cal senior waardoor die zich genoopt zag te zwijgen.'

'Zoals?' vroeg Oliver. 'Dat zijn zoon homoseksueel was?'

Decker zei: 'Freddie zei dat het wel duidelijk was dat Cal junior homoseksueel was voordat hij uit de kast kwam.'

'Dus iedereen wist het?' vroeg Marge.

Decker zei: 'Ik heb de indruk gekregen dat er nooit over werd gepraat, maar dat Vitton er toch bewust of onbewust steeds mee bezig was.'

'Heb je Cal junior ook gesproken?'

'Ik wil proberen hem te spreken te krijgen voordat hij teruggaat naar San Francisco. Tussen haakjes, het bloed dat ik in Banks flat heb ontdekt, is niet van Ekerling.'

Marge trok een gezicht. 'Dus er is nóg ergens een lijk?'

'Ik wou dat we een lijk hadden,' zei Decker. 'Nu hebben we alleen bloedvlekken. Ik heb geen idee van wie ze zijn en hoe oud ze zijn. Wanneer ga jij naar Wenderhole?'

'Vanmiddag.'

Oliver zei: 'Als Darnell Wenderhole heeft gehuurd om Little koud te maken, zal die een advocaat paraat hebben en zul je niks van hem loskrijgen.'

Marge antwoordde: 'Ik heb op zijn antwoordapparaat ingesproken dat ik met hem over de moord op Little wil praten. Als hij er een advocaat bij wil, heeft hij daar ruimschoots de tijd voor gehad. Hij heeft erin toegestemd met me te praten. Dus denk ik dat onze theorie dat Darnell een van zijn vriendjes als huurmoordenaar heeft gebruikt onzin is. Misschien heeft Melinda iemand gehuurd. Die verzekeringspolis laat me nog steeds niet los.'

'Denk je dat Melinda Rudy heeft gehuurd om haar man te vermoorden?' vroeg Oliver.

'Waarom denk jij aldoor automatisch aan Rudy?' vroeg Marge.

'Omdat hij blijft hangen als de geur van zweetsokken.'

'Maar we geven hem blindelings overal de schuld van. Dit is net als de Democraten in 2008. Iedere ramp die het land overkwam, van terrorisme tot de opwarming van de aarde, was de schuld van George Bush.'

Oliver grijnsde. 'Kijk nou, ze gaat op de politieke toer!'

'Ik zeg alleen maar dat Banks op dit moment een wel erg geschikte kapstok is om alles aan op te hangen. We moeten andere mogelijkheden bekijken. En als je denkt dat ik een fascist ben, zou je Will eens moeten horen.'

'Will komt uit Berkeley!'

'Dat is precies de reden waarom hij zo rechts is.'

'We zullen meer weten nadat je Wenderhole hebt gesproken,' zei Decker. 'Arlington had iets tegen Little, dat is bekend. Eens kijken of we daar iets meer over te weten kunnen komen. Als je Wenderhole ondervraagt, zorg er dan voor dat hij zich niet bedreigd voelt. Geef zo nodig Arlington de schuld.'

'Goed.' Ze vroeg aan Oliver: 'Wil je mee?'

'Ik wilde jou net vragen of je vanmiddag met me mee wilt naar Phil Shriner.'

'Nee, ik kan niet. Laten we voor daarna afspreken om alles door te spreken.'

'Goed,' zei Decker. 'Tegen die tijd heb ik misschien Cal junior gesproken.'

Marge zuchtte. 'Zo veel verdachten en zo weinig tijd.'

Soms kun je voor vreemde verrassingen komen te staan. Lang geleden waren er drie jeugdige misdadigertjes. Leroy Josephson was door een kogel geveld, maar de andere twee waren uiteindelijk op het rechte pad gekomen. Darnell Arlington had een baan als sportleraar op een middelbare school en Jervis Wenderhole werkte van overheidswege als jeugdleider voor de ex-leden van straatbendes in een jeugdcentrum in South Central. Toen Bennett Little werd vermoord, was Wenderhole een jaar of zeventien. Dus moest hij nu ongeveer tweeëndertig zijn, een jonge man in de kracht van zijn leven.

Als iemand Marge had verteld dat Jervis Wenderhole vijftig was, zou ze het zonder meer hebben geloofd.

Misschien kwam het door de rolstoel. In psychologisch opzicht associeer je een rolstoel het meest met oude mensen. Maar het ging om meer dan de beperkingen van de stalen stoel. Rond Wenderholes kale hoofd lag een ring van kleine, spierwitte krulletjes. Zijn diepliggende ogen waren donker en waakzaam. Zijn lippen waren bleek; zijn mokkakleurige huid was ontsierd door witte, pigmentloze vlekken. Toen Marge op de open deur van zijn kantoor klopte, keek hij op, zag de penning die ze om haar hals droeg, en stak een wijsvinger omhoog. Hij was in gesprek met een tiener die een basketbal onder zijn arm geklemd hield.

'Ik wacht wel even op de gang.' Marge liep een stukje bij de deur vandaan en stond tegen een verschoten gele muur aan die vol hing met kindertekeningen. Ergens was een gymzaal waar het geluid van stuiterend rubber vibreerde, aangevuld met het gedreun van rapmuziek. Marge was op weg naar Wenderholes kantoor langs een televisiekamer en een handenarbeidlokaal gekomen. Computers had ze niet gezien.

Even later kwam de tiener naar buiten. Hij liep al dribbelend de gang uit, sloeg links af en was verdwenen. Marge stak haar hoofd om de hoek van de deur. Wenderhole zat aan zijn bureau te schrijven. Zonder op te kijken zei hij: 'Kom erin, brigadier.'

Zijn rolstoel nam het grootste deel van de ruimte in beslag en diende meteen als kantoorstoel. Voor haar was er geen zitplaats beschikbaar, dus ging ze tegen de muur aan staan. 'Bedankt dat u bereid bent met me te praten, meneer Wenderhole.'

'Ze maar gewoon Jervis.' Hij draaide zich naar haar toe. 'Hebt u de gelegenheid gehad om wat rond te kijken?'

'Niet echt. Ik wilde niemand storen.'

'O, ze maken allemaal zo'n lawaai dat niemand erg in u zou hebben.' Wenderhole glimlachte. 'Wat vindt u van wat u hebt gezien?'

'Dat jullie het met beperkte middelen heel aardig doen.'

De man knikte. 'Uiterst beperkte middelen.'

'Mijn dochter studeert aan Cal Tech. Ze maakt deel uit van een groep die oude computers opknapt en weggeeft aan organisaties die goed werk doen. Meestal krijgen wij ze. Het LAPD heeft ook niet veel te verteren namelijk. Maar ik kan wel een goed woordje voor jullie doen.'

'Bedankt, maar wij zouden er niet veel aan hebben. We kunnen alleen maar dingen gebruiken die we aan de muur of de vloer kunnen vastklinken. Anders worden ze gestolen. Maar ik zou geen nee zeggen tegen een laptop.'

Marge glimlachte. 'Ik zal het doorgeven.'

'Cal Tech...' Wenderhole schudde zachtjes zijn hoofd. 'Dan moet ze erg intelligent zijn.'

'Dat is ze ook, maar dat heeft ze niet aan mij te danken. Ze is geadopteerd.'

'Is ze Aziatisch?'

Marge gaf niet meteen antwoord. 'Denk je dat omdat ze aan Cal Tech studeert?'

Wenderhole glimlachte. 'Racistisch, hè? Maar is het zo?'

'Chinees. Ze is als tiener wees geworden en ik heb geboft.'

'Stereotypes komen érgens vandaan.' Wenderhole leunde achterover, waarbij zijn schouders naar voren kwam. 'Geografisch ben ik niet ver van huis geraakt. Ik ben amper een kilometer ten zuiden van waar we nu zitten geboren. Toen ik een tiener was, bood het Los Angeles United School District de mogelijkheid gebruik te maken van bussen. Door een speling van het lot kwam ik op North Valley High terecht, samen met Darnell Arlington en Leroy Josephson. We waren een miserabel trio: verkeerde plek, verkeerde aanpak, verkeerde behandeling. Nadat Darnell Arlington was verhuisd, hebben Leroy en ik het niet lang volgehouden. We zijn in de vierde klas van school gegaan, maar hebben dat thuis niet verteld omdat de voordelen daarvan duidelijk waren. In die blanke wijk was drugs verkopen veel makkelijker. Een tijdlang waren wij de enige dealers.'

'Jullie verkochten de drugs. Van wie betrokken jullie die?'

'Darnell regelde vrijwel alles. Toen hij was opgepakt en naar Ohio gestuurd, moesten Leroy en ik terug naar onze eigen buurt. Toen werd Leroy doodgeschoten en ik door een kogel verlamd. Zonder die kogel zou ik waarschijnlijk op dezelfde voet zijn voortgegaan. En dan zou het met mij misschien wel net zo zijn afgelopen als met Leroy.'

'Hoe lang heeft het geduurd voordat je was omgeturnd?'

'U bedoelt van gangsta naar brave burger?' Hij dacht na. 'Ik doe dit werk nu zeven jaar. In psychologisch opzicht heeft de aanpassing langer geduurd en dat komt doordat ik mezelf terugzie in zo veel van de kinderen hier.'

Marge pakte haar notitieboekje. 'Je zei dat je op de verkeerde plaats zat, verkeerd werd aangepakt en...'

'Verkeerd behandeld.'

'Juist. Heeft niemand jullie geholpen?'

'Niemand.'

'En Bennett Little dan? Hij schijnt jullie een helpende hand toegestoken te hebben.'

Wenderhole staarde naar haar. 'Darnell Arlington was doctor Bens project. Niet ik. Ik denk dat ik in zijn ogen een hopeloos geval was. Of... misschien wilde hij wel helpen, maar hoorde ik hem niet, niet echt. Zijn woorden waren voor mij alleen maar ruis.'

'Waarom?'

'Omdat ik een nijdige tiener was en omdat ik aan de drugs was. Ik luisterde niet naar mijn oma, mijn moeder, de dominee of de coach. Waarom zou ik dan naar een stomme blanke leraar luisteren?' Hij glimlachte. 'Een stomme kaffer was ik. Ondanks het feit dat ik bijna nooit naar school ging, scoorde ik 1100 voor de SAT. Als ik met een andere huidskleur in een andere buurt ter wereld was gekomen, had ik nu advocaat of psycholoog kunnen zijn.'

'Het is nog niet te laat,' zei Marge.

Wenderhole keek haar verrast aan. 'Ja, u hebt gelijk. Ik verzin nog steeds smoesjes om iets niet te doen. Het is lastig om van die gewoonte af te komen.'

'Je had dus niet veel te maken met doctor Ben?'

'Ik had met niemand op North Valley veel te maken. Ik ging alleen een klas binnen als het regende, omdat het dan te nat en te koud was om buiten rond te hangen. U weet hoe vaak het regent in Los Angeles, dus weet u hoe vaak ik op school was.'

'Wat herinner je je over de dood van doctor Ben?'

'Ik heb me vaak afgevraagd wanneer het tot dit gesprek zou komen. Ik had het eigenlijk al verwacht toen ik het nieuws over Primo Ekerling had gehoord.'

Marge staarde hem uilig aan. 'Heb jij Primo Ekerling dan gekend?'

Wenderhole krabde aan zijn stoppelbaard. 'Doe de deur maar even dicht. Ik heb een verhaal voor u.'

29

Phil Shriner, gekleed in een witte broek, een geel poloshirt en een pet met een brede klep, liep na zijn powerwalk over het terrein van het seniorencomplex terug naar bungalow 58 en zag dat Oliver daar op hem stond te wachten. In het huisje was de sfeer nog steeds claustrofobisch vanwege het teveel aan meubilair, al was de parketvloer er inmiddels hier en daar al tussendoor te zien. Shriner haalde een kan limonade uit de koelkast en schonk twee glazen in. Hij deed de deur naar het terras open, ging naar buiten en leunde op de balustrade. Toen Oliver naast hem kwam staan, gaf Shriner hem een glas. De achtertuin van de gepensioneerde privédetective had uitzicht op fairway 6 van de golfbaan. Hij keek op zijn horloge. 'Ik moet over een half uur afslaan.'

Oliver nam een slokje van de limonade. 'Ik héb gezegd dat er wat tijd in zou gaan zitten.'

'Ik heb niks aan ons eerste gesprek toe te voegen. Ik snap ook niet waarom je nog een keer helemaal hierheen bent gekomen.'

'Dan zal ik het kort houden,' zei Oliver. 'Volgens mij heb je over Melinda Little gelogen.'

Shriner draaide zich verontwaardigd naar hem toe. 'Zo, recht voor zijn raap. Dat kan ik ook. Wat jij denkt, Oliver, interesseert me geen fluit.'

'Kom op, Phil. Je weet hoe dit werkt. Maak het jezelf niet zo moeilijk. Vertel me de waarheid, dan laat ik je verder met rust.'

Hij staarde Oliver aan. 'Wat is er? Wil het niet lukken en gaan jullie nu mensen zomaar lastigvallen om te zien of er toevallig rotzooi komt bovendrijven?'

'Ik zal je vertellen wat ik denk. Ik denk dat Melinda lang voor de dood van haar man al aan gokken verslaafd was. Dat ze lang voor de moord al bezig was geld over de balk te smijten. En dat jij dat wist.'

'Ik vermoedde zoiets, maar wist het niet. Waarom is dit opeens belangrijk?'

'Omdat ze, als ze voor de moord op haar man in de schulden zat, de polis van zijn levensverzekering misschien als een handige reddingsboei beschouwde.'

'Daar kan ik geen zinnig woord over zeggen. Zoals ik je al heb verteld, heb ik haar pas leren kennen toen haar man al dood was.'

'We hebben getuigen die jullie vóór de moord op Little samen hebben gezien,' loog Oliver.

'Dan liegen die getuigen. Ik heb haar ontmoet toen haar man al dood was.' Shriner bekeek hem met kille ogen. 'Ze was zwaar aan het gokken geweest en ik heb haar op mijn schouder laten uithuilen. Zij was wanhopig en ik zat aan de grond. Ik ben als eerste bij de Gamblers Anonymous gegaan en heb haar overgehaald naar een van de bijeenkomsten te komen. Dat was de aard van onze relatie. Een relatie geënt op misère.'

'Vertel me nog eens over de truc die jullie bedacht hadden omdat ze al het geld van de verzekering vergokt had.'

'Dat is ouwe koek.'

'Doe het nou maar.'

Shriner dronk zijn glas leeg en zette het op de balkontafel. 'Melinda had in het casino bijna al het geld van de levensverzekering van haar man erdoorheen gejaagd.'

'Wat speelde ze het liefst?'

'Blackjack, poker, kaarten in ieder geval. Ze wilde geen lid worden van de GA omdat ze net zoals alle verslaafden dacht dat ze best kon stoppen als ze dat wilde. Ik heb net zolang gezeurd tot ze een keer met me meeging naar een bijeenkomst. En toen nog een keer en nog een keer. Algauw begreep ze hoe groot haar problemen waren. Het geld was bijna op en als ze niet tot bezinning kwam, zou ze niks meer over hebben. Ze had tijdelijk geld nodig tot er een obligatierente vrijkwam en haar ouders waren de enigen die niet zouden vragen of ze een lening kon dekken.'

'Maar die wisten dat ze het geld van de verzekering had.'

'Dat is nu juist het punt. Ze kon hun niet de waarheid vertellen over het gokken. Ze dacht niet dat ze begrip zouden hebben voor haar geestelijke toestand.'

'Of misschien hadden ze geen zin meer om hun zuurverdiende geld naar haar door te schuiven.'

'Daarom durfde ze hen niet onder ogen te komen. Ze zei dat haar ouders haar kinderen bij haar zouden weghalen als ze zou bekennen dat ze alles vergokt had. Ze vroeg aan mij of ik een oplossing wist.'

'Dus heb je voor haar gelogen.'

'Niet echt. Ik zei dat ze tegen haar ouders kon zeggen dat ze het geld van de verzekering had gebruikt om een privédetective te huren. Ik zou dat dan bevestigen.'

'Hebben ze je gebeld?'

'Natuurlijk. Het was me meteen duidelijk dat ze Ben erg graag hadden gemogen. En dat het dus wat hun betrof in orde was dat er geld aan een privéonderzoek werd gespendeerd.'

'Wat heb je tegen hen gezegd?'

'Dat ik ermee bezig was en contact had met de rechercheurs. Dat slikten ze als zoete koek.'

Oliver zei: 'Melinda's moeder heeft mij anders verteld dat ze wist dat het niet waar was.'

'Daar heeft ze tegenover mij niks van laten merken.'

'Met welke rechercheur heb je gesproken?'

'Arnie Lamar. Zijn partner en hij waren van mening dat het om een carjacking ging. Hij vertelde me dat ze Darnell Arlington ervan verdachten, maar het hem niet konden aanrekenen omdat hij een waterdicht alibi had. Daarom heb ik Darnell opgebeld. Zoals ik je de eerste keer al heb verteld, was hij erg van streek over wat er was gebeurd.'

'Waarom beschouwde Lamar Arlington als een verdachte als hij een waterdicht alibi had?'

'Omdat Arlington zwart was en een wrok koesterde tegen Little. Een tijdje hebben Lamar en zijn partner gedacht dat Arlington het door een van zijn vriendjes had laten doen, maar dat leverde niks op. Arlington scheen weinig contact met zijn vrienden te hebben gehad sinds hij was verhuisd en had helemaal geen geld voor een huurmoord.'

'Ze kunnen het voor niks hebben gedaan.'

'Lamar zei dat er volgens de belgegevens niet veel contact was geweest tussen Arlington en zijn oude vrienden. Misschien hield Darnell het contact in stand via postduiven, maar die mogelijkheid kon ik natuurlijk niet onderzoeken.' Hij keek weer op zijn horloge. 'Oliver, de zaak was al koud toen ik erbij betrokken raakte. En ik ben een goede speurder, dus werk ik niet graag voor een schijntje. Ik heb een rapportje geschreven zodat ze gedekt was en haar ouders onder ogen kon komen.'

'En jullie zijn nooit met elkaar naar bed geweest?'

'Nee, ze zag niks in mij en ik heb niets geforceerd. Ik was toen tijdelijk van mijn vrouw af, dus ging het niet om gewetenswroeging van mijn kant. Eerlijk gezegd vond ik het ook niet zo'n goed idee dat twee gokverslaafden aan een dergelijke relatie begonnen. Bovendien zou het iedere kans op een verzoening met mijn vrouw hebben verpest. Ik was dus voor de verandering verstandig.'

Hij zuchtte en keek verlangend naar de golfbaan.

'Ik zou het erg jammer vinden als ik dat partijtje golf zou mislopen.'

Oliver negeerde dat. 'Andere vraag, Shriner. Als je wist dat Melinda al gokte zolang ze getrouwd was en diep in de schulden zat, dacht je dan wel of niet dat ze in haar wanhoop een moord gepleegd kon hebben om het geld van de verzekering?'

'Ze heeft hem niet vermoord.'

'Hoe weet je dat zo zeker?'

'Dat weet ik gewoon. We hebben meer dan een jaar samen in de GA gezeten. Je bekent daar veel dingen aan jezelf en aan de groep. Je leert elkaar verrekte goed kennen.'

'Ze zou nooit bekend hebben een moord te hebben gepleegd.'

Shriner liep naar binnen, deed een kast open en haalde er een golftas uit. 'Ik zeg niet dat ze volmaakt was. Ze was waarschijnlijk geen goede moeder. Ze was waarschijnlijk geen goede echtgenote. Ze dronk waarschijnlijk te veel en misschien had ze af en toe een minnaar, maar ik denk niet dat ze een moordenares is.'

'Had ze af en toe een minnaar?' Een trage glimlach verscheen op Olivers gezicht. 'Waarom denk je dat ze een lellebel was als ze tegenover jou zo braaf deed?'

Shriner liep rood aan. 'Ze was geen lellebel. Ik weet niet waarom ik dat zei.'

'Nee? Misschien omdat ze het juist wel met jou geprobeerd heeft?'

'Denk je dat ik haar zou hebben afgewezen?'

'Geen idee. Misschien wel.'

'Ik ga golfen.'

Opeens begon het Oliver te dagen. 'Ze heeft dingen bij de GA opgebiecht. Dat hoort bij het programma, bekennen wat je allemaal fout hebt gedaan. Dingen als buitenechtelijke affaires. Als ze het niet met jou deed, met wie deed ze het dan wel?'

'Je weet dat ik zulke vertrouwelijke informatie niet mag openbaren.'

'Shriner, ik zit achter een moordenaar aan.'

'Ik mag vertrouwelijke informatie niet openbaar maken!'

'Oké, je hoeft me niet te vertellen met wie ze het deed. Geef me alleen een lijstje van mogelijke kandidaten.'

'Ik peins er niet over.'

'Alleen voornamen dan.'

'Oliver, laat me met rust. Ik mag vertrouwelijke informatie niet openbaar maken, punt uit. En als je haar gaat vertellen dat ik je iets heb gezegd over buitenechtelijke affaires, klaag ik je aan.'

'Had ze soms iets met een leerling van Little? Sommige vrouwen worden daar geil van. Een soort wraak op de echtgenoot die voor iedereen tijd heeft behalve voor zijn vrouw. Heeft ze het met Darnell Arlington gedaan?'

'Jezus, Oliver, die was zeventien toen hij hier wegging.'

'En een jongen van zeventien kan geen stijve krijgen? Er zijn leraressen die vallen op kinderen van twaalf. Zeventien is bijna toelaatbaar. En hij was waarschijnlijk een stuk beter dan haar eigen vent. Misschien heeft Little hem daarom van school laten trappen.'

'Je hebt een verdorven geest, Oliver. Ze deed het niet met Arlington, dat weet ik heel zeker.'

'Met een oud-leerling van North Valley dan? Die moet dan pakweg eenentwintig zijn geweest ten tijde van de moord. Komt de naam Rudy Banks je bekend voor?' En daar had je het... de aarzeling van een milliseconde. Oliver sloeg met zijn vuist in zijn hand. 'Godallemachtig. Het was Rudy!'

'Ik moet nu echt gaan.'

'Hij wordt vermist, weet je dat?'

Shriner bleef staan. 'Hoe bedoel je?'

'Zijn flat staat sinds afgelopen zaterdag leeg.'

'Dat wil niet zeggen dat hij vermist wordt. Hij is vast verhuisd.'

'We kunnen hem niet vinden, hij heeft geen adres achtergelaten en de buren hebben hem tijdens de verhuizing niet gezien. En in zijn flat zijn bloedvlekken aangetroffen.'

Shriners gezicht vertrok. 'Daar kan ik je niet mee helpen. Ik heb al jaren niet aan Banks gedacht.'

'Maar vijftien jaar geleden heb je wel aan hem gedacht. Heb je hem ooit als een verdachte beschouwd voor de moord op Little?'

'Daar kan ik niets over zeggen.'

'We hebben het nu niet over Melinda Little, maar over Rudy Banks. Heb je hem ooit als een verdachte beschouwd voor de moord op Little?'

Hij zuchtte. 'Zijn naam is ter sprake gekomen.'

'En?'

'En niks. Ik heb zijn naam doorgegeven aan de politie. Het was niet mijn taak moorden op te lossen. Het was mijn taak informatie door te geven aan politiemensen die geacht worden moorden op te lossen. Als ze niet in willen gaan op de informatie die ze krijgen, kan ik daar niets aan doen.'

'Waarom heb je zijn naam doorgegeven aan de politie? Waarom beschouwde je hem als een verdachte?'

'Daar kan ik niet op ingaan zonder iemands vertrouwen te schenden.'

'Weet je wat Banks tegen Little had?'

'Banks vond dat Little hem niet met voldoende respect behandelde, maar dat vond Banks van iedereen.'

'Heb je dat aan Arnie Lamar verteld?'

'Nee, Lamar was er niet. Het was die andere.'

'Calvin Vitton?'

'Ja.'

'En je hebt geen navraag meer gedaan?'

'Nee, ik heb geen navraag meer gedaan. Ik mag geen mensen arresteren. Als de politie het niet nodig vond hem onder de loep te nemen, hoefde ik hen niet nog eens tegen hun schenen te schoppen.'

'Oké.' Oliver deed zijn best niet kwaad te worden. 'Je kunt niet de problemen van andere mensen oplossen. Maar waarom heb je me niet verteld dat je Rudy Banks als een verdachte beschouwde?'

'Omdat je daar niet naar gevraagd hebt.'

In de brochure van het reisbureau stond onder andere een cruise naar Alaska: zeven dagen varen waarin diverse havensteden, van Vancouver in British Columbia tot aan Anchorage, werden aangedaan. Cindy zei: 'Het mooie is dat deze cruises van zondag tot zondag zijn, zodat de sabbat geen problemen oplevert.'

Decker liet zijn blik over de tekst gaan.

Cindy had een vrije dag en toen ze had gebeld om te vragen of ze hem kon spreken, kwam hem dat toevallig heel goed uit. Cal junior had hun afspraak afgezegd omdat hij Los Angeles nu even niet aankon en te zeer van streek was om met hem te kunnen praten. Volgende week zou hij waarschijnlijk wel weer rustig zijn als Decker hem dan nog wilde spreken. Dat was waarschijnlijk allemaal waar, maar Decker had ook het vermoeden dat Freddie Vitton een serieus gesprek met zijn broer had gevoerd en hem had afgeraden nu met Decker te praten.

Aan de ene kant jammer, aan de andere kant fijn omdat hij nu met zijn mooie dochter in een café in de buurt van het politiebureau zat.Ze had haar vlammende haar tot een paardenstaart gebonden en iedere keer dat er een lok in haar gezicht waaide, streek ze die met sierlijke vingers opzij. Ze droeg een spijkerbroek en een groen T-shirt en had zich niet opgemaakt, waardoor al haar sproetjes te zien waren.

Hij glimlachte. 'Dat lijkt me heel mooi. Wanneer willen jullie gaan?'

'In de laatste week van augustus. En in die week heb jij toevallig ook vakantie.' Decker was stil. 'Heb je niet altijd gezegd dat je ooit nog eens naar Alaska wilde?'

'Dat kan ik me niet herinneren.'

'Deze cruise is toch geweldig?'

'Zeker.'

'Wat is dan het probleem?'

'Dat we koosjer eten moeten hebben.'

'Ik heb al met de reisleiding gesproken. Ze hebben altijd ruimschoots voldoende verse groenten en fruit aan boord en ze serveren vegetarische gerechten.'

'Rina eet geen bereid voedsel, Cindy, tenzij het koosjer is.'

'Ze hebben altijd tonijnsalade en eiersalade en zijn bereid nieuwe borden en bestek voor ons aan te schaffen. Ze zeiden dat ze voor ons zelfs een hele set nieuwe messen kunnen kopen en voor ons alleen een hele zalm bereiden. Ze kunnen die in folie bakken of een nieuwe koekenpan kopen. Koosjer voedsel bereiden is voor hen echt niets nieuws. Ze krijgen op dat schip vegetariërs, moslims die alleen halal eten, mensen die koosjer willen, of geen zout mogen, of geen vet, suikerpatiënten, mensen met een verhoogde bloeddruk. Ze koken voor honderden mensen en kunnen heel veel dieetvoorschriften in acht nemen. En anders kun je altijd nog koosjere magnetronmaaltijden krijgen.'

'Hè, ja.'

'Het is een cruise, pap. Het eten is nooit een probleem. En als de nood aan de man komt, is er altijd nog ijs.'

Ze had vermoedelijk gelijk. En de spijswetten waren lang geen slechte manier om vraatzucht tegen te gaan. Hij had gehoord dat mensen op die cruises kilo's aankwamen. 'Ik zal het met Rina bespreken.'

'Dat heb ik al gedaan.'

Decker trok een gezicht. 'Heb ik er zelf ook nog iets over te zeggen?'

'Ik heb haar alleen maar gebeld om te vragen of het überhaupt te doen was. Ze zei van ja en dat ik het met jou moest bespreken.' Cindy bracht haar cappuccino naar haar lippen. 'Vandaar dat we hier nu zitten.'

'Volgens mij zijn Sammy en Jacob die week thuis.'

'Nog mooier. Die zijn dol op Koby.'

Decker keek naar de prijzen. 'Dit gaat een klein kapitaal kosten. We zijn dan met zeven volwassenen.'

'Vijf. Koby zal werken in ruil voor onze tickets.'

'Dat lijkt niet erg eerlijk. Dat wij lol hebben terwijl hij aan het werk is.'

'Hij wil het zelf en wij gaan in ieder geval, of jullie meegaan of niet. Dit is iets wat we allebei graag willen doen. Dat ik jullie vraag om mee te gaan, doe ik niet om geld uit je zak te kloppen, maar omdat we deze vakantie graag met familie willen doorbrengen. Vorig jaar zijn we met mam en Alan een week naar Mexico geweest. Dat was zo geslaagd dat het me een leuk idee leek om het ook met jouw kant van de familie te doen. En Alaska is echt iets voor jou, pap. Heb je al gezien wat er allemaal te doen is wanneer we ergens aanleggen?'

Decker begon te lezen en raakte ondanks zijn terughoudendheid algauw in vervoering. Op de lijst van activiteiten stond kanovaren, raften, kajakken, op zalm vissen, bergtochten maken en in een helikopter over een gletsjer vliegen. En toen zag hij de kleine lettertjes. De excursies waren niet bij de prijs van de cruise inbegrepen.

Nou ja, hij hoefde ze natuurlijk niet allemaal te doen.

'Wat zei Rina toen je hiermee kwam?'

'Dat het haar erg leuk leek, maar dat jij het laatste woord hebt.'

Decker dacht erover na. Ze gingen nooit ergens naartoe als hij vakantie had, behalve bij de jongens op bezoek in New York. Als de keuken zich aan hen kon aanpassen, was het allemaal erg aanlokkelijk. Eén keer je koffer uitpakken en verder alleen maar genieten van de open zee, ook al lag de leeftijd van de passagiers waarschijnlijk rond de zeventig.

Zeventig leek hem niet eens meer zo oud.

Maar hij was vooral geroerd door het feit dat zijn dochter hem bij haar vakantieplannen wilde betrekken. Dit was de droom van vele ouders: ontspannen iets leuks doen met je volwassenen kinderen. 'Dit lijkt me inderdaad wel iets voor ons.'

Cindy keek hem stralend aan. 'Dus je gaat erover nadenken?'

Decker lachte. 'Is dat zo vreemd?'

'Ja. Want elke keer dat ik met een voorstel kom... ik weet het niet, gaat het nooit door. Dit is helemaal te gek!'

'Ik moet het natuurlijk eerst met Rina bespreken. Vervolgens moet ik mijn werkrooster nogmaals bekijken. We moeten het ook met de jongens zien te regelen. Ik zal er mijn uiterste best voor doen, Cindy. Het lijkt me iets waar we allemaal van kunnen genieten. En ik zal jullie tickets betalen. Dat kan er echt nog wel af.'

'Ben je mal. Dat accepteert Koby nooit. Maar als je voor de helikoper wilt betalen zodat we op de gletsjer kunnen lopen, zal ik daar geen nee tegen zeggen.'

Decker hief zijn espresso op. 'Duur kopje koffie.'

Cindy stak haar hand in haar tas en haalde er een paar velletjes papier uit. 'Je dacht toch niet dat ik alleen maar hierheen was gekomen om je een cruise naar Alaska aan te smeren?'

Dat had hij inderdaad gedacht. 'Wat heb je voor me?'

'Ik heb wat achtergrondinformatie opgeduikeld over Travis Martel en Geraldo Perry.'

'Met of zonder toestemming van Rip Garrett?'

'Ik heb hem niet om zijn zegen gevraagd en het kan me niet schelen of hij erachter komt. Martel en Perry hebben allebei een ellenlang strafblad: drugs, diefstal, inbraak, rijden onder invloed, autodiefstal, illegaal bezit van vuurwapens.' Ze trok een van de documenten uit de stapel. 'Alsjeblieft. Voor je dossier.'

'Bedankt.' Hij had die lijst al, maar waarom zou hij een domper op haar enthousiasme zetten?

'Ik heb ook nog iets verder gekeken dan ieders neus lang is. Perry komt uit Indiana, dus ben ik niet veel te weten gekomen over zijn kindertijd, maar Martel is hier in Los Angeles geboren en getogen. Hij heeft het één jaar volgehouden op L.A. High en is toen van school gegaan. Ik heb zijn jaarboek gevonden. Hij zat in de rappersclub.'

'Hebben ze tegenwoordig rappersclubs op de scholen?'

'Clubs zijn een afspiegeling van wat de leerlingen interesseert. Je hebt alleen maar een leider nodig en een paar kinderen die lid willen worden. Dat hij in een rappersclub zat lijkt me trouwens wel logisch, want toen hij werd opgepakt, zei hij dat hij van beroep "aankomend rapper" was.'

'Wat wil zeggen dat hij nooit een plaat heeft gemaakt.'

'Dat is niet helemaal juist en we zeggen tegenwoordig niet meer dat iemand "een plaat maakt", pap. Dat klinkt als zo'n ouderwetse grammofoonplaat.'

'Een cd heeft uitgebracht?'

'Tegenwoordig heb je geen maatschappij of producer meer nodig om dat te doen, omdat het via internet kan. Weet je wat MySpace is?'

'Een website voor netwerken.'

'Klopt. Om precies te zijn een sociaal netwerk, in tegenstelling tot de netwerken voor beroepsmensen. Een van de leukste dingen van MySpace is dat je daar dingen aan anderen kunt tonen. Iedereen die een account heeft bij MySpace kan jouw website bekijken, tenzij hij of zij geblokkeerd wordt. Veel bandjes en zangers die geen contract hebben bij een maatschappij gebruiken MySpace om hun liedjes aan de man te brengen. De website is zodanig ingericht dat je er heel makkelijk muziek van kunt downloaden. Dus ben ik gaan surfen om te zien of Perry of Martel een profiel had.'

'En je hebt iets gevonden.'

'Als ik niets had gevonden, zou ik hier niet zitten.' Ze kreeg een kleur. 'Ik bedoel, ik vind het heel gezellig om een kopje koffie met je te drinken, maar ik weet hoe druk je het hebt en ik stoor niet graag...'

'Je stoort me nooit. Wat heb je ontdekt?'

'Travis heeft een MyFace-profiel onder zijn rappersnaam.' Ze keek naar haar aantekeningen. 'Hij heeft er zelfs verscheidene: Rated-X. Travis-X, X Marks the Spot, en gewoon X. Ik heb alle songs gedownload die hij erop heeft staan. Ik was benieuwd of er in de teksten iets zou staan wat voor ons interessant zou zijn. Hij is erg moeilijk te verstaan. Ik heb er een eeuw over gedaan en moest de snelheid verlagen om alles te kunnen opschrijven.'

Ze gaf hem een aantal vellen papier.

'Kijk even naar nummer drie, tweede paragraaf: "All Bets Are Off."'

'Welke?'

'"All Bets Are Off."'

Decker las de rijmelarij in stilte.

Take it all, take it all, that's my philoso-phy
This whole fuckin' world ain't got integri-ty
So mess up the ho' with the beasti-al-ity
It's me for all and it's all for me
Like music and the crime – the shit of B and E
You grab it for yourself and fuck etern-ity.

'Alleraardigst. Waar is het je precies om te doen?'

'Regel vijf. "Like music and the crime – the shit of B and E". Misschien zoek ik er te veel achter omdat ik ernaar op zoek ben, maar misschien heeft hij het niet zomaar over "crime". Waar denk jij aan bij B and E?'

Decker zei: 'Banks en Ekerling.'

'Misschien moet je nog een praatje gaan maken met Marilyn Eustis.'

'Ze weet dat Travis Martel en Geraldo Perry zijn opgepakt voor de moord. Ze heeft tegen de politie gezegd dat ze geen van beiden kent.'

'Misschien kent ze hen inderdaad niet, maar is er in Ekerlings dossiers iets over hen te vinden.'

'Ik ga ervan uit dat de politie die dossiers heeft doorgenomen. Bovendien heeft ze me verteld dat Ekerling niet veel met rappers deed.' Decker bekeek de tekst nog een keer. 'Maar het is de moeite waard het uit te zoeken. Bedankt voor de tip. Heb je deze informatie aan Garrett en Diaz doorgegeven?'

'Nog niet. Ik wilde hen niet op hun tenen trappen, vooral omdat jij daar al zo goed in bent. Bovendien ben jij degene die moordzaken onderzoekt. Ik ben slechts een pion op de afdeling Autodiefstallen. En misschien slaat dat "B and E" helemaal niet op Banks en Ekerling. Afijn, ik heb het nu aan je doorgegeven. Je mag zelf weten wat je ermee doet.'

Decker zei: 'Het is de moeite waard het te bekijken.'

'Dat vond ik ook. En als het iets oplevert, moet je het maar aan Garrett en Diaz doorgeven, zodat die zich niet gekwetst zullen voelen.'

'Dat zal ik zeker doen. Bedankt, Cynthia, je bent te werk gegaan als een echte rechercheur.'

'Graag gedaan. Nu maar hopen dat Rip Garrett en Tito Diaz daar net zo over denken als je ze de informatie doorgeeft, en dat ze zich mijn vindingrijkheid zullen herinneren wanneer het promotieseizoen aanbreekt.'

30

Wenderhole wreef over de armleuningen van zijn rolstoel.

'Ik weet dat ze het goed met me voorhadden toen ze me de gelegenheid boden naar een blanke school te bussen, maar school gaat om meer dan onderwijs alleen. Darnell, Leroy en ik waren geen vrienden omdat we veel gemeen hadden, maar omdat we verzopen zouden zijn als we ons niet aan elkaar hadden vastgeklampt. Toen Darnell op dealen was betrapt en naar Ohio verhuisde, kwam alles op Leroy en mij en een paar andere stumpers neer. Darnell was moeilijk te vervangen. Leroy was een aardige jongen, maar te stom om voor de duvel te dansen.

Als drop-outs wisten we helemaal niet wat studiediscipline was. We waren kansloze jongeren die school niet beschouwden als een middel om iets van het leven te maken. Dat probeer ik de kinderen hier nu bij te brengen. Dat er wel degelijk keuzemogelijkheden zijn. Denk na over wat je kunt bereiken, vertel ik hun. Zelfs ik, een stakker in een rolstoel, kan mijn eigen brood verdienen.'

'Dat is een goede boodschap.'

'Ja, als ze luisteren. Dat is het probleem. Voor deze kinderen zijn het loze woorden, net als voor mij toen ik zo oud was. Ze zien de school niet als een ladder. Hun keuze is beperkt tot creperen of je aansluiten bij een bende. En als je lid bent van een bende, moet je drugs verkopen. Er is niets veranderd. Wij deden dat ook. Drugs verkopen aan blanke kinderen, en onderhand proberen door te breken als rapper.'

'Jij was A-Tack,' zei Marge abrupt. 'Leroy was Jo-King.'

Wenderhole lachte. 'U bent helemaal op de hoogte.'

'Een goede voorbereiding is het halve werk.'

'Leroy was eerst Jo-King en later werd dat Yo-King.' Hij glimlachte. 'Op een dag kwam Leroy apetrots bij ons nadat hij op een regenachtige dag naar een Franse les was gegaan. Hij had ontdekt dat Leroy een verbastering is van Le Roi. Zo kwam hij aan de naam Jo-King.'

'Ik heb niets gevonden over Yo-King, al heb ik gehoord dat jullie een paar demo's hebben uitgebracht.'

Wenderhole zei: 'Daar kom ik zo nog op. Het is een heel verhaal. U zult geduld moeten hebben.'

'Ik ben een en al oor.'

'Oké. Ik heb inderdaad een paar demo's uitgebracht onder de naam A-Tack, maar dat was later pas. We waren toen alleen nog maar kleine gangsters, al waren we in onze eigen ogen heel wat. Terwijl we wachtten tot we ontdekt werden, moesten we natuurlijk wel eten en hadden we zakgeld nodig, dus verkochten we drugs aan blanke kinderen die onze waanideeën voedden omdat ze ons reuze cool vonden. Darnell was de leider, want hij had de beste sociale vaardigheden. Hij had ook een goede stem, dus als er iemand zou slagen in de muziekbusiness, zou hij het zijn. Hij zei dat hij allerlei belangrijke rocksterren en producers kende en dat we een bandje moesten vormen. Niet dat Darnell een bandje wilde, want hij is een typische solist, maar hij had me nodig.'

Hij haalde diep adem.

'Darnell had het meeste talent, maar ik schreef de teksten. In die dagen was het nog zo dat iedereen zijn eigen nummers uitvoerde. Tegenwoordig hebben producers gewoon mensen in dienst die rapteksten schrijven voor de "brothers". Inhoudloze troep zonder soul. Lege woorden over bling en seks en hoeren en geld, omdat ze het aan de blanken willen slijten. Niks meer over sociale problemen. De blanken vonden NWA niks, maar die hadden het toevallig wel over alle belangrijke problemen waar onze maatschappij mee kampt.'

Marge knikte.

'En dat interesseert u geen zak.' Hij deed geen poging zijn minachting te verbergen.

'Jawel,' zei Marge. 'Ik ben me in mijn werk dagelijks bewust van het feit dat er slachtoffers zijn die niet voor zichzelf kunnen opkomen. Ik zou niet op Moordzaken werken als ik alleen maar mensen achter de tralies wilde krijgen. Het slachtoffer voor wie ik momenteel bezig ben, is Bennett Little. Daarom zit ik hier. Heb je ooit cd's met Darnell opgenomen?'

'Dat komt zo dadelijk. Darnell zat de hele tijd te drammen dat ik nummers moest schrijven om aan producers te laten zien.'

'Waar kende hij die producers eigenlijk van?'

'Via de drugs, neem ik aan, maar daar kan ik geen eed op zweren. Hij zat hoger op de ladder dan Leroy en ik. Ik geloofde niks van al zijn stoere praatjes dus was het een hele schok toen hij ze waarmaakte.'

'Via Primo Ekerling.'

Hij snoof. 'Nee, nog niet.'

'Sorry. Ik ging voor mijn beurt.'

Hij glimlachte. 'Oké, Darnell had zijn praatjes dus waargemaakt. We mochten in een studio een paar demo's maken. Verder zijn we niet gekomen omdat Darnell toen werd opgepakt en naar Ohio verhuisde.'

'Wie heeft de demo's op de markt gebracht?' vroeg Marge.

'We hadden geen producer, alleen een geluidstechnicus die het vocale deel heeft opgenomen. We hebben samen wat nummers gedaan en ieder apart. Hij zei dat de percussie en instrumenten eraan zouden worden toegevoegd. Maar dat is er dus niet van gekomen. Toen Darnell was opgepakt, zijn Leroy en ik naar huis gestuurd en daar zat ik alleen maar de hele tijd te blowen.'

Zijn blik dwaalde weg van Marge.

'Het was vreemd om terug te zijn. Als je zwart en arm en kansloos bent, maak je geen plannen, brigadier. Dan heb je geen toekomst. Dan leef je van dag tot dag. Dat deed ik dus. Maar Leroy, domme Leroy, wilde de droom niet opgeven. Hij bleef met onze nummers leuren. Ik zei aldoor dat hij het wel kon vergeten, maar hij weigerde het op te geven. Op een dag kreeg ik telefoon...'

Wenderhole sloeg zijn ogen neer.

'Het was Leroy en hij klonk niet best.'

Marge keek afwachtend.

'Hij klonk emotioneel niet best, maar hij was ook moeilijk te verstaan. Hij belde via een mobiele telefoon en vijftien jaar geleden hadden die niet de kwaliteit van nu. En ze waren vreselijk duur. Alleen dokters en dealers hadden ze.'

'Dat klopt.'

'Hij moest een paar keer opnieuw bellen omdat er zo veel storing op de lijn zat en de verbinding steeds wegviel. Het was 's avonds om een uur of negen. Hij vroeg of ik hem kon komen halen. Ik vroeg waar hij was. Hij zei dat hij in het Clearwater Park zat.'

Marges hart begon te bonken. 'Ah...'

'Ja. We weten nu wat dat wil zeggen. Maar toen wist ik dat niet. Ik vroeg wat hij daar deed. Hij zei dat hij er voor een zaakje naartoe was gegaan. Ik vroeg wat voor zaakje. Hij zei dat hij me dat wel zou vertellen als ik hem kwam halen. Ik zei dat ik geen auto had en dat ik geen zin had om helemaal naar de Valley te rijden omdat hij toevallig daar met zijn stomme kop was blijven steken.'

'Wat zei hij toen?'

'Hij begon te huilen. Toen wist ik dat hij echt in de problemen zat.'

'Ben je gegaan?'

'Natuurlijk. Ik zou hem nooit aan zijn lot overlaten. Een auto had ik niet, dus heb ik de Chevrolet van mijn buurvrouw gepikt. Ik zou lang voordat die ouwe taart wakker werd alweer terug zijn. Ik heb de snelweg genomen in de hoop dat daar niet ergens een juut op de loer lag om een neger te pakken te nemen. God was me goed gezind. Ik kwam zonder problemen in een recordtijd bij het park aan.

Er was geen kip te bekennen. Niet in het park, niet op straat. Het is een groot park en op sommige plekken is het er pikkedonker. Ik zag Leroy alleen maar omdat hij op een bankje zat. Hij beefde en ik kon zien dat hij erg bang was. Ik vroeg wat er aan de hand was. Hij haalde een rolletje bankbiljetten tevoorschijn... een paar honderd dollar, wat voor ons een kapitaal was. Ik vroeg hoe hij daaraan kwam.'

'Wat zei hij?'

'Hij zei dat het van een deal was... dat hij drugs had verkocht.'

'En wat dacht jij daarvan?'

'Ik geloofde dat, maar niet dat het van een gewone deal was. Ik dacht dat hij zo stom was geweest een dealer te bestelen. Ik werd erg bang, want net toen wij wegreden, kwamen er politiewagens aan. Toen ik de eerste zag, had ik het al niet meer en toen kwamen er nog twee of drie aanrijden.' Hij staarde met wijd open ogen voor zich uit. 'Ik ben de zijstraten ingedoken en heb gereden zonder de koplampen aan te doen.'

'Dan heb je alweer geboft.'

'Ja, dat weet ik. Een paar dagen daarna hoorde ik het nieuws over doctor Little. Omdat ik niet meer op school zat, kreeg ik het allemaal pas achteraf te horen: over de carjacking en de Mercedes die bij het Clearwater Park was achtergelaten. Ik wist dat Leroy zwaar in de problemen zat en dat ik nu waarschijnlijk een medeplichtige was geworden. We hebben de koppen bij elkaar gestoken en een verhaal verzonnen voor het geval de politie ons op het spoor zou komen.'

'Heb je hem gevraagd wat er was gebeurd?'

'Nee. Dat wilde ik niet weten, voor het geval de politie me zou komen halen en me een leugentest zou laten doen... Daar wilde ik dan graag voor slagen.'

'Wat was het verhaal dat jullie hadden verzonnen?'

'We zouden elkaars alibi zijn. Toen ik vertrok om Leroy op te pikken, vroeg mijn moeder waar ik naartoe ging. Ik zei naar Leroy. Ze zat met de dominee te praten en die hoorde het me zeggen. Ze had er natuurlijk geen idee van dat ik Leroy veertig kilometer van huis ging oppikken. Ik had geen auto. Leroy ook niet. En waarom zouden we in dat park zijn? Bovendien hadden we geen reden om doctor Ben iets aan te doen. Wij waren nooit door hem apart genomen, zoals Darnell. Wij telden op North Valley High helemaal niet mee.'

'Maar de politie heeft jullie wel ondervraagd over de moord.'

'Ja, natuurlijk. Omdat Darnell eerder voor drugs was opgepakt en wij zijn vrienden waren, en omdat we zwart waren. Er was niemand die dacht dat een blanke jongen doctor Ben ooit iets zou aandoen. Ik ben ondervraagd door rechercheur Vitton. Hij kwam bij me thuis. Hij heeft met mij en met mijn moeder gepraat. En met de dominee. Daarna heb ik nooit meer iets van hem gehoord.'

'En Leroy?'

'Leroys grootmoeder heeft gezegd dat Leroy en ik bij haar thuis waren toen het gebeurde. Ze was toen negentig of zo, doof en blind. Ze wist helemaal niet of Leroy thuis was of niet, maar zou de politie heus niks aan de neus hangen.'

Hij zweeg om zijn gedachten op een rijtje te zetten.

'Ongeveer een half jaar na de moord op doctor Ben belde Leroy me opeens op. Hij zei dat hij goed nieuws had. Hij had een rockzanger gevonden die mijn nummers mooi vond en er nog meer wilde horen.'

Marge zei niets.

'Nu komt Primo Ekerling op het toneel.'

'Ik wilde je niet onderbreken.'

Wenderhole glimlachte vluchtig. 'Primo deed aan punkrock, maar het ging niet zo goed. Hij had problemen met zijn band en wilde eigenlijk meer achter de schermen werken. Hij zag wel wat in mijn nummers. We hebben een demo gemaakt en Leroy wist het voor elkaar te krijgen dat die op een paar alternatieve radiostations werd gedraaid. Ik heb er geen cent aan verdiend, maar jezus, als je jezelf op de radio hoort! Ik kon meteen alle meisjes krijgen. Leroy ook. We waren opeens welkom in alle nachtclubs. Het probleem is alleen dat als je met pek omgaat, je ermee besmet wordt. En dat gebeurde met ons dus ook.'

Hij klopte zachtjes op de wielen van de rolstoel.

'We deden niks dan party's aflopen tot een of andere idioot op een avond gek werd en zomaar opeens ging schieten. Leroy werd in zijn borst en zijn hoofd getroffen. Ik in mijn rug. Toen ik wakker werd, kon ik mijn benen niet bewegen. Ik kon mijn benen niet eens vóélen.'

Wenderhole klemde zijn kaken op elkaar en balde zijn vuisten.

'Ik mocht niet al te veel medelijden met mezelf hebben omdat ik tenminste nog leefde. Leroy... was op slag dood.' Een korte stilte. 'Sommige mensen worden op een gegeven moment tot de orde geroepen. Bij mij was het alsof iemand een bom in mijn kop had laten ontploffen. Ik leed zo veel pijn dat ik voor het eerst van mijn leven legaal aan de drugs mocht.'

'Het moet een hel voor je geweest zijn.'

'Als er iets bestaat wat erger is dan de hel, heb ik daar gezeten. Ik heb me heilig voorgenomen dat ik mijn leven zou beteren. Dat ik nog iets van mijn leven zou maken. Het heeft een paar jaar geduurd, maar uiteindelijk ben ik er gekomen. Ik ben gaan studeren. Ik ben gaan praten met andere mensen die gedeeltelijk verlamd waren. Ik begreep dat ik nog geluk had, omdat mijn zakie tenminste nog werkt. Uiteindelijk heb ik wat gevoel teruggekregen in mijn benen en tenen. Een tijdje kon ik met krukken zelfs lopen, maar naarmate je ouder wordt, wordt het er niet beter op. Uiteindelijk moest ik toegeven dat ik wat meer hulp nodig had. Ik zwem nog steeds als de beste, maar zit nou al drie jaar in een rolstoel.'

Wenderhole hield op met praten. Marge wachtte tot ze het idee had dat ze wel weer iets kon vragen.

'Heb je Ekerling nog gesproken nadat je was neergeschoten?'

'Ik geloof dat Primo een paar keer op bezoek is geweest, maar verder niet meer. Er is geen markt voor een rapper in een rolstoel en er waren mensen genoeg die nummers schreven. Hij had niks meer aan mij.'

'Denk je dat Leroys connectie met Ekerling iets te maken had met de moord op Bennett Little?'

'Waarom zou ik dat denken? Het contact met Ekerling was van veel later datum.'

'En je hebt Leroy nooit iets gevraagd over de moord op Bennett Little?'

'Nee. Ik wilde niks weten.'

'En het enige wat jij ermee te maken had, was dat je Leroy bij het park had afgehaald.'

'Ja. Ik ben bereid daar een officiële verklaring over af te leggen. Als onderdeel van mijn rehabilitatie. Ik heb tegen de politie gelogen en geef dat volmondig toe.'

'Toen je het nieuws over de moord op Ekerling hoorde – dat zijn auto was gestolen, dat het lijk in de kofferbak lag en dat de moord op een executie leek – heb je dat toen meteen in verband gebracht met de moord op Bennett Little?'

'Daar ben ik pas over gaan nadenken toen ik las dat de politie die twee eikels had opgepakt; dat een van hen zichzelf een aankomende rapper noemde. Dat vond ik frappant. Het leek wel een kopie van Leroy en mij vijftien jaar geleden.'

Marge was druk aan het schrijven. 'Waarom denk je dat iemand Bennett Little dood wilde hebben?'

'Dat zou ik niet weten; ik kende de man amper.'

'Hoe is Leroy volgens jou bij de moord betrokken geraakt?'

'Ik weet niet of hij erbij betrokken was.'

Marge zei: 'Gezien wat je me hebt verteld, moeten er behalve Leroy nog meer mensen bij de moord op Little betrokken zijn geweest. Enig idee wie erachter zat?'

'Nee.'

'Darnell misschien? Zou hij het brein achter de zaak zijn geweest? Hij had redenen om Little te haten.'

Wenderhole was terughoudend. 'Darnell was kwaad, maar niet kwaad genoeg, lijkt mij, om hem te laten vermoorden. En waar had hij het geld daarvoor vandaan moeten halen?'

'Misschien had hij het overgehouden aan het dealen.'

Wenderhole glimlachte bitter. 'U weet duidelijk niks over dealen. Als drugskoerier krijg je maar een schijntje uitbetaald. En alles wat je verdient verdwijnt via je mond, je neus of je longen. Darnell had geen geld om Leroy te betalen.'

'En je weet niet wie Leroy dan wel heeft betaald om Little te vermoorden?'

Wenderhole omzeilde de vraag. 'Ik weet niet of Leroy Little heeft vermoord.'

Marge gooide het over een andere boeg. 'Toen je met Ekerling werkte, heb je toen zijn voormalige bandleden ontmoet?'

Wenderhole dacht even na. Hij deed een kast open, haalde er een map uit en begon daarin te zoeken. 'Dit is mijn voormalige leven als A-Tack: knipsels, pr-stukjes en de weinige recensies die over me zijn geschreven. Ik heb alles bewaard.'

'Mag ik ze zien? Ze kunnen van belang zijn voor ons onderzoek.'

'Zo dadelijk...' Hij haalde een vergeeld krantenknipsel uit de map. 'Alstublieft...' Hij gaf het aan Marge. 'Ik was een keer de support act van Primo's band, de Doodoo Sluts. Ik geloof dat het hun laatste optreden was. Het was in een nachtclub in Hollywood. De zaal zat stampvol, maar de mensen waren niet voor mij gekomen. Het waren allemaal blanke punkers. Ik heb twee nummers kunnen doen voordat ze me begonnen te bekogelen.'

Marge las de recensie. De criticus had goede woorden over voor A-Tack en noemde de Sluts commerciële druiloren. 'Jouw twee nummers moeten indruk gemaakt hebben.'

'Het enige wat ik me ervan kan herinneren is dat ik de grootste moeite had weg te komen zonder gelyncht te worden. Ik was woest op Primo dat hij me dat had aangedaan.'

'Denk je dat hij het met opzet had gedaan?'

'Nee, niet met opzet. Hij dacht waarschijnlijk dat hij me een plezier deed door me voor publiek te laten optreden, maar een producer moet wel weten voor welk publiek hij zijn artiesten neerzet.'

'Als je de support act van de Doodoo Sluts was, moet je de leden van de band gekend hebben.'

'Nee, ik kende ze niet. Ik had ze vlak voor het optreden pas ontmoet. Ik vond de drummer wel aardig, de Ier. En de gitarist was erg goed. Hoe heet hij ook alweer?'

'Ryan Goldberg.'

'Ryan, ja. Een grote vent. Beetje vreemd type, maar wel vriendelijk. Hij deed me denken aan Lurch van de familie Addams.'

'En Rudy Banks?'

'Rudy Banks...' Wenderhole zweeg even. 'Ik herinner me hem het beste omdat hij wist dat ik op North Valley High had gezeten. Ik heb hem gevraagd hoe hij dat wist en toen vertelde hij me dat Darnell Arlington op North Valley voor hem als drugskoerier had gewerkt. Als dat waar was, had ik indirect voor Rudy gewerkt omdat ik voor Darnell werkte.'

'En dat vertelde hij je allemaal bij die eerste ontmoeting?'

'Rudy had een grote bek. Hij zei dat Darnell een kaffer was die de hele operatie had verknald toen hij was opgepakt. Hij werd weer kwaad toen hij erover begon. Ik kreeg de indruk dat Rudy vond dat Darnell dik bij hem in het krijt stond.'

'Maar jij herinnert je Rudy Banks niet van North Valley High.'

'Om te beginnen ging ik nooit naar school. En ik geloof dat hij al van school was tegen de tijd dat ze ons naar de Valley lieten bussen.'

'Dat hij van school was wil niet zeggen dat hij er geen drugs meer verkocht.'

'Niet méér?'

'Volgens bepaalde mensen handelde Rudy in drugs toen hij zelf nog op North Valley zat.'

'Dat verbaast me niets.'

'Heb je Darnell ooit opgebeld om te vragen of hij als drugskoerier voor Rudy had gewerkt?'

'Nee. Tegen de tijd dat ik dat voorprogramma voor de Sluts deed, had ik Darnell al heel lang niet gesproken. Hij had een nieuw leven. Hij wilde niks meer met Leroy en mij te maken hebben.'

'Misschien heeft Leroy hem wel gesproken.'

'Darnell had het geld er niet voor om Leroy in te huren.'

'Maar Rudy had meer dan genoeg geld om Leroy in te huren.'

'Ik geloof niet dat Rudy en Leroy elkaar ooit ontmoet hebben.'

'Was Leroy er niet bij toen je optrad?'

'Ah, ik snap wat u bedoelt. Dat hij misschien bij me was in de kleedkamers en dat hij daar de Sluts heeft ontmoet. Maar dit was lang na de moord op doctor Ben.'

'En de Doodoo Sluts zijn na dat optreden uit elkaar gegaan?'

'Rond die tijd, ja. Primo is fulltime als producer gaan werken. Ik weet niet wat Rudy, Ryan en de Ier zijn gaan doen. Zoals gezegd was ik alleen maar aan het blowen en feesten tot een junk mijn droom aan diggelen schoot.' Een diepe zucht. 'Ik blijf tegen mezelf zeggen dat het zo eigenlijk maar het beste was. Misschien ga ik dat ooit nog geloven ook.'

Marge liet die woorden even hangen. Toen zei ze: 'Wat was Leroys rol eigenlijk toen jij nummers met Primo opnam? Per slot van rekening was hij degene die je met Ekerling in contact had gebracht.'

'Leroy was mijn manager. Hij ging met de demo's de radiostations af.'

'Werkten Ekerling en hij samen om jou te promoten?'

'Dat is een goede vraag.' Hij dacht na. 'De weinige keren dat Leroy naar de studio kwam, stuurde Ekerling hem weg. Leroy was daar kwaad om maar begreep het wel. Ze werkten allebei voor me, maar ieder op zijn eigen terrein. Leroy deed het veldwerk... Hij wist mensen over te halen naar de demo's te luisteren. We begonnen net een beetje succes te krijgen.' Zijn gezicht versomberde. 'En toen waren we op het verkeerde moment op de verkeerde plek.'

Marge keek weer naar het knipsel. 'Ik wil het nog even over Rudy Banks hebben, omdat zijn naam steeds opduikt bij ons onderzoek. Je zei dat Rudy kwaad was op Darnell toen die voor het dealen was opgepakt. Was Rudy ook kwaad op Ben Little omdat die de organisatie had opgerold?'

'Ik weet niet eens of er een organisatie was. Rudy zei alleen dat Darnell voor hem als koerier had gewerkt. Dat was ongeveer twee jaar na de dood van Little. Ik was echt niet van plan Darnell op te bellen om te vragen of dat waar was. Het kon me ook niet schelen of het waar was of niet. Ik was mijn eigen weg gegaan en Darnell ook en verder maakte het me allemaal niks uit.'

'Dit komt allemaal nogal snel op me af. We zullen het nog een keer moeten doornemen. Nog wel een paar keer.'

'Ja, dat snap ik. Ik heb vandaag niet zo veel tijd meer voor u, maar zoals ik al zei, wil ik best naar het politiebureau komen om een verklaring af te leggen. Ik zal de gevolgen van mijn daden moeten aanvaarden, maar ben niet bereid Darnell ergens van te beschuldigen. Voor zover ik weet heeft hij niks gedaan.'

'Ik heb met hem gepraat. Hij houdt iets achter.'

'Als dat zo is, zou ik niet weten wat dat zou zijn. Ik ben alleen maar een vriend te hulp geschoten en die is nu dood. Ik draag al heel lang een schuldgevoel met me mee. Daar zou ik graag voor eens en voor altijd van af willen komen. Dat is de sleutel tot een rustig leven, brigadier: je fouten erkennen en daarna een nieuwe weg inslaan.'

31

Het was Marge die belde.

Decker nam niet op, ook al had hij een oortje bij de hand, omdat hij ruim honderd reed op de snelweg. Te veel mensen werden een nanoseconde afgeleid met alle onaangename gevolgen van dien. De dichtstbijzijnde afrit was twee kilometer verderop, maar voerde naar het hart van de Santa Monica Mountains, waar de ontvangst problematisch kon zijn.

Hij sloeg Moraga Drive over en Sunset Boulevard ook omdat hij daar nergens langs de kant van de weg kon stoppen. Wilshire was daarna de eerste geschikte afslag, maar zodra hij de snelweg had verlaten, besefte hij dat hij dat beter niet had kunnen doen. Ook die verkeersader zat grotendeels verstopt en had bovendien aan weerskanten hoge wolkenkrabbers die een duidelijke ontvangst onmogelijk maakten. Hij sukkelde met de stroom mee tot hij de winkelstraten van Beverly Hills bereikte. Daar waren geen wolkenkrabbers meer die het telefoonverkeer belemmerden, maar ook hier was het verkeer een verschrikking. Hij zat maar te zitten terwijl hij stapvoets doorreed, in dubio of hij Marge toch maar moest terugbellen of eerst een parkeerplaats zoeken of wachten tot hij Marilyn Eustis had gesproken. Uiteindelijk sloeg hij Rodeo Drive in en stopte in een laadzone. Hij pakte zijn notitieboekje, toetste het nummer van Marge in en zat helemaal klaar voor het gesprek toen er op zijn raampje werd geklopt. Een agent van de gemotoriseerde verkeerspolitie met grijs haar en een walrussnor tuurde naar binnen, zijn gelaatsuitdrukking gedeeltelijk verborgen achter zijn zonnebril. De frons op zijn voorhoofd zei echter genoeg.

'Ik bel je zo terug,' zei Decker toen Marge opnam. Hij liet het raampje zakken. 'Ik ben inspecteur van het LAPD en moet iemand bellen in het kader van mijn werk.'

'Hebt u een identificatie?'

'Ik heb een identificatie en ook een wapen,' antwoordde Decker. 'Ik zal mijn colbertje openslaan zodat u mijn pistool kunt zien, en daarna zal ik mijn legitimatie uit mijn binnenzak halen. Goed?'

'Doe het wel langzaam.'

'Uiteraard.' Decker haalde zijn penningmapje tevoorschijn. De besnorde agent bekeek het en knikte. 'Kunt u het kort houden? De winkeliers schreeuwen moord en brand als de toegang tot hun winkels wordt geblokkeerd. Daar hebt u geen last van, maar ik wel.'

'Snap ik. Ik ben zo klaar. Bedankt.'

De agent liet zijn motor loeien door een paar keer aan de hendels te draaien en reed toen weg. Decker belde Marge nogmaals. 'Zeg het eens.'

'Waar ben je?'

'Op weg naar Marilyn Eustis.'

'Mooi zo. Dan weet je dus wat ik weet? Wie heeft het je verteld?'

'Wie heeft me wat verteld?'

'Dat Jervis Wenderhole alias A-Tack Primo Ekerling als producer had.'

'O ja?' Decker pakte zijn notitieboekje. 'Wanneer was dat?'

'Ongeveer een jaar na de moord op Ben Little.' Een stilte. 'Waarom ga jij naar Eustis?'

'Om uit te zoeken of Primo Ekerling ooit voor Travis Martel nummers heeft opgenomen of uitgebracht.'

'Voor Travis Martel? De jongen die in hechtenis is genomen voor de moord op Primo?'

'Ja.'

'Maar Marilyn Eustis zei toch dat ze Martel en Perry niet kende?'

'Ja, maar dat wil nog niet zeggen dat Ekerling hem niet kende.' Hij vertelde haar over de nummers van Martel die Cindy had gedownload en over de "B and E" die daarin voorkwam.

'Normaal gesproken zou ik dat vergezocht vinden, maar nu niet.' Ze gaf hem een samenvatting van haar gesprek met Jervis Wenderhole. Decker zat al twintig minuten druk aantekeningen te maken en met Marge theorieën uit te werken toen hij werd gestoord door een man die op zijn raampje klopte. Het was een kleine, donkere man van middelbare leeftijd, met recht achterover gekamd haar, van top tot teen in het geel gekleed. Zelfs zijn krokodillenleren schoenen hadden een gouden glans.

'Momentje, Marge.' Decker liet het raampje zakken.

'U moet hier weg!' zei de man in het Engels met een buitenlands accent. Decker liet hem zijn penning zien. 'Al was u de president,' riep de man. 'U moet hier weg!'

Een bazig type, maar hij had gelijk. Decker zei: 'Een ogenblikje nog...'

'Een ogenblikje? U zit hier al twintig minuten!' schreeuwde de man.

'Hebt u dat bijgehouden?'

'Ja, natuurlijk! Ga weg! Ik verwacht een belangrijke cliënt. Hij heeft deze plek nodig want hij heeft een Phantom Rolls-Royce.'

Decker zei tegen Marge: 'Ik moet ophangen. Ik blokkeer een parkeerplaats van een belangrijke klant...'

'Cliënt.'

'Pardon. Cliënt.' Hij klapte zijn mobieltje dicht en startte de motor. 'Sorry. U hebt gelijk. Deze parkeerplaats hoort bij uw zaak en u hebt er alle recht op.'

'Oké.' De man werd meteen rustig. 'Oké.' Toen Decker wilde optrekken, hief de gele dwerg zijn hand op. 'Ogenblikje.' Hij holde de winkel in en kwam terug met een tasje. 'Mijn nieuwe aftershave. Cadeautje. Ik heb deze plek nodig, maar ik ben een goede zakenman. Wie weet? Misschien wordt u ooit rijk, dan kunt u ook een belangrijke cliënt van me worden.'

In Ekerlings voormalige kantoor stonden alleen nog een saaie bank, een kale lage tafel, twee leunstoelen, een bureau en een dossierkast. De boekenplanken waren nog steeds gevuld met driedubbele rijen cd's, maar de stapels dozen waren weg en daarmee was iedere vorm van bewijs dat Ekerling met Travis Martel had gewerkt vermoedelijk ook verdwenen.

Marilyn zat op de bank met haar benen over elkaar geslagen en liet haar voet op en neer gaan als de slagboom van een spoorwegovergang. Ze had een sigaret in haar ene hand en een cola-zero in haar andere, en tikte steeds as in de opening van het blikje. De blondine met de blauwe ogen zag er aantrekkelijk uit in haar nauwsluitende zwarte spijkerbroek en T-shirt met lage hals. 'Ik neem Primo's klanten over.'

'Ik wist niet dat u producer was.' Decker was tegenover haar gaan zitten.

'Dat ben ik ook niet. Ik ga als hun agent optreden. Ik kan dat waarschijnlijk net zo goed als ieder ander, zeker gezien de klantenlijst.' Ze schudde haar hoofd. 'Primo was een goeie vent, maar zijn weg was niet bepaald geplaveid met succesverhalen.'

Decker wees naar de planken. 'Hij had erg veel cd's.'

Marilyn rekte haar hals om naar de cd-doosjes te kijken en draaide haar hoofd toen weer terug naar Decker. Ze nam een trekje van haar sigaret. 'Dat zegt niks.' Ze trok een minachtend gezicht. 'Negenennegentig procent van die jochies heeft het één keer geprobeerd en zijn toen in het niets verdwenen. En het ene procent dat succes had, is zo snel mogelijk bij Primo weggegaan. Verwar kwantiteit niet met kwaliteit. Een demo maken kost haast niks.'

'Ik wist niet dat Primo als agent had gewerkt.'

'Zo zie je maar weer. Ja, hij was agent, maar geen goede. Talent en charisma komen nu eenmaal niet bij je aankloppen. Je moet er zelf achteraan. Maar als je afgestompt bent door drank en drugs, zijn werk en ambitie bijna vieze woorden.'

'Hoe ver terug gaan deze demo's?'

'Weet ik niet. Ik ben er nog niet aan toegekomen.'

'Wat gaat u ermee doen? Weggooien?'

'Ik zal ze doornemen om te zien of er iets tussen zit. Ik moet ze eigenlijk allemaal inpakken en mee naar huis nemen. Het huurcontract voor dit kantoor loopt over een paar weken af en ik ga het niet vernieuwen. Ik kan net zo goed van huis uit werken. Het enige wat ik nodig heb is een cd-speler en een scherp gehoor.'

'Hoe lang denkt u ervoor nodig te hebben om alles in te pakken?'

'Geen idee. Ik weet alleen dat het me een heleboel tijd heeft gekost om de administratie door te nemen. God, wat een rotklus.' Ze tikte as in het blikje. 'Maar u zit hier niet om naar mijn problemen te luisteren. Wat hebt u nodig?'

'Nou, om te beginnen zou ik graag al die cd's willen bekijken.'

'Waar bent u naar op zoek?'

'Materiaal van een rapper genaamd Rated-X, Travis-X, X Marks the Spot of alleen maar X. Zeggen die namen u iets?'

'Primo deed niet veel met rappers.'

'Dat wil niet zeggen dat hij geen demo's van rappers kreeg.'

'Dat is waar, maar deze lijkt me geen cliënt.' Ze fronste haar wenkbrauwen. 'Al heb ik die namen geloof ik al eens gehoord. Moet ik hem kennen?'

'Het zijn de namen die Travis Martel gebruikte.'

'Travis Martel?' Marilyn nam een lange trek van haar sigaret. 'De klootzak die in de gevangenis zit?'

'Ja.'

'Dat meent u niet! Dacht u dat Primo met dat schorem zou hebben gewerkt?' Nog een trek. 'Toe nou, zeg. Ik ken niet al Primo's cliënten, maar ik zou het wel geweten hebben als hij met die vuile moordenaar had gewerkt.'

Decker zei niets. Zijn zwijgen deed Marilyn rood aanlopen van woede.

'Waarom zou Primo met zo'n stuk schorem werken?'

Decker wees naar de cd's. 'Hij kreeg demo's van allerlei soorten mensen.'

'En hoeveel van die mensen, denkt u, hebben ooit nog iets van Primo gehoord?'

'Dat weet ik niet. Twintig?'

'Misschien drie.'

'Het kan best zijn dat het daar nu juist om ging. Misschien had Travis Martel hem een demo gestuurd en was hij kwaad omdat Primo er niet op reageerde.'

'U weet niet eens of Travis een echte rapper is of alleen maar een rappersnaam had genomen. Massa's van die lummels die zichzelf rappers noemen, doen helemaal niks aan rap. Die vinden de naam en het idee al mooi genoeg.'

'Travis heeft zijn muziek op MySpace gezet.'

'Dat doen al die losers.'

'In een van zijn teksten staat een regel die refereert naar "*the music and the crime – the shit of B and E*". "B and E" slaat misschien op Banks en Ekerling.'

'Wat? Wacht eens even.' Ze boog zich naar voren. 'Wat heeft Rudy Banks hiermee te maken?'

'Ik doe nu maar een slag in de lucht, hoor, maar stel dat Primo Travis had afgewezen en dat Travis naar Rudy was gegaan. Misschien heeft Rudy hem een opnamecontract geboden als hij Ekerling zou vermoorden.'

Marilyn zette grote ogen op. 'Dat is waanzin.'

'Het kan zijn dat Banks zoiets al eerder had gedaan, dat hij jonge misdadigers gebruikte om zich van vijanden te ontdoen.' Decker vond het geen slechte theorie, maar Marilyn leek uitermate sceptisch.

'Dus Rudy zou op de een of andere manier gehoord hebben dat Travis

Martel door Primo was afgewezen en toen zou hij dat schorem hebben ingehuurd om Primo te vermoorden?'

'Misschien hoefde hij hem niet eens in te huren. Misschien hoefde hij Travis alleen maar een idee aan de hand te doen. Travis had voldoende criminele inslag om er op eigen initiatief werk van te maken. Wat mij momenteel interesseert, is dat Rudy Banks wordt vermist. Ik vraag me af wat daarachter zit.'

'Wordt hij vermist?' Ze glimlachte fijntjes. 'Met een beetje geluk is hij dood!'

'Foei!'

Marilyn nam een trek van haar sigaret. 'Oké, dat is niet netjes van me, maar het is wel zo dat de andere twee leden van de voormalige Sluts het een stuk makkelijker zouden krijgen als Rudy er niet meer was.'

'Liam O'Dell en Ryan Goldberg.'

Ze knikte.

'Ik heb Liam al een paar keer gesproken. Hij zei dat hij omwille van Ryan Rudy had aangeklaagd.'

'Primo heeft de zaak aanhangig gemaakt, niet Liam.'

'Maar met zijn instemming.'

'Uiteraard. Mad Irish kan best een altruïstisch trekje hebben, maar hij doet het ook voor zichzelf. Omdat hij zelf is geflopt.'

'Hij kwam op mij over als een tevreden mens.'

'Ja, en ik ben een beroemde filmster.' Ze nam een trek. 'Luister. Wie eenmaal roem heeft geproefd, komt er nooit meer vanaf. Het is net zoiets als herpes, het zit in je lijf en wacht op eens kans om opnieuw tevoorschijn te komen.'

'Volgens mij word je na verloop van tijd toch wel realistisch.'

'Dat zou je denken, maar dat is niet zo. Zo vergaat het die negenennegentig procent van de ambitieuze rockzangers: hun ster verbleekt voordat ze dertig zijn. Als je echt talent hebt kun je het hoofd boven water houden door er iets anders in de muziekindustrie bij te doen, maar het gros verzuipt. Hoe wreed het ook is, deze business is van de jeugd en de rest moet letterlijk van het toneel verdwijnen. Primo wist dat en Rudy ook.'

Ze zweeg om te roken. 'Waar denkt u dat hij is? Rudy bedoel ik.'

'Geen idee. Dat wilde ik juist aan u vragen.'

'Ik weet niets over zijn privéleven. Toen ik Primo leerde kennen, waren Rudy en hij al verwikkeld in een paar rechtszaken, hoofdzakelijk over geld dat Rudy aan Primo verschuldigd was uit de tijd dat ze samen die productiemaatschappij hadden.'

'Waar hebben ze elkaar leren kennen?'

'In de muziek. Hier in Los Angeles. Twee opstandige jongens die maar een beetje rondhingen en zich suf blowden. Op een gegeven moment hebben ze Ryan en Liam ontmoet. Het klikte tussen hen en de band had succes; een bliksemsnelle opgang, een bliksemsnelle ondergang. Ryan werd gek, Liam verdween in het niets, Rudy en Primo probeerden hun roem uit te buiten voor werk dat van langere duur zou zijn.'

'Ze hebben samen aan een aantal projecten gewerkt totdat het misging tussen hen,' zei Decker. 'Wat is er eigenlijk gebeurd?'

'Niks, behalve dat Rudy een zak is.' Ze haalde haar schouders op. 'Een popgroep is heel leuk en aardig, maar een echte maatschappij is wel wat anders. Wat ik niet snap is waarom Rudy Primo opeens wilde vermoorden terwijl ze al jaren gerechtelijk met elkaar overhooplagen.'

'Misschien omdat de gelegenheid zich voordeed? In de persoon van Travis Martel?' Decker glimlachte. 'Dat vermoed ik tenminste, maar ik kan het nergens mee onderbouwen. Daarom wilde ik Primo's paperassen doornemen om te zien of hij ooit als producer voor hem is opgetreden. Maar u hebt dus het grootste deel van zijn administratie weggegooid.'

'In kleine reepjes gescheurd. Ongeveer een kwart ervan zit in de composthoop bij mij thuis. U mag daar best in gaan graven, maar ik waarschuw u van tevoren dat die berg erg stinkt en anderhalve meter hoog is.'

'Een composthoop.' Decker grinnikte. 'Mijn vrouw heeft er ook een. Ze is dol op tuinieren.'

'Bloemen?'

'Alles.'

'Geef dan maar aan haar door dat er een nieuwe variant van de theeroos op de markt is gekomen: lemon kiss. Hij is felgeel en ruikt echt naar citroen. Prachtige bloem.'

'Ik zal het zeggen. Uw composthoop ga ik trouwens niet doorspitten, maar als u het goedvindt, wil ik wel graag de demo's en oude bandjes bekijken om te zien of ik iets van Travis Martel kan vinden.'

'Ga uw gang. De meeste hebben een foto op de hoes, dat scheelt.'

'Ik stel uw medewerking erg op prijs.' Decker glimlachte naar haar. 'Er zal wel wat tijd in gaan zitten. Vindt u dat niet erg?'

'Ik niet. Trek straks de deur maar gewoon achter u dicht.' Ze drukte haar sigaret uit. 'Weet u wat? Ik zal wat dozen voor u halen. Doe alle cd's die u niet nodig hebt daar maar in, in plaats van ze terug te zetten op de planken. In ruil voor mijn medewerking kunt u me mooi helpen van deze rommel af te komen.'

32

Tegen de tijd dat Decker thuiskwam, had Rina haar flanellen pyjama aan en zat ze in bed, het dekbed bedolven onder brochures en reisgidsen. Ze keek op van haar geïmproviseerde bureau en glimlachte. 'Let maar niet op mij. Ik zit maar wat te fantaseren.'

'Te fantaseren? Zonder mij?'

'Niet dat soort fantasieën, alhoewel ik die makkelijk in deze fantasie kan inpassen.'

Decker lachte. 'Ik zag in de koelkast een afgedekt bord met een broodje kalkoen, koolsla en aardappelsalade. Is dat voor mij?'

'Ja.'

'Ik val om van de honger. En ik ben vies. Zal ik eerst onder de douche gaan of eerst eten?'

'Ga maar onder de douche, dan zet ik dat bord op een knietafeltje en kun je zo dadelijk in bed eten terwijl ik doorga met fantaseren.'

'Goed plan.'

Twintig minuten later waren alle brochures van het bed verwijderd en op Rina's nachtkastje opgestapeld. Op het knietafeltje stond Deckers diner met twee blikjes frisdrank erbij. Het broodje kalkoen waar Decker zijn tanden in zette, was het lekkerste dat hij ooit had geproefd. Knapperig bruin brood dat Rina dik met mosterd en mayonaise had besmeerd. Ze had er ook wat cranberrysaus aan toegevoegd. Het was om je vingers bij af te likken.

Rina liet hem een paar minuten rustig eten. Toen vroeg ze: 'Heb je een goede dag gehad?'

'Een lange dag.'

'Het ene sluit het andere niet uit.'

'Dat is waar. Het was een lange dag en best wel een goede dag. Hij is beter geëindigd dan hij is begonnen.'

Rina vroeg verheugd: 'Heb je Rudy Banks gevonden?'
Decker glimlachte triest. 'Daarom zei ik dat het best wel een goede dag was. Als ik Rudy had gevonden, zou het een erg goede dag zijn.' Hij dronk een blikje leeg en trok het andere open. 'Nee, ik heb Rudy niet gevonden, maar wel een connectie, zij het een zwakke, tussen Primo Ekerling en zijn vermeende moordenaar, Travis Martel.'
'Dat is ook niet slecht. Wat is de connectie?' vroeg Rina.
'Martel heeft een aantal demo's naar Primo Ekerling gestuurd. Bij een ervan zat een briefje waarop stond: "Hé, hier heb je er nog een paar. Hou me op de hoogte".'
'Op de hoogte waarvan? Een platencontract?'
'Dat denk ik.' Toen hij het broodje op had, begon hij aan de aardappelsalade en het tweede blikje fris. 'Primo zette op elke demo die hij kreeg de datum van ontvangst.'
'Nauwgezet mannetje.'
'Gelukkig wel. De datum op een van de hoesjes in kwestie was van meer dan een jaar geleden. Ik denk niet dat het ooit tot een contract is gekomen.'
'Denk je dat Travis Martel Primo heeft vermoord omdat hij geen platencontract had gekregen?'
'Zou kunnen. Of dat iemand anders hem tot de moord heeft aangezet. Iemand die Primo niet mocht en het heeft uitgebuit dat Travis kwaad was op Ekerling.'
'Rudy Banks zou Travis Martel ingehuurd hebben om Primo Ekerling te vermoorden?'
'Misschien wel.'
'Heb je een aanwijsbaar verband tussen Travis Martel en Rudy Banks?'
Decker nam nog een slok. 'Nee. Daarom wil ik met Martel gaan praten. Zien of ik iets aan hem kan ontfutselen... Als bureau Hollywood me bij hem toelaat.'
'Maar in het begin vond je het toch erg twijfelachtig dat Travis de dader was?'
'Ja. Ik dacht dat Martel en Perry de auto alleen maar hadden gestolen, zonder te weten dat Ekerling in de kofferbak lag. Want wie gaat er nou met een gestolen Mercedes joyrijden als er een lijk in ligt? Dan moet je wel erg dom zijn.'

'Zeg dat wel.'

'Maar nu vraag ik me af of het misschien om een huurmoord gaat. Het is mogelijk dat bureau Hollywood wel degelijk de juiste verdachten heeft opgepakt. En als ik op één lijn zit met Garrett en Diaz, zullen ze me misschien tot Martel toelaten.' Hij verorberde de koolsla en dronk het tweede blikje leeg. 'Genoeg over mij. Wat heb jij vandaag gedaan, afgezien van complotten smeden met mijn oudste dochter over waar we ons geld aan moeten uitgeven?'

'We hebben geen complotten gesmeed, alleen gepraat.' Ze gaf Decker een brochure. 'Ik zou normaal gesproken niet aan een cruise hebben gedacht... zeker niet aan een cruise die niet specifiek koosjer is, maar ik heb inmiddels met de directie gesproken. Ze hebben al tig keer maatregelen getroffen voor reizigers die strikt koosjer eten.'

'Welk rangtelwoord is tig?'

Rina negeerde dat. 'Het voedsel is geen probleem. Zelfs als we alleen koude gerechten zouden kunnen eten, hebben ze altijd cottage cheese, gerookte zalm, tonijnsalade en eiersalade voor de proteïne, en allerlei soorten groenten en fruit. En ik kan altijd zelf vleeswaren meenemen voor de broodnodige variatie.'

'Dan bestel ik hierbij kalkoen. Dit broodje was verrukkelijk.'

'Ik kan ook een hele kalkoen braden, invriezen en de kok van het schip vragen het vlees in aluminiumfolie op te warmen.'

'Ben je mal. We gaan geen kalkoen meeslepen op vakantie!'

Rina glimlachte. 'Goed. Trouwens, als het eten ons niet helemaal zuiver lijkt, kunnen we altijd nog zelf een portie vangen. Voor de liefhebbers staat er zalmvissen op het programma.'

'Ik speel wel voor Hemingway.' Decker veegde zijn mond af. 'Alle grapjes even daargelaten, het lijkt me erg leuk om een keer te doen, al is het wel duur.'

'Je moet je geld érgens aan uitgeven.'

'Ja, aan voedsel, kleding, scholen, verzekeringen, onroerendezaakbelasting, ziekteverzekering...'

Ze gaf hem een mep. 'Wanneer zijn we voor het laatst op vakantie geweest, afgezien van de reisjes naar de jongens in New York?'

'Eh... lang geleden.'

'Nooit.'

'We zijn naar Hawaï geweest.'

'Dat was voordat Hannah was geboren.'

Was dat echt zo lang geleden? Decker zei: 'Bel Cindy, bel de jongens, regel alles, pak de koffers in en vertel me niet hoeveel het kost. Zet me alleen maar op dat schip. Ik beloof je plechtig dat ik er niet af zal springen.'

'Je moet me ook beloven dat je met geen woord over geld zult reppen. We kunnen ons dit best veroorloven, Peter, zonder failliet te gaan. Meer hoef je niet te weten.'

'Goed dan. Als jij alles regelt – het eten, het transport, de excursies – ga ik mee en zal ik de hele reis nergens over klagen. Zeg maar waar ik straks moet zijn.'

'Ik zal je niet alleen zeggen waar je moet zijn,' antwoordde Rina. 'Ik zal je zelfs aan het handje meenemen.'

De cd's waren elk apart in een zakje gedaan en lagen op Deckers bureau, met dezelfde foto van Martels minachtende smoel op de hoes van de doosjes. Marge pakte er eentje bij de punt van het zakje en las wat erop stond. 'Heb je deze van Marilyn Eustis gekregen?'

'Ze lagen op de boekenplanken in het kantoor van Primo Ekerling. Eustis zei dat ik ze mocht houden.'

'Nog mooier. Een directe link tussen Ekerling en Martel.' Ze gaapte. 'Stuur je ze naar het lab voor vingerafdrukken?'

'Ja.'

'In de hoop dat die van Travis erop staan zodat hij niet kan zeggen dat iemand anders ze heeft opgestuurd zonder dat hij het wist of dat jij ze zelf hebt meegenomen naar dat kantoor.'

'Juist.'

'Al kan hij dat evengoed zeggen, ook als zijn vingerafdrukken erop staan.'

'Misschien als het om één cd-doosje ging, maar met twee wordt dat al lastiger. Bovendien zat in een van de doosjes een briefje. Ik heb het al aan een handschriftendeskundige gegeven, die zal proberen na te gaan of het door Martel is geschreven.'

'Mooi. Heb je dit al aan bureau Hollywood gemeld?'

'Ik heb liever eerst uitsluitsel over de vingerafdrukken.' Decker bewoog zijn schouders om zijn spieren los te maken. 'Het liefst zou ik Travis Martel zelf ondervragen, proberen hem te laten toegeven dat hij op de een of andere manier betrokken is bij de moord op Ekerling.'

'Waarom zou hij dat toegeven?' Ze gaapte weer.

'Weinig geslapen vannacht?' vroeg Decker met een glimlach.

'Gaat je niks aan.' Marge trok een stoel bij, ging zitten en sloeg haar benen over elkaar, waardoor de pijpen van haar zwarte broek een stukje omhoog werden getrokken en haar enkels zichtbaar werden. Tot haar afgrijzen zag ze dat ze een zwarte en een donkerblauwe sok had aangetrokken. Snel zette ze haar voet weer op de grond. 'Dus: waarom zou Martel toegeven dat hij iets met een moord te maken heeft als zijn verdediging berust op zijn bewering dat hij alleen maar was gaan joyrijden?'

'Misschien kan ik hem aan zijn verstand brengen dat als hij ons niet de waarheid vertelt, Rudy Banks zonder meer bereid zal zijn leugens over hem te verkondigen.' Hij vertelde haar over zijn theorie dat Rudy Banks wel eens misdadigers zou kunnen inhuren om het vuile werk voor hem op te knappen. 'Het probleem is dat we geen aanwijsbaar verband tussen Banks en Martel hebben, behalve die regel over "B and E" uit zijn rapnummer.' Hij grijnsde. 'Dus zal ik maar weer eens gebruik moeten maken van mijn slimme leugens en bedreven verhoortechnieken.'

'Denk je echt dat bureau Hollywood je zal toestaan Travis Martel te ondervragen?'

'Ik denk het wel, zeker als Martels vingerafdrukken op het cd-doosje staan. Garrett en Diaz zullen blij zijn dat iemand eindelijk een link heeft gevonden tussen Travis en Ekerling. Een link die korte metten maakt met het verhaal dat die eikels alleen een auto hadden gejat en geen idee hadden wie Ekerling was en dat hij in de kofferbak lag.'

'Wanneer ga je hun het nieuws vertellen?'

'Zodra ik nieuws heb. Het wachten is op de technici die de doosjes gaan onderzoeken.'

Oliver kwam binnen en ging zitten. 'Ik heb jullie gisteravond allebei een paar keer gebeld. Waar zaten jullie?'

'Ik zat in een kantoorgebouw honderden demo's te bekijken,' vertelde Decker hem. 'De ontvangst van mijn mobieltje was daar slecht en tegen de tijd dat ik zag dat je had gebeld, was het over twaalven.'

Oliver keek naar Marge. 'En wat heb jij voor smoes?' Ze bloosde. 'Laat maar.'

'Je had geen bericht achtergelaten,' zei Decker. 'Dus dacht ik dat het niet zo dringend was.'

'Het ging om iets wat je niet op een voicemail inspreekt.'

'Wat dan?' vroeg Decker.

'Jij eerst.' Nadat Decker hem had verteld over de demo's die hij op Ekerlings boekenplanken had aangetroffen, trok Oliver zijn paarse stropdas recht. De das had precies dezelfde kleur als zijn overhemd. 'Het is heel aardig van je dat je de moord op Ekerling oplost voor bureau Hollywood, maar wat hebben we daaraan voor de zaak-Little?'

Marge zei: 'Dat kan ik je vertellen.' Ze gaf hen een verslag van haar gesprek met Jervis Wenderhole alias A-Tack. 'Samengevat: Wenderhole heeft Leroy Josephson opgepikt bij het Clearwater Park. Leroy had een rolletje bankbiljetten in zijn bezit. Leroy huilde en was van streek. Een half jaar later krijgt Wenderhole een telefoontje van Ekerling, die vervolgens een demo voor hem opneemt.'

'Daarmee hebben we een verband tussen Ekerling en Wenderhole en misschien Leroy Josephson,' zei Oliver. 'Dat zou goed nieuws zijn als we dachten dat Ekerling Little had vermoord. Denken we dat?'

'Nee,' antwoordde Decker. 'Maar ik denk dat Rudy Banks iets te maken heeft met zowel de moord op Little als de moord op Ekerling.'

Marge zei: 'De geschiedenis heeft zich herhaald: Banks had Josephson ingehuurd om Little te vermoorden, en Martel om Ekerling koud te maken. Want welke andere reden zou Martel gehad hebben om Ekerling te vermoorden?'

'Ja, daar wilde ik het nog over hebben,' zei Oliver. 'Waarom wilde Banks Ekerling eigenlijk dood hebben? Ze hadden jarenlang hun ruzies voor de rechtbank uitgevochten.'

Decker zei: 'Misschien omdat de gelegenheid zich eindelijk had voorgedaan in de vorm van Travis Martel, zoals ik ook al tegen Marilyn Eustis heb gezegd.'

'Banks heeft Martel zomaar geld geboden om Ekerling te vermoorden en Martel heeft ja gezegd?'

'Misschien zat er meer achter,' zei Decker. 'Misschien dacht Martel dat Ekerling hem een contract zou aanbieden. Op het briefje staat immers: hier heb je nog meer, hou me op de hoogte. Maar dat contract kwam maar niet en toen is Martel naar Banks overgestapt. Tegen Banks ging hij tekeer over Ekerling en toen zag Rudy zijn kans.'

'Ik snap wat hij bedoelt,' zei Marge tegen Oliver. 'Als we kunnen bewijzen dat Banks Travis Martel heeft ingehuurd om een moord te plegen, kunnen we een jury bij een hoorzitting ervan overtuigen Banks aan te klagen wegens de moord op Bennett Little, die hij door Josephson heeft laten plegen.'

'Misschien heb ik het niet goed begrepen, Marge, maar heb je ons zojuist niet verteld dat Josephson dood is?'

'Josephson is dood, maar Wenderhole leeft nog. Evenals Darnell Arlington. Ik denk dat het mogelijk is dat Rudy Darnell heeft gehuurd om Little te vermoorden, en dat Darnell, omdat die in een heel andere stad woonde, Leroy heeft ingeschakeld.'

'Maar Wenderhole zegt dat Darnell Little niet heeft laten vermoorden. Hij zegt niet eens dat Josephson Little heeft vermoord.'

'Daarom moet ik nog een keer met Darnell Arlington gaan praten. Ik denk dat ik wel meer van hem zal loskrijgen nu ik met Wenderhole heb gesproken.' En ze vroeg aan Decker: 'Denk je dat je de kosten voor nog een ticket naar Ohio gedekt kunt krijgen?'

'Als jij van Wenderhole een ondertekende verklaring krijgt, zal dat wel lukken.'

'Wenderhole is bereid een verklaring te ondertekenen dat hij Leroy bij het Clearwater Park heeft opgepikt, dat Leroy een hoop geld bij zich had, en dat Leroy erg van streek was. En dat Ekerling een half jaar later bij hem kwam om wat demo's op te nemen.'

'Precies. Ekerling kwam bij hém om demo's op te nemen. Ekerling, niet Banks,' zei Oliver. 'De vermeende link met Rudy bestaat helemaal niet.'

Decker zei: 'Scott, we hebben het hier alleen nog maar over een theorie. Maar het bloed in de flat van Banks is geen theorie. Dat is een feit. Daarom wil ik met Martel gaan praten. Om uit te zoeken of hij Rudy kent. Als dat zo is, zeg ik tegen hem dat Rudy de schuld voor de moord op Ekerling op hem en Perry afschuift. Misschien wordt hij daar kwaad om en zegt hij iets doms.'

'Hij moet wel erg dom zijn als hij opeens toegeeft dat hij Ekerling kende,' antwoordde Oliver.

'Hij moet ook wel erg dom zijn als hij zijn vingerafdrukken achterlaat in een gestolen auto met een lijk in de kofferbak.'

Oliver zei: 'En als Martel zegt dat hij nog nooit van Banks heeft gehoord?'

Decker haalde zijn schouders op. 'Dan heb jij gelijk. Dan hebben we Hollywood geholpen hun zaak tegen Travis Martel te onderbouwen door te bewijzen dat er een connectie was tussen Martel en Ekerling, maar zijn we geen stap verder gekomen wat de moord op Little betreft.'

'Misschien kan ik aan Arlington iets ontfutselen,' zei Marge. 'Vooral als Darnell denkt dat Wenderhole veel meer weet dan hij in werkelijkheid weet.'

'Of misschien is hij zo verstandig helemaal niks te zeggen,' zei Oliver. 'Of misschien heeft hij er inderdaad niks mee te maken.'

'Allebei mogelijk.' Marge glimlachte. 'Maar ik zal in ieder geval mijn uitmuntende verhoortechnieken op hem loslaten.'

Decker lachte. 'Heb je al kans gezien de advocaat van Banks te vragen of ze de afgelopen week iets van Banks heeft vernomen?'

Marge zei: 'Ze was er gisteren niet. Ik heb mijn visitekaartje achtergelaten en toen belde ze gisteravond terug. Ik zal haar...' Ze keek op haar horloge. Het was bijna negen uur. '... over een kwartiertje bellen en vragen of ik voor vandaag nog een afspraak met haar kan maken.' Ze keek naar Oliver. 'Jouw beurt. Hoe is het gisteren bij Shriner gegaan?'

Oliver rechtte zijn rug en trok zijn stropdas iets strakker. 'Ik heb nieuws en het is goed nieuws omdat het rechtstreeks iets met de zaak-Little te maken heeft. Voor zover ik weet, is dat namelijk nog steeds ons project en niet de moord op Ekerling.'

'Je begint vervelend te worden,' zei Decker. 'Schiet een beetje op.'

'Rudy Banks heeft een affaire gehad met Melinda Little.'

'Wauw!' zei Marge vol bewondering. 'Wat goed van je.'

'Ja, hè?' zei Oliver.

'Dateert die affaire van voor of na de moord op Little?' vroeg Decker.

'Van ervoor.'

'Die Banks zat met zijn tengels ook overal in en aan,' zei Marge. 'Hoe heeft hij de vrouw van Little in bed gekregen?'

Oliver zei: 'We weten dat Melinda achter de rug van haar man bleef gokken. Ze had waarschijnlijk geld nodig. Ze zal bij Rudy hebben aangeklopt.'

'Had Rudy dan zo veel geld beschikbaar? Hadden de Doodoo Sluts zo veel succes?'

Decker zei: 'Marilyn Eustis zei dat ze geld hadden, waarvan ze het meeste aan drugs opmaakten.' Hij keek naar Oliver. 'Hoe ben je dat van die affaire eigenlijk te weten gekomen?'

'Phil Shriner liet het doorschemeren.'

Marge staarde hem aan. 'Doorschemeren? Hoe bedoel je?'

Oliver krabbelde iets terug. 'Hij kon het niet ronduit zeggen, omdat het hem in vertrouwen was verteld, maar…'

'Dus je weet niet of het waar is?'

'Het is waar, Marge. Hij wilde het alleen niet toegeven omdat Melinda haar zonden heeft opgebiecht tijdens een van de bijeenkomsten van de GA, die strikt vertrouwelijk zijn.'

'Hoe heb jij het dan van hem losgekregen?' vroeg Decker.

'Ik heb zelf de conclusie getrokken en hij sprak het niet tegen.'

Decker zei: 'Scott, ga naar Melinda Little en lieg tegen haar. Zeg tegen haar dat Shriner je over de affaire heeft verteld en vraag wat ze daarop te zeggen heeft.'

Oliver krabbelde nog meer terug. 'Eh, dan wil ik liever eerst een bevestiging uit een objectieve bron. Shriner zei dat hij mij en het hele politiekorps zou aanklagen als ik naar Melinda Little ging en tegen haar zei dat hij het me had verteld. Ik kan Melinda onder druk zetten tot ze het zelf bekent, maar we moeten Shriner hier nu buiten laten.'

'Wacht eens even,' zei Decker. 'Oliver, heeft Phil Shriner voor of na de moord op Little gehoord dat ze een affaire met Banks had gehad?'

'Melinda zat in de GA na de dood van Little, dus moet hij het erna hebben gehoord.'

Marge zei: 'Als we hem kunnen geloven.'

Opeens sloeg Oliver met zijn vlakke hand tegen zijn voorhoofd. 'Ik ben seniel aan het worden. Shriner zei dat hij de naam van Rudy Banks aan Cal Vitton had doorgespeeld als mogelijke dader van de moord.'

'Phil Shriner heeft de naam van Rudy Banks aan Cal Vitton doorgegeven?' vroeg Decker verbaasd. 'Ik heb in Vittons aantekening nergens zien staan dat hij Rudy heeft ondervraagd.'

Oliver zei: 'Misschien heeft Cal Rudy nagetrokken en kon hij hem nergens op pakken.'

'Of misschien heeft hij dat niet eens geprobeerd,' zei Marge. 'Ik zit nog steeds te denken aan Petes gesprek met Freddie Vitton over dat Cal senior zijn zoon niet had geholpen toen die werd gepest.'

'Misschien wist hij het niet.'

'Daar geloof ik niks van. Nu zegt Oliver dat Shriner Rudy's naam aan Cal Vitton heeft gegeven, waardoor Cal een mooie gelegenheid had gekregen om Rudy op te pakken. Maar dat heeft hij niet gedaan.'

Oliver zei: 'Rudy wist iets over Cal.'

'Ik blijf erbij dat het iets te maken had met het feit dat Cal junior homoseksueel is,' zei Marge.

Oliver zei: 'Freddie Vitton zei anders dat iedereen dat allang wist.'

Marge zei: 'Maar dat wil niet zeggen dat Cal senior dat leuk vond. Misschien had Cal geen concrete bewijzen tegen Rudy en heeft hij daarom gezegd hem zogenaamd te vergeten als Rudy zijn mond dichthield over Cals seksuele geaardheid.'

'Het is mogelijk dat hij bereid was bepaalde dingen door de vingers te zien,' zei Oliver, 'maar niet een moord.'

Marge keek hem aan. 'Maar misschien wist Cal niet dat Rudy een moordenaar was. Ik zeg alleen maar dat we allemaal weten dat er politieagenten zijn die liever hun eigen zoon geruisloos zien verdwijnen dan openlijk te moeten toegeven dat hun zoon homoseksueel is. Ze denken dat zoiets hun eigen mannelijkheid aantast.'

'Niet alleen bepaalde politieagenten,' zei Decker. 'Bepaalde mannen.'

Oliver zei: 'Kunnen we het nog even over Melinda Little hebben? We hebben meerdere redenen waarom het voor haar gunstig zou zijn als Little dood was. Het geld van de verzekering, en misschien was ze verliefd op Rudy en wilde ze er met hem vandoor gaan.'

'Dan had ze van Little kunnen scheiden,' zei Marge.

'Maar dan was ze misschien het geld van haar trustfonds kwijtgeraakt.'

Marge zei: 'Of misschien wilde Rudy Melinda voor zichzelf hebben en heeft hij daarom Little laten vermoorden.'

Decker zei: 'We moeten eerst een manier zoeken om vast te stellen of Rudy en Melinda inderdaad iets met elkaar hadden. Scott, jij moet daarvoor Shriner of Melinda Little onder druk zetten.'

'Shriner is een onwrikbaar object,' zei Oliver. 'We kunnen nu niks met hem beginnen. Ik kan naar Melinda Little gaan, maar dan wil ik eerst meer ammunitie voordat ik ga schieten.'

Opeens viel Decker iets in. 'Misschien hebben we Shriner niet nodig om na te gaan hoe het zit. Moment, mensen. Er zit een goed idee aan te komen.'

33

Venice Beach bevatte een compleet socio-economisch spectrum binnen een radius van tien huizenblokken: van de peperdure, met architectonische juweeltjes omzoomde kanalen tot de door straatbenden beheerste straten van Oakwood. Tussen die twee uitersten had je Californische ranches, rustieke villa's in de Pasadena-stijl van Greene and Greene, vaak met een veranda die om het hele huis heen liep, en oude, deels gerestaureerde victoriaanse kasten van huizen.

Dicht bij de zee had je de 'wandelstraten' – smalle straten die Ocean Park Boulevard verbonden met het zand en gruis die door de blauwe oceaan werden afgezet. Hier stond aan weerskanten een allegaartje aan woningen, van armoedige krotten tot prachtige herenhuizen, waarbij de nabijheid van het strand de belangrijkste aantrekkingskracht vormde. Decker wist niet of O'Dell de eigenaar was van het huis waarin hij woonde of dat hij het alleen huurde, maar als hij slim genoeg was geweest om het te kopen, zat de ex-Slut gebeiteld in deze wijk die alleen maar in waarde bleef stijgen.

Het was een twee-onder-een-kapwoning met blauwe muren en witte raamkozijnen en O'Dell woonde aan de linkerkant. De deur stond open en een geur van bakolie kwam naar buiten. Decker klopte op het kozijn van de hordeur, ging naar binnen en kwam terecht in een muffe, duistere kamer met een versleten houten vloer en muren waar het pleisterwerk van afbrokkelde. De plafondbalken waren slechts voor de helft geschilderd en er hing een ventilator aan die op volle kracht draaide. Aan de muren hingen posters van de Doodoo Sluts, ingelijste foto's van mooie meisjes in bikini en een gouden grammofoonplaat achter glas. Het meubilair was een bij elkaar geraapt zootje dat tweedehands gekocht leek te zijn. Vanwege de gesloten gordijnen kwam er bijna geen daglicht binnen.

Decker transpireerde in zijn colbertje. Hij trok zijn stropdas los en riep O'Dells naam. Toen hij geen antwoord kreeg, deed hij de gordijnen open. De banen zonlicht die naar binnen vielen, lieten extra uitkomen hoe stoffig alles was. 'Liam, ben je thuis?'

'Ik kom eraan. Ga zitten.'

'Dank je.' Decker trok zijn jasje uit, legde het over de rugleuning van de bank en zette een raam open. Zoute zeelucht stroomde meteen door de hor de kamer in. O'Dell kwam binnen, gekleed als een surfer in een hawaïshirt, afgeknipte spijkerbroek en sandalen. Hij had een schort voor en knipperde met zijn ogen tegen het licht.

'Heb je Rudy gevonden?'

'Nog niet.'

'Klote. Waarom duurt het zo lang?'

'Omdat ik niet weet waar hij is. Weet jij dat?'

'Nee, maar het is mijn taak niet hem te zoeken. Daar betaal ik belasting voor.' Hij keek naar het open raam. 'Wie heeft de gordijnen opengedaan?'

'Mea culpa,' zei Decker. 'Vind je het vervelend?'

'Een beetje wel. Hoe laat is het?'

'Bijna twaalf uur.' Decker wilde de gordijnen al dichttrekken, maar O'Dell hield hem tegen. 'Laat maar. Ik ben oesters aan het bakken. Wil je ook?'

'Nee, dank je.' Een korte stilte. 'Ik dacht dat je vegetariër was.'

'Oesters tellen niet mee.'

Decker hoorde op de achtergrond iets sissen in een koekenpan. 'Ga maar terug naar je oesters. We praten zo dadelijk wel.'

'Oké. Biertje?'

'Nee, dank je.'

'Iets sterkers?'

'Doe maar water.'

'Ik heb alleen kraanwater. Of anders 7Up light.'

'7Up. En ik drink het wel uit het blikje.'

'Dat komt goed uit, want ik heb geen schone glazen. Doe je stropdas toch af, man. Het is hier om te stikken.'

'Het wordt vast wel wat koeler als we de ramen openzetten.'

'Ga je gang. Ik ben zo terug.'

Nadat Decker voor wat ventilatie had gezorgd, ging hij op de bank zitten. O'Dell kwam binnen met een schaaltje oesters die waren overgoten met azijn en tartaarsaus. Hij gooide Decker een blikje 7Up toe en dronk gulzig uit een flesje Heineken. Hij at zonder bestek en likte na iedere oester die hij in zijn mond stopte zijn vingers af. 'Heerlijk. Weet je zeker dat je niet wilt?'

'Heel zeker.'

Nog een slok bier. 'Je hebt Rudy dus niet gevonden. Denk je dat hij dood is?'

'Dat weet ik niet,' antwoordde Decker. 'Ik ben eigenlijk geïnteresseerd in de tijd dat jullie nog goed met elkaar overweg konden.'

'Dat was nooit.'

'Je hebt jaren met hem in een band gezeten. Jullie moeten min of meer op goede voet hebben gestaan.'

'Nee, nooit.' Hij stak nog een oester in zijn mond. 'Dat we niet slaags raakten kwam alleen omdat we aldoor zo van de wereld waren dat niks ons iets kon schelen. Als ik al nuchter was, en dat was niet zo vaak, kon ik de klootzak eigenlijk niet luchten of zien.'

'Maar jullie hadden niet voortdurend mot.'

Hij dacht na. 'Nee. Soms kon ik het zelfs verdragen om samen met hem in één kamer te zitten.'

'Schreef Rudy de meeste nummers voor de band?'

'Ja. Rudy en Primo. Daarom hebben Ryan en ik nu aan het kortste eind getrokken, snap je?' Nog een oester. 'De band bestaat niet meer, maar de liedjes leven voort. Alleen levert het mij niks op.'

'Ik weet dat de band veel meisjes versleet.' Een glimlach op O'Dells gezicht. 'Had Rudy naast de groupies een vaste vriendin?'

'Dat zou ik niet weten. Waar stuur je op aan?'

'Klinkt de naam Melinda Little je bekend in de oren?'

O'Dell dacht na. 'Melinda... Melinda... Ik hou van Belinda, maar ook van Melinda...' Herkenning in zijn ogen. 'Er was een Melinda.'

Deckers gezicht klaarde op. 'Melinda Little?'

'Weet ik niet.' Decker beschreef haar en O'Dell zei: 'Zou kunnen.'

'Wat kun je me over haar vertellen?'

'Niet veel. Het is nogal wazig. Was ze rond de dertig?'

'Eerder vijfendertig.'

O'Dell knikte traag. 'Als mijn geheugen me niet in de steek laat, geloof ik dat zij er zo eentje was die de ronde deed.'

'Wat wil dat zeggen?'

'Wat denk je?' O'Dell at de laatste oesters op en zette het schaaltje op de lage tafel. 'Er begint hier iets te dagen.' Hij wees naar zijn hoofd. 'Ik herinner me iets over dat ze getrouwd was. Een geile meid die waarschijnlijk thuis niet erg aan haar trekken kwam.'

Decker knikte.

'Om de een of andere reden herinner ik me...' Hij pakte het bord, bracht het naar de keuken en kwam terug met een tweede flesje bier. 'Ik herinner me dat Mudd verliefd op haar werd.' Hij keek Decker aan. 'Die sukkel werd verliefd op alle meisjes die met hem naar bed gingen.' En hij voegde eraan toe. 'Melinda was tuk op geld.'

Decker pakte zijn notitieboekje. 'Melinda was tuk op geld.'

'Ik bedoel, iedereen houdt van geld, maar de meisjes die met ons naar bed gingen deden het meestal gewoon om te kunnen zeggen dat ze met ons naar bed waren geweest of om erbij te horen of voor drugs. Melinda was gek op geld. Ik herinner me nu dat ik Mudd daar wel eens over aansprak. Ryan gaf haar geld. Ja, het begint me te dagen.'

'Haast je niet.' Decker dacht na terwijl hij alles opschreef. 'Ryan gaf Melinda dus geld? Hoeveel?'

'Te veel.' Liam nam een paar slokken van zijn bier. 'Ik zei aldoor tegen hem: "Mudd, je moet niet verliefd worden op ieder meisje met wie je naar bed gaat. Het zijn alleen maar kutjes, man. Je moet niet alles weggeven aan zo'n grietje. Je moet je kop erbij houden." Maar al zei ik het twintig keer op een dag, hij ging evengoed steeds weer voor de bijl.'

'Was Ryan verliefd op Melinda?'

O'Dell nam een slok bier. 'Ryan kon niet... Het was geen echte liefde. Meer een soort kalverliefde. Melinda ontfutselde hem al zijn geld. Ik weet niet meer wie het hem heeft verteld. Misschien ik, misschien Primo. In ieder geval hebben we Mudd uiteindelijk verteld dat ze getrouwd was. Ik geloof dat ze zelfs kinderen had.'

'Die had ze... heeft ze.'

'Ja, hè? Wij wisten dat het voor haar verder niks te betekenen had. We hebben tegen Mudd gezegd dat ze getrouwd was, dat ze haar man nooit zou verlaten, dat ze haar kinderen niet in de steek zou laten. Dat ze alleen maar een geile meid was die geld wilde en dat hij haar moest vergeten.'

'En heeft hij dat gedaan?

'Hij moest wel. We hadden het beheer over Ryans geld overgenomen. Toen zijn zakgeld op was, kwam ze niet meer.'

'Dat wil niet zeggen dat hij haar kon vergeten.'

'Jawel, hoor. Mudd nam gewoon een ander meisje, waarschijnlijk eentje die gewoon alleen maar op drugs uit was.'

'Weet je nog wanneer Melinda bij jullie begon rond te hangen?'

'Wil je een datum?'

'Het jaar is genoeg.'

'Ergens tussen de oprichting van de band en de ontbinding. Dat was een periode van drie jaar.'

Decker noteerde in gedachten dat Ben Little in die periode was vermoord. 'En je weet dus niet meer wat Melinda's achternaam was?'

'Ik dacht niet dat het Little was... maar waarom komt die naam me bekend voor?'

'Omdat de man van Melinda, Bennett Little, in die tijd is vermoord.'

O'Dell keek verward. 'Vermoord?'

'Weet je dat niet meer? Het was opzienbarend nieuws, Liam. Daarom ben ik op zoek naar Rudy. Hij zat op de school waar Little lesgaf.'

'Ik dacht dat je Banks verdacht van de moord op Primo... Wat op zich belachelijk is.'

'Waarom? Ik hoor steeds meer verhalen over hem, bijvoorbeeld dat hij een keer zuur op iemands geslachtsdelen wilde gooien.'

O'Dell krabde aan zijn wang. 'Ja, dat zie ik Rudy wel doen. Maar een moord plegen niet. Hij kon niet tegen bloed.'

'Kan hij hem hebben laten vermoorden?'

'Wie? Primo of die Little?'

'Allebei of een van beiden.'

O'Dell haalde zijn schouders op. 'Geen idee.'

'En als Banks niet tegen bloed kon, waarom hebben we dan in zijn flat bloed achter de plinten aangetroffen?'

'Weet ik veel.' Een schouderophalen.

Decker vroeg: 'En Mudd? Denk je dat hij Bennett Little heeft kunnen vermoorden om zijn vrouw voor zichzelf te krijgen?'

Daar moest O'Dell om lachen. 'Mudd? Welnee. Mudd was zo zacht als boter.'

'Jullie waren aan drugs verslaafd. Drugs doen rare dingen met je beoordelingsvermogen.'

'Ja, maar we waren niet zover heen dat Mudd in staat zou zijn geweest een moord te plegen.'

‘Als je aan de drugs bent, kan er van alles gebeuren, Liam.’

‘Eerst zeg je dat je denkt dat Rudy een moordenaar is, en nu zeg je dat je denkt dat Mudd een moordenaar is. Wie van de twee moet het zijn?’

‘Ik ben bezig met een onderzoek, O’Dell. Dat wil zeggen dat ik dingen moet onderzóéken. Zoals je zelf al zei, betaal jij daar belasting voor.’

‘En je hebt Rudy nog steeds niet gevonden. Je stelt alleen maar een heleboel vragen.’ Hij wees naar zichzelf. ‘Ben ik de volgende op je lijstje van moordenaars?’

‘Waarom zou ik dat denken, Liam?’

‘Omdat je allerlei rare dingen denkt. Dat Mudd een moordenaar zou zijn. Mudd zou nooit van zijn leven iemand kunnen vermoorden. Rudy wel, Primo misschien ook. Misschien ik ook wel. Maar Mudd niet.’

‘Dan zullen we hem een plezier doen,’ zei Decker. ‘We gaan even naar hem toe om hem een paar vragen over Melinda Little te stellen.’

‘Hij weet allang niet meer wie dat is.’

‘Ga nou maar gewoon mee.’

O’Dell keek alsof hij azijn had gedronken. ‘Dan wil ik eerst nog een biertje.’

‘Voor mijn part neem je een hele krat mee,’ zei Decker. ‘Ik rij.’

De rit door de stad was een uur durende martelgang. Eerst zaten ze bumper aan bumper op de 405 West, een van de drukste verkeersaders die de stad doorkruisten, omdat een vrachtwagen met oplegger was geschaard en drie van de rijstroken blokkeerde. Decker nam de afslag Bundy en probeerde Olympic, maar ook daar kwam het verkeer slechts met een slakkengang vooruit. Tegen de tijd dat hij via allerlei sluipwegen Sunset had bereikt, was het zicht wazig, steeg de temperatuur nog steeds en drong de zon als een laserstraal door de voorruit. Het was bijna half twee en Decker voelde een monsterachtige hoofdpijn opkomen.

Hollywood Terrace was nog steeds lelijk en deprimerend. Misschien kwam het door Deckers humeur, maar de hele dag leek te zijn versmolten tot een stinkende hoop smog en hitte. Decker stopte voor het gebouw en ze stapten zwijgend uit. O’Dell drukte op de bel van Goldbergs flat. Toen er geen reactie kwam, belde hij nog een keer aan.

‘Gaat hij vaak weg?’ vroeg Decker.

‘Nee!’ O’Dell spuugde op de grond. ‘Shit!’

Liam was ongerust. Decker zei: ‘De vorige keer dat ik hier was, stond zijn tv heel hard. Misschien hoort hij de bel niet.' Decker drukte op de bel van een andere flat. Hij bleef op bellen drukken tot iemand de glazen deur naar de hal liet openklikken.

Ze gingen naar binnen en haastten zich naar Goldbergs flat. O'Dell drukte de deurknop naar beneden, maar de deur zat op slot. Hij rammelde een paar keer aan de deurknop in de hoop dat er iets zou gebeuren en vroeg toen: 'Heb je die haakjes bij je?'

'Een goede rechercheur is overal op voorbereid.' Decker haalde een creditcard tevoorschijn en liet het slot openspringen. 'En hij probeert het altijd eerst op een eenvoudige manier.'

Ze gingen naar binnen. De flat zag er normaal uit en net zo netjes als Decker zich van de vorige keer herinnerde. De flatscreen-tv en Goldbergs Dreadnought Martin waren er nog. Liam pakte de gitaar en speelde een paar akkoorden.

Decker keek om zich heen en haalde zijn schouders op. 'Alles ziet er normaal uit.'

O'Dell was zichtbaar opgelucht. 'Ik blijf hier wachten tot Mudd terugkomt.'

'Ik ga even een hapje eten,' zei Decker. 'Ik ben over twintig minuten terug. Kan ik iets voor je meebrengen?'

'Nee, dank je.' Hij begon een deuntje te spelen. 'Mooi ding, zeg. Hij zou hem niet hier moeten houden. Iemand zou hem kunnen stelen. Misschien moet ik een namaak voor hem kopen en deze in een kluis zetten of zo.'

Mad Irish leek in gedachten verzonken, dus ging Decker maar. Twee straten bij de flat vandaan vond hij een vegetarisch restaurantje dat er redelijk schoon uitzag. Hij besloot het erop te wagen en vulde zijn maag met een tortilla met bonen, rijst en tofoe. Zoals beloofd was hij twintig minuten later terug in de flat.

Mudd was er nog niet.

O'Dell zat nog op de Martin te tokkelen.

Decker zei: 'Hoe lang ben je van plan te wachten?'

'Ik heb een tv en een gitaar. Ik ben dus helemaal gelukkig.'

'Heb je een mobiele telefoon?'

'Leef ik in de eenentwintigste eeuw?' O'Dell gaf Decker zijn nummer. 'Ga maar. Ik wacht wel.'

'Bel me zodra hij terug is.'

O'Dell knikte en hield op met spelen. Bezorgdheid stond op zijn gezicht afgetekend. 'En als hij niet terugkomt?'

'Dan moet je me zéker bellen.'

34

Bureau Hollywood van het LAPD was gevestigd in een bunker van baksteen niet ver bij Ryan Goldbergs zelfverkozen gevangenis vandaan. Toevallig was Cindy net terug van haar rondes en zat ze dossiers bij te werken toen Decker haar opbelde om te vragen of hij haar kon spreken. Hij wachtte op haar in het vegetarische restaurant waar hij de tortilla had gegeten. Hij nam alvast een kopje sojachai en luisterde naar een serveerster met gitzwart haar en piercings, die via haar mobiel met iemand aan het ruziën was. Het verhitte gesprek duurde nog steeds voort toen Cindy twintig minuten later binnenkwam, gekleed in een donkere broek, een groene blouse met korte mouwen en platte schoenen met rubberen zolen. Haar lange haar zat in een paardenstaart.

Zonder iets te zeggen gaf Decker haar een luchtkussenenvelop met de twee cd's die hij op de boekenplanken in Primo Ekerlings kantoor had gevonden. De cd-doosjes zaten in speciale plastic zakjes voor bewijsmateriaal en waren zwart van het vingerafdrukpoeder. Het briefje aan Ekerling zat in een apart zakje, evenals het analyserapport over de vingerafdrukken. Terwijl Cindy behoedzaam een van de zakjes uit de envelop trok, vertelde Decker haar over zijn gesprek met Marilyn Eustis.

'De tekst die je had gedownload heeft enorm geholpen,' zei hij. 'Ongeacht waar "B and E" op slaat, zijn we dankzij jouw tip in een bepaalde richting gaan denken. Tito en Rip zullen je erg dankbaar zijn, want hiermee hebben we de link tussen Travis Martel en het slachtoffer ontdekt.'

'In het bijzonder door het briefje,' zei Cindy. 'Heb je laten onderzoeken of het Martels handschrift is?'

'Nee, dat laat ik aan Rip en Tito over. Jullie hebben daarvoor je eigen deskundigen.'

'Maar je hebt wel laten onderzoeken of Martels vingerafdrukken op de doosjes staan.'

'Ja, dat wel. En we boffen want er staan afdrukken op van Martels rechterduim en rechterwijsvinger.'

'Je mag hun deze envelop ook zelf brengen, pap.' Ze trok het elastiekje uit haar haar, pakte haar lokken bijeen en deed ze opnieuw in een staart. 'Ik geloof dat Rip er toevallig net is.'

'Nee, doe jij het maar.'

'Doe niet zo mal. Het maakt mij echt niet uit.'

'Maar het was jouw idee.'

'Maar jij hebt al het werk gedaan.'

Decker dronk zijn thee op en hield het kopje omhoog. 'Ik neem er nog een. Wat wil jij, prinsesje?'

'Doe maar hetzelfde.'

Decker gebaarde naar Miss Gothic dat hij nog twee chai wilde. 'Volgens mij is er een Joods gezegde dat de eer opeisen voor de prestaties van een ander gelijkstaat aan stelen. Ik ga niet de eer opeisen van jouw vondst, maar heb wel een verzoek.'

'Zeg het maar.'

'Ik wil graag met Rip en Tito praten voordat ze Martel gaan ondervragen. Zou je een van hen kunnen vragen me te bellen? Het is belangrijk. Ik denk dat het heel goed mogelijk is dat deze zaak verband houdt met de moord op Bennett Little.'

'Het lijkt me echt het beste als je gewoon zelf even met Rip gaat praten. Na wat je hebt ontdekt, zullen ze in een uitstekende stemming zijn.'

'Cin, het zal jouw reputatie weinig goed doen als we samen binnenmarcheren als een soort supermisdaadbestrijders die andere rechercheurs wel eens even zullen laten zien hoe het moet.'

'Ja, daar heb je eigenlijk wel gelijk in. Oké, ik zal met Rip gaan praten en je verzoek doorgeven.'

'Zeg er wel bij dat ik de cd's alleen maar heb gevonden omdat jij die rapnummers van Martel had gedownload.'

'Ik weet mezelf heus wel aan te prijzen, hoor.'

'Ik wil je alleen helpen.'

'Dat weet ik, pap. En dat vind ik ook erg fijn. Dank je wel. Verder nog iets?'

'Nee.' Decker stond op en Cindy volgde zijn voorbeeld. 'Ik denk dat ik rond vier uur terug ben op mijn kantoor. Als ze willen kunnen ze me daar bereiken.'

'Dat zal ik doorgeven. Meer kan ik niet doen. Tussen haakjes, ik heb gehoord dat Alaska doorgaat.'

'Daar ga ik niet over. Rina regelt alles.'

'Dat weet ik. Daarom gaat het ook door.'

Decker deed beledigd. 'Ik kan zoiets ook best regelen, hoor.'

'Als je hoofd ernaar staat.'

'Wat bedoel je daarmee?'

'Tja... hoe zal ik het zeggen. Je laat je makkelijk afleiden.' Ze gaf hem een zoen. 'Maar niet wat je werk betreft. Daarom ben je daar zo goed in.'

O'Dell belde toen Decker net het parkeerterrein van het politiebureau op reed. Hij leek nerveus. 'Hij is er nog steeds niet. Het bevalt me niets. Ik heb zijn broer gebeld.'

'De longarts,' zei Decker.

'Ja. Barry. Hij zei dat hij meteen zou komen en dan gaat hij hier in de buurt rondrijden om te zien of hij Ryan ergens ziet. Ik blijf in de flat wachten. Ik hoop nog steeds dat Mudd alleen maar een avontuurlijke bui heeft.'

'Weet Barry de longarts iets over Ryans gewoonten?'

'Ik heb hem gevraagd of Mudd vaak zomaar weggaat. Barry zei dat Ryan hooguit 's ochtends wat boodschappen doet. En nu is het al vier uur.'

'Misschien is hij er een paar dagen tussenuit.'

'Nee, dat doet hij nooit. Bovendien zou hij dan zijn gitaar hebben meegenomen.'

'Misschien niet als het maar voor een paar dagen was.'

'En waar denk je dat hij naartoe zou zijn gegaan? Nee, er zit iets niet goed.'

'Ik rij net het parkeerterrein van het politiebureau op. Ik moet even kijken wat er voor me is binnengekomen en een paar telefoontjes plegen. Dan ga ik Barry helpen naar Ryan te zoeken. Ik heb ongeveer anderhalf uur nodig. Bel me als Ryan voor die tijd terugkomt.'

'Ik word hier doodnerveus van. Rudy wordt vermist... Ryan wordt vermist.' Liam klonk nu boos. 'Waarom heb je dit allemaal overhoopgehaald? Waarom kon je het niet met rust laten?'

'Daarvoor moet je niet bij mij zijn, O'Dell. Geesten uit het verleden hebben dit overhoopgehaald. Ik ben slechts een tolk voor de doden.'

Hij wilde net zijn kantoor afsluiten toen Marge en Oliver de recherchekamer in liepen. Decker wenkte hen, nam weer plaats aan zijn bureau en wreef in zijn ogen. 'Ga zitten.'

Ze gingen zitten.

Hij sprak eerst tot Marge. 'Ik heb toestemming voor nog een reisje naar Ohio.'

'Mooi.'

Deckers vermoeide blik ging naar Oliver. 'Als de reis noodzakelijk is, stuur ik jullie allebei. Bel Arlington nog niet. We moeten eerst iets anders doen. Ryan Goldberg wordt vermist.'

'Wie is Ryan Goldberg?' vroeg Oliver.

'De gitarist van de Doodoo Sluts. De man die geestelijk helemaal in de vernieling is geraakt.'

Marge zei: 'Het is niet leuk dat hij vermist wordt, maar is hij belangrijk voor ons onderzoek?'

'Ja, en ik ben er vanmiddag achter gekomen hoe belangrijk. Melinda Little ging niet alleen met Rudy Banks naar bed, maar met alle leden van de band.'

'Zo,' zei Marge. 'Druk dametje, onze Melinda.'

'Ik heb met Liam O'Dell gesproken, de drummer van de band. Hij was een ware bron van informatie.' Hij bracht hun verslag uit over zijn gesprek met Mad Irish.

'Hoe heb je O'Dell eigenlijk gevonden?' wilde Oliver weten.

'Bij toeval. Liam heeft een rechtszaak lopen tegen Banks. Ik heb hem voor de deur van Banks flat ontmoet, toen hij net als ik op zoek was naar Rudy. O'Dell herinnerde zich een Melinda die beantwoordt aan het signalement van Melinda Little, maar wist haar achternaam niet meer.'

'Misschien gebruikte ze haar meisjesnaam,' zei Marge.

'Dat zou kunnen.' Decker keek naar zijn rechercheurs. 'Hiermee hebben jullie een bron van onafhankelijke informatie over Melinda Little en Rudy Banks. Maak weer een afspraak met Melinda. We kunnen haar het beste nog eens aan de tand voelen voordat we geld aan vliegtickets uitgeven.' Hij haalde zijn vingers door zijn haar. 'Ik wil meer weten. Ik ben dit onderzoek spuugzat en kan het niet uitstaan dat mensen als Ryan Goldberg er de dupe van worden.'

'Misschien is hij erbij betrokken en is hij nu op de vlucht geslagen,' opperde Marge.

'Ik heb Ryan gezien en gehoord. Hij heeft niet eens genoeg hersencellen over om te bedenken dat hij 's avonds moet eten, laat staan om een moord te beramen.'

'Maar zo is hij niet altijd geweest, Pete,' zei Marge. 'Hij was verliefd op Melinda en mensen doen rare dingen als ze verliefd zijn.'

Decker slaakte een diepe zucht. 'Je hebt gelijk. Ik ben wel vaker voor verrassingen gezet.'

Oliver zei met een besmuikte glimlach: 'Melinda Little was dus een groupie.'

'Het lijkt eerder of Melinda Little een vrouw was die dringend om geld verlegen zat.'

'Hoe geloofwaardig is O'Dell?'

'Hij heeft geen reden om te liegen.' Decker dacht even na. 'Ik geloof dat ze het met de hele band deed, maar Ryan Goldberg was de enige die onevenwichtig genoeg was om verliefd op haar te worden. Hij gaf haar steeds geld en toen de andere bandleden daarachter kwamen, hebben ze de geldkraan dichtgedraaid. Daarna bleef ze vanzelf weg.'

Oliver schreef het allemaal op. 'Wanneer was dat?'

'In de tijd dat de band een band was. Liam kon het niet nauwkeuriger zeggen omdat zijn herinneringen vanwege de drugs nogal vaag zijn. Maar ik wil wedden dat Melinda zich alle datums herinnert die Liam is vergeten. Zet haar onder druk. Dring aan op details. Zeg dat we alles openbaar zullen maken tenzij ze ons de waarheid vertelt.' Decker keek naar de klok aan de muur. 'Ik ga terug om Ryan te zoeken voordat iemand hem iets aandoet.'

'Denk je dat Rudy Banks iets te maken heeft met zijn verdwijning?' vroeg Marge.

'Misschien Rudy... misschien Melinda. In zijn huidige toestand is Ryan Goldberg naïef genoeg om met een van beiden mee te gaan zonder zich af te vragen wat hun motieven zijn.'

'En wat zijn hun motieven?' vroeg Oliver.

Marge zei: 'Misschien heeft Melinda Rudy ingehuurd om haar man te vermoorden en heeft Rudy Goldberg ingehuurd om de moord te plegen. Als Goldberg altijd al een beetje onevenwichtig was en als hij van Melinda hield, had hij een reden om Little dood te willen hebben. Toen Rudy hoorde dat we het onderzoek naar de moord op Little heropend hebben, heeft hij Goldberg vermoord opdat die niks zou verklappen.'

Oliver krabde op zijn hoofd. 'De vorige keer dat ik je sprak, was je er zo goed als zeker van dat Leroy Josephson de dader was.'

'Dat is misschien evengoed zo,' zei Decker. 'Als we Wenderhole kunnen geloven, zat Leroy in het Clearwater Park met een rol bankbiljetten in zijn zak. En hij zat te huilen alsof hij iets heel ergs had gedaan.'

'Maar wat is de link tussen Josephson en Goldberg?'

'Misschien liep die link via Rudy,' zei Marge. 'Ik denk dat Josephson hulp moet hebben gehad om de moord te plegen en dat die hulp in de persoon van Goldberg is gekomen.'

Oliver vroeg: 'Zei je niet dat je dacht dat Darnell Arlington Josephson ertoe had aangezet?'

Marge dacht hardop na. 'Misschien heeft Rudy zijn voormalige drugskoerier Arlington opgebeld en tegen hem gezegd dat hij een van zijn vriendjes moest bellen om Goldberg te helpen.'

Oliver zei: 'Dan regelde Rudy dus allerlei huurmoorden, met alle risico's van dien. En wat zat er voor hemzelf in?'

'Verzekeringsgeld,' opperde Marge. 'Melinda heeft hem een flinke portie daarvan beloofd.'

'Rudy verdiende geld genoeg met de band,' zei Oliver.

'Misschien hield Rudy van Melinda,' zei Decker.

Oliver trok zijn lip op. 'Wil je mij wijsmaken dat Rudy Banks, die door iedereen die hem kent voor een misselijke schoft wordt uitgemaakt, verliefd was op de vrouw die alle leden van zijn band neukte?'

'Een stout jongetje en een nog stouter meisje.'

Marge lachte. 'Stout?'

Decker glimlachte. 'Misschien hield Rudy van Melinda of misschien haatte hij Bennett Little. Of allebei. Het enige positieve dat er voor mij aan de verdwijning van Ryan zit, is dat het misschien wil zeggen dat Rudy nog in de stad is.'

Marge zei: 'Als Rudy nog in de stad is en mensen ontvoert, zou Melinda dan niet in gevaar verkeren?'

Decker zei: 'Dat zou je kunnen aanstippen als jullie haar spreken. Dan komt ze vast sneller met de waarheid over de brug.'

Het was bijna zes uur tegen de tijd dat Decker de stad weer had doorkruist naar Goldbergs flat. O'Dell zat nog op de bank op de Martin te tokkelen. Barry Goldberg ijsbeerde door de kamer, wat even effectief was als zwemmen in een vissenkom. In drie stappen was hij bij de muur, waar hij zich omdraaide en drie stappen in de omgekeerde richting nam. De longarts leek hooguit begin dertig. Hij had een gedrongen postuur en een babyface: gladde, blozende wangen met kuiltjes. Toen hij tegen Decker sprak, deed hij dat op een gejaagde, maar beleefde toon.

'De politie beschouwt hem pas na achtenveertig uur als vermist.'

'Dat weet ik. Ik ga straks wel even bij het bureau Hollywood langs om te vragen of er wat vaart achter gezet kan worden.'

'Ik heb geprobeerd hun duidelijk te maken dat Ryan een speciaal geval is, maar ik sprak voor dovemansoren.'

'Ik zal zien of ik ze wat kan aansporen...'

'Hij is een gehandicapte die er alleen in slaagt zelfstandig te wonen omdat hij zich tot zo'n eenvoudig leven beperkt,' onderbrak Barry hem. 'Hij eet, slaapt, kijkt televisie, speelt gitaar en gaat af en toe iets te eten kopen. Ik regel zijn geldzaken, zorg dat zijn was wordt gedaan, doe zijn boodschappen.'

'Dat is erg aardig van u,' zei Decker.

'Ja, nou ja, drie keer raden wie mijn studie heeft bekostigd.' Barry zweeg abrupt. 'Ik heb er natuurlijk niks aan als ik met u blijf leuteren. Ik ga weer naar hem zoeken. Liam, blijf jij hier nog een poosje?'

'Zolang als je wilt.' Hij keek naar Decker. 'Ik heb een beetje trek. Zou je iets voor me kunnen halen?'

'Wat wil je eten?'

'Ik heb vandaag al gebakken oesters gegeten. Dus is het nu tijd voor groente. En een biertje erbij graag.'

'Komt voor elkaar.' Decker wendde zich tot Barry. 'Ik loop even met u mee.' Toen ze bij de ingang van het gebouw waren, zei hij: 'Kan ik voor u ook iets te eten meebrengen, dokter?'

'Ik zou niks door mijn keel kunnen krijgen. Daarvoor ben ik veel te nerveus.'

'Ik ga eerst wel even naar het politiebureau van Hollywood. Vragen of ze een oproep kunnen doorgeven aan de patrouillewagens. Daarna ga ik zelf ook naar hem zoeken.'

Goldberg knikte. 'Dank u wel.'

'Geen dank. Het is mijn werk.'

'U ziet eruit alsof u dat meent. Heel wat beter dan die kerels achter de balie met wie ik daarstraks heb gesproken.'

'Die leven heus wel mee, maar ze kunnen er niets aan doen. We kunnen de eerste achtenveertig uur niet naar een volwassen man op zoek gaan tenzij er duidelijke aanwijzingen zijn dat er sprake is van een misdrijf.'

'Ja, maar hij is geen gewone volwassen man.'

'Dat weet ik. Hij is geestelijk niet in orde. Daarom denk ik dat ik wel iets voor hem kan doen.'

De tranen schoten Goldberg in de ogen. 'Het is jammer dat u Ryan niet hebt gekend voordat hij zo achteruit is gegaan. Hij had de ziel van een dichter en ongelooflijk veel talent. Het is gekomen door al die ellendige drugs. Die stuwden hem naar een hoogte die hij niet aankon. En toen is hij heel diep gevallen.'

Decker knikte. 'Het moet voor u erg moeilijk zijn.'

'Ik heb het geaccepteerd. De Ryan die ik kende en van wie ik hield is lang geleden gestorven. De Ryan die nog bestaat, is slechts een omhulsel.'

Toen Decker om middernacht thuiskwam en op zijn tenen naar binnen ging, zag hij dat er geen licht brandde in zijn slaapkamer, maar wel onder de deur van zijn dochters privédomein. Hij klopte zachtjes aan en ging naar binnen toen hare majesteit hem welwillend audiëntie verleende. Hannah zat in kleermakerszit op haar bed, gekleed in een roze gestreepte pyjama, haar rode haar uitwaaierend rond haar schouders. De televisie stond aan met het geluid af, haar computer lag op haar schoot en ze was aan de telefoon terwijl ze iets in een schoolboek markeerde.

Ze legde de telefoon neer. 'Hoi, abba.'

Decker zei: 'Heb je opgehangen?'

'Nee.'

'Zeg maar even dat je zo dadelijk terugbelt. Of nog beter zou zijn als je ging slapen.'

Hannah pakte de telefoon. 'Ik moet ophangen. Dag.' Ze keek naar haar vader. 'Hoe gaat het? Je ziet er moe uit.'

'Ik ben ook moe.'

'Dan kun je zelf beter gaan slapen, lijkt me.'

'Zo dadelijk.' Hij ging op de rand van haar bed zitten. 'Wat heb jij voor nieuwtjes te vertellen?'

'Helemaal niks.'

'Hoe is het met je vriendenschaar?'

'Goed.'

'Hoe gaat het op school?'

'Goed.'

Hij glimlachte. Ze glimlachte terug. Decker zei: 'Nou, het was leuk om even bij te praten.'

Hannah zei: 'Ik heb niks te melden. Jij bent degene met de opwindende baan, maar jij vertelt nooit wat.'

Decker had al een verdedigend antwoord klaar, maar hield zich op het laatste moment in. 'Wat zou je willen weten?'

'Hoe je dag is geweest.'

'Lang en vruchteloos. Ik heb vanavond een paar uur gezocht naar een geestelijk gestoorde man die zomaar opeens is verdwenen.'

'Wat triest. Heeft hij familie?'

'Ja, een broer en die maakt zich grote zorgen.' Hannah keek zo sip dat Decker snel zei: 'Maar het kan zijn dat hij niet is verdwenen. Misschien is hij gewoon weggegaan.'

'Waarom zou hij dat doen?'

'Dat weet ik niet. Ik word geacht mensen te kunnen doorzien, maar ik heb het vaak mis.'

'Is er ook iets goeds gebeurd vandaag?'

'Eh, ja.' Hij glimlachte. 'Ik heb met twee rechercheurs van het bureau Hollywood gesproken en die hebben me volledig op de hoogte gebracht van een zaak waar ze aan werken. Dat was erg aardig van hen, als je in aanmerking neemt dat ik ongevraagd mijn neus in die zaak heb gestoken.'

'Welke zaak?'

'De moord op een producer, die misschien verband houdt met een oude zaak waar ik aan werk.'

'Die over de Doodoo Sluts?'

Decker probeerde zijn verbazing te verbergen. 'Eh, ja, daar hebben we het over gehad, hè? Zie je nou dat ik wel degelijk met je over mijn werk praat?'

'We hebben het niet over de zaak gehad, alleen over de band.'

'Ben je er iets over te weten gekomen?'

'Niet veel bijzonders. De grondleggers waren... Momentje...' Ze tikte iets op haar laptop. 'Rudy Banks en Primo Ekerling. Ze hadden elkaar leren kennen in de punkscene van Los Angeles en traden eerst op als de

Jerkies in undergroundclubs, maar kregen pas succes als de Doodoo Sluts. Zij tweeën schreven de meeste nummers voor de band en werden later allebei producer. De andere twee leden waren... Ryan Goldberg en Liam O'Dell. Die zijn zo'n beetje verdwenen.'

'Voor Ryan Goldberg geldt dat letterlijk,' zei Decker. 'Hij is de man naar wie ik vanavond op zoek ben geweest.'

'O... dan weet je dit dus allemaal al over de band.'

'Ik wist niet dat Rudy en Primo eerst hadden opgetreden als de Jerkies. Waar heb je dat ontdekt?'

'Ik geloof dat het in een oud interview stond dat ik op internet heb gelezen.'

'Slim van je.'

'Wie is de producer die is vermoord? Ekerling of Banks?'

'Primo Ekerling.'

'O...' Ze was er stil van. 'Wat erg. Het is bijna alsof ik hem nu een beetje ken.'

'Dat moet een vreemd gevoel voor je zijn.'

'Nogal. Wie heeft hem vermoord?'

'De politie van Hollywood heeft twee jonge criminelen opgepakt,' zei Decker. 'Cindy heeft belastend bewijsmateriaal tegen een van de verdachten gevonden.'

'Wie zijn de verdachten?'

'Twee criminelen. Kijk maar op internet als je er meer over wilt weten.'

'Oké.' Hannah speelde eventjes met haar computer. 'Ik wist niet dat Cindy op Moordzaken werkte.'

'Dat doet ze ook niet. Ze hielp mij een handje. Ik heb haar vandaag gezien. Dat was het hoogtepunt van mijn dag... tot nu.'

'Oeps, daar had je je bijna versproken.'

'Nee, hoor. Het is waar. Jij bent het hoogtepunt van deze lange, vermoeiende dag.'

Hannah onderdrukte een glimlach. 'Hoe gaat het met Cin?'

'Ze werkt hard.'

'Wat zou je doen als ik ook bij de politie ging?'

Decker keek haar verbluft aan. 'Doe dat alsjeblieft niet. Je moeder zou onmiddellijk echtscheiding aanvragen.'

'Dat is geen antwoord op mijn vraag.'

'Is het een echte vraag of alleen maar een provocatie?'

'Misschien van allebei een beetje.'

Decker zuchtte. 'Ik zou eerst vreselijk tegen je tekeergaan, maar daarna zou ik achter je staan.'

Hannah boog zich naar voren om hem een zoen te geven. 'Dat was een heel goed antwoord. Je bent geslaagd voor de vadertest.' Een vluchtige glimlach. 'Ik moet nog wat huiswerk maken.'

'Het is over twaalven.'

'Daarom kunnen we dit gesprek beter beëindigen.'

'Je was aan de telefoon toen ik binnenkwam.'

'Ja, met Sara. We doen het huiswerk samen.'

'Met de televisie aan?'

'Het geluid staat toch af? Ik hou van plaatjes erbij.'

'En je bent aan het chatten.'

'Met vrienden in Israël. Dit is het enige uur van de dag waarop we allemaal wakker zijn.'

'Jij hebt ook overal een antwoord op.'

'Multitasking is het kenmerk van intelligentie bij mijn generatie.' Ze gaf hem nog een zoen. 'Welterusten, abba. Doe je de deur achter je dicht?'

35

Tegen de tijd dat Decker bij de gevangenis aankwam en de gebruikelijke procedure doorliep om er binnen te komen, zaten Rip Garrett en Tito Diaz al in de verhoorkamer op de metalen stoelen koffie te drinken uit schuimplastic bekertjes. Hun kleding was typerend voor rechercheurs: donker pak, wit overhemd, donkere stropdas, schoenen met rubberzolen. Decker nam Diaz met een snelle blik op. Wat het eerst aan hem opviel was zijn dikke nek. Daarna zijn vierkante kin, brede voorhoofd, zwarte haar en donkere ogen. Hij was gespierder dan Garrett, maar maakte zittend de indruk kleiner te zijn dan zijn collega. Decker stelde zich aan hen voor en gaf beiden een hand. Tegen de tijd dat Martel door twee gevangenbewaarders was binnengeleid, had Decker ook een bekertje koffie gekregen.

Travis leek forser te zijn geworden sinds hij op de dag van zijn arrestatie was gefotografeerd. Zijn borst leek onder het blauwe gevangenistenue breder dan voorheen en zijn armen waren dikker. Zijn haar was nog langer geworden en hing golvend tot op zijn rug. Nu Decker hem in levenden lijve voor zich had, zag hij de Aziatische trekjes, niet alleen vanwege het zwarte haar, maar ook in de licht schuine stand van zijn bruine ogen. Zijn huid was lichtbruin en hij had uitstekende jukbeenderen, dikke lippen en grote, witte tanden.

Voor het transport hadden ze hem geboeid, maar een van de gevangenbewaarders deed hem de boeien af toen hij was gaan zitten. Martel keek naar Decker. 'Bent u mijn advocaat?'

'Nee. Ik ben inspecteur Decker van het LAPD.'

'Dus u bent de baas?'

'Ik ben een baas, maar niet de baas van rechercheur Garrett en rechercheur Diaz.'

Diaz zei: 'Hoe gaat het, Travis? Wij hebben al koffie gekregen. Wil jij ook?'

De gevangene dacht na. 'Doe mij maar een pilsje.'
'Geen sterkedrank, Travis, dat weet je wel.'
'Een colaatje dan.'
'Dat kan.'
'En een peuk.'
Decker haalde een sigaret uit zijn zak, gaf Travis een vuurtje en bekeek hem toen hij een rookwolk uitblies. Schichtige ogen. Zoals de meeste misdadigers. Even later werd een schuimplastic bekertje met cola gebracht. Hij dronk het in één keer leeg. 'Ik heb eigenlijk ook best trek.'
'De lunch is over een uur,' zei Garrett.
'Ik zei alleen maar dat ik trek had.'
Decker vroeg: 'Wil je weten waarom we hier zijn?'
'Dat hoef ik niet te vragen want dat gaan jullie me toch wel vertellen.'
Decker keek hem rustig aan. 'We zijn hier, Martel, omdat we interessant nieuws voor je hebben.'
Martels ogen vernauwden zich terwijl hij de laatste trek aan zijn eerste sigaret nam en de peuk in het bekertje liet vallen. 'O ja?'
Garrett boog zich naar voren. 'Eerst wil ik je eraan herinneren dat je om een advocaat mag vragen wanneer je maar wilt. Je bent niet verplicht met ons te praten, want wij mogen alles wat je zegt tijdens de rechtszaak in jouw nadeel gebruiken.'
'Net als bij je eerste verhoor heb je recht op de aanwezigheid van een advocaat,' zei Diaz. 'Maar we houden het graag simpel, dus luister eerst gewoon even.'
Travis vroeg of hij nog een sigaret kon krijgen. Decker gaf hem er een. Martel zakte onderuit en pafte zonder iets te zeggen. Ze wachtten op zijn antwoord en hij buitte dat ten volle uit. 'Jullie zeggen dus eigenlijk dat jullie met me willen praten zonder advocaat erbij. En ik zeg dat ik misschien niet met jullie wil praten zonder advocaat erbij, oké? Maar misschien wil ik wel weten wat jullie me te vertellen hebben. Daar moet ik effe over nadenken.'
Decker zei: 'Dat is je goed recht, maar ik zal je vast een hint geven. Het heeft te maken met nieuw bewijsmateriaal dat van invloed kan zijn op je zaak.'
'O ja?'
'Ja. Het legt een link tussen jou en de moord op...'
Martel kwam half overeind. 'Ik heb niemand vermoord!'

'Zitten blijven,' zei Diaz.

'Waarom komen jullie weer met hetzelfde gelul aan?'

Diaz stond op en bleek toch vrij lang te zijn. 'Zitten, zei ik!'

'Oké, oké.' Martel ging weer zitten en hief beide handen op met de palmen naar voren. 'Maak je niet zo druk, man. Het was maar een vraag. Je hoeft niet meteen te denken dat ik je zit te dissen.'

Decker zei tegen Martel. 'Ik doe dit voor jou. Wil je horen wat ik te zeggen heb, ja of nee?'

'Ja... tuurlijk, man.'

'En je ziet af van je recht op de aanwezigheid van een advocaat?'

'Ik heb geen advocaat nodig als ik alleen maar hoef te luisteren.'

'Dat ben ik met je eens.' Decker gaf de jongen een paar seconden de tijd om tot rust te komen. 'Ik heb je zaak met rechercheurs Diaz en Garrett besproken. Je hebt tegen hen gezegd dat je Primo Ekerling nooit hebt ontmoet.'

Er veranderde iets in Martels blik. 'Wie?'

'Het slachtoffer van de moord waar je van wordt beschuldigd, Martel.'

'O, die...' Hij zakte weer onderuit en spreidde zijn benen. 'Ik heb die kerel niet vermoord. Ik kende hem niet eens.'

'Dat zei je, ja,' zei Garrett. 'En dat zegt inspecteur Decker dus. Dat je Primo Ekerling niet kende.'

'Klopt.'

'Heb je Primo Ekerling nooit ontmoet?'

Weer veranderde zijn blik. 'Nee. Ik zei toch dat ik hem niet kende?'

'Nooit met hem gepraat?'

'Ik kende de man niet!' herhaalde Martel. 'Als jullie alleen maar over die vent gaan zitten zeiken, kun je wel ophouden.'

'Je kent Primo Ekerling niet, je hebt hem nooit ontmoet, nooit met hem gepraat, nooit contact met hem gehad, en je had nog nooit van hem gehoord tot de dag waarop je werd gearresteerd voor de moord op Primo Ekerling,' zei Decker. 'Klopt dat, Martel?'

'Ja...' Hij zakte nog iets verder onderuit. 'Dat heb ik nou al honderd keer gezegd. Verder nog wat?'

'Interessant.' Diaz legde de plastic zakjes met de cd-doosjes op de tafel. 'Komen deze je bekend voor, Travis?'

Martel pakte een van de zakjes. 'Ja. Die zijn van mij. Is dit een strikvraag of zo?'

'Weet je waar ik ze vandaan heb?' Decker wachtte tot Martel opkeek, tot hij oogcontact maakte, want iedere keer dat hij sprak, keek hij naar de vloer. 'Op een van de boekenplanken in het kantoor van Primo Ekerling.'

Martels blik danste heen en weer. 'Nou en? Hoe zou ik moeten weten hoe Ekerling aan mijn demo's kwam? Misschien vond iemand dat ik talent had en heeft die hem een paar van mijn cd's gestuurd.'

Garrett zei: 'We hebben de vingerafdrukken op de doosjes laten onderzoeken, Travis.'

'Daarom zit er van dat zwarte poeder op,' zei Diaz.

'We hebben een paar mooie afdrukken gevonden, Travis. Jíj hebt die doosjes naar Primo Ekerling gestuurd.'

Martels blik ging nu naar Garrett. 'En wat dan nog? Ik heb mijn cd's naar wel duizend producers gestuurd.'

'Je hebt je cd's naar wel duizend producers gestuurd,' herhaalde Decker.

'Ja. Dat moet je doen als je ergens binnen wilt komen, oké?'

'Jij hebt ze gestuurd?'

'Ja, dat zeg ik toch? Naar wel duizend producers. Ik weet niet meer precies naar wie wel en naar wie niet.'

'En toen je ze verstuurde, heb je het adres op de envelop geschreven,' zei Decker.

Een korte stilte. 'Vraag het maar aan mijn manager,' zei Martel. 'Hij heeft al die cd's verstuurd. Ik weet niet aan wie. Dat moet je aan mijn manager vragen.'

'Wie is je manager?' vroeg Garrett hem.

'Dat ga ik je mooi niet aan je neus hangen als je me zomaar begint te beschuldigen van allerlei dingen.'

'We hoeven niet aan je manager te vragen of hij ze heeft verstuurd of niet, want jouw handschrift stond op de envelop,' loog Decker zonder blikken of blozen. Ze hadden de enveloppen waar de cd-doosjes in hadden gezeten helemaal niet.

Iedere keer dat er iets veranderde in Martels blik, veranderde hij van strategie. 'Ik zei toch dat ik ze naar wel duizend producers heb gestuurd? Ik heb echt niet onthouden naar wie allemaal. Ik dacht dat jullie me iets interessants wilden vertellen. Ik hoor alleen maar een hoop gelul.'

Decker zei: 'Travis, als je Primo Ekerling hebt gekend, als je zaken met hem hebt gedaan, kun je ons dat het beste nu gewoon vertellen.'

'Dit is de enige kans die je krijgt om uit te leggen hoe goed je hem kende,' zei Garrett.

'Ik heb geen idee waar jullie het over hebben.'

'Natuurlijk wel,' zei Decker. 'We hebben het over je relatie met Ekerling. Deze cd-doosjes zullen tijdens je rechtszaak als bewijsmateriaal worden gebruikt. Als je ons nu niet uitlegt hoe het kwam dat Ekerling jouw cd-doosjes had, zal de openbare aanklager dat op zijn eigen manier uitleggen en kom jij in je hemd te staan.'

'Ik had geen relatie met Ekerling. Dat is gelul! Ik kende die kerel niet en deed geen zaken met hem.'

Diaz zei: 'Travis, we willen je helpen, maar je werkt niet mee.'

Garrett zei: 'We kunnen je alleen helpen als je de waarheid vertelt.'

'Dat doe ik toevallig al.'

'Niet waar. Je zit te liegen.'

Diaz zei: 'Doe jezelf een plezier, want alles komt uiteindelijk toch uit.'

Garrett zei: 'Lieg nou niet meer en erken gewoon dat je Primo Ekerling hebt gekend.'

'De waarheid is altijd het makkelijkst te onthouden, Martel. Waarom wil je niet toegeven dat je hem hebt gekend?'

Travis hield voet bij stuk. 'Omdat jullie een link willen leggen die niet bestaat. Ik heb die kerel niet gekend.'

'Hoe denk je zelf dat dit zal aflopen?' vroeg Garrett. 'Als jij blijft zeggen dat je hem niet kent en wij aan de jury de enveloppen laten zien die je in je eigen handschrift aan Primo Ekerling hebt geadresseerd...'

'Ik heb naar wel duizend producers cd's gestuurd!'

Decker vroeg: 'En heb je bij al die cd's een briefje gedaan waarop staat: "Hé, hier heb je er nog een paar. Hou me op de hoogte".'

Martels ogen flitsten van de een naar de ander. Toen keek hij naar de grond, naar het plafond, naar van alles behalve naar Decker. 'Ik weet nergens van.'

Een flagrante leugen kon je het beste beantwoorden met onweerlegbaar bewijsmateriaal. Diaz legde een kopie van het briefje op de tafel. 'Twee deskundigen hebben onderzocht of dit jouw handschrift is.'

Decker zei: 'Wat is er gebeurd, Martel? Had Ekerling je een contract beloofd en heeft hij ervan afgezien?'

Nu keek Martel weer naar Decker. Toen reageerde hij uitdagend. Hij schoof het briefje van zich af. 'Blijkbaar heeft iemand mijn handschrift vervalst. Er was geen contract en ik ken die Ekerling niet.'

Decker zei: 'Door al dit bewijsmateriaal plus de getuige die we hebben, zal de jury geen goede indruk van je krijgen. Onze getuige zegt geen aardige dingen over je.'

'Welke getuige?'

Dit was niet het juiste moment om over Rudy Banks te beginnen. Decker wilde dat Travis eerst zou toegeven dat hij Ekerling had gekend. 'Je weet wel wie ik bedoel.'

'Gerry?' Martel schudde zijn hoofd en glimlachte. 'Gerry kan je niks nieuws vertellen, man. Je lult maar wat.'

'Wie zegt dat Geraldo Perry onze getuige is?' Decker keek naar Garrett en Diaz. 'Heb ik gezegd dat Geraldo Perry onze getuige is?'

'Nee, je hebt niet gezegd dat Geraldo onze getuige is,' zei Diaz.

'Perry had niets te maken met de moord op Ekerling,' zei Decker. 'Hij wist helemaal niet wat er aan de hand was. Je hebt hem alleen meegenomen om een alibi te hebben of misschien moest hij je helpen het lijk te dumpen.'

'Als je allemaal dingen gaat zitten verzinnen, kan ik net zo goed weggaan.'

'Wil je terug naar je cel?' vroeg Diaz hem. 'Dan laat ik de gevangenbewaarder komen.'

'Je kunt ook blijven en nog een sigaretje roken,' zei Garrett. 'Je mag het zelf zeggen.'

Martel gaf geen antwoord.

'Als ik het mis heb, vertel me dan hoe het wél is gegaan,' zei Decker. 'Maar dan moet je me wel de waarheid vertellen.'

'Ik heb het al honderd keer verteld. We hadden de auto gestolen, maar wisten niet dat er een lijk in de kofferbak lag.'

Decker zei: 'Dat zal niemand geloven, Travis, zeker niet als we de rechter en de jury deze cd's en het briefje aan Ekerling laten zien dat jij hebt geschreven.'

Diaz zei: 'Je kende Ekerling, Travis. Dat is duidelijk.'

'Wat is er gebeurd, Martel?' vroeg Decker. 'Had Ekerling gezegd dat hij je cd zou uitbrengen en is hij daarvan teruggekomen?'

'Jullie lullen maar wat en ik zeg niks meer.'

Decker was nog lang niet klaar, maar hij wilde eerst van Martel horen dat hij Ekerling had gekend. Zes cola's, een heel pakje sigaretten en drie uur later waren ze het magische moment heel dicht genaderd.

Martel kamde steeds met zijn vingers door zijn zwarte haar terwijl zweetdruppels langs zijn neus gleden. 'Jullie moeten me niet zo onder druk zetten.'

'Om je te kunnen helpen, moeten we de waarheid weten,' zei Garrett.

'Me helpen?' sneerde Martel. 'Jullie gaan me helemaal niet helpen. Jullie gaan helemaal niks voor me doen. Als jullie me zouden helpen, zou ik niet zo in de stront zitten.'

'Natuurlijk willen we je helpen,' zei Diaz. 'Daarom zijn we hier. Dacht je dat we onze tijd aan jou zouden verkwisten als we geen doel voor ogen hadden?'

Garrett zei: 'We weten dat je niets tegen ons zult zeggen tenzij we je helpen. Maar we kunnen niets voor je doen, Travis, zolang je blijft liegen.'

'Als je daarmee ophoudt en ons de waarheid vertelt, kunnen we misschien iets voor je doen.'

Decker zei: 'We weten al dat je Ekerling hebt gekend. Zeg het nou maar gewoon, geef het nou maar toe, dan kunnen we je gaan helpen.'

'Hou op met tegen de feiten aan te schoppen, Travis,' zei Garrett.

Decker zei: 'Want dat is gewoon dom. Het is dom om te zeggen dat je Ekerling niet kende als het zo klaar als een klontje is dat je hem wél kende.'

'En wat dan nog?' flapte Martel eruit. 'Dat wil nog niet zeggen dat ik hem heb vermoord! Ik heb niks met die moord te maken!'

Het duurde een paar seconden tot het gloria halleluja volledig tot hen doordrong. Decker was degene die de stilte verbrak. 'Goed zo. Dat was de eerste stap... dat je eindelijk hebt toegegeven dat je Primo Ekerling kende.'

'Niet dat ik hem kénde. Ik heb die lul alleen maar een paar keer gezien.'

'Waar?' vroeg Garrett terwijl hij op zijn handen neerkeek.

'Dat weet ik niet meer,' antwoordde Martel.

Decker nam een risico. 'Travis, je bent in zijn kantoor geweest. We hebben je vingerafdrukken daar gevonden.'

Martels ogen zigzagden weer door de verhoorkamer. 'Misschien ben ik een keertje bij die klootzak op kantoor geweest.'

'Misschien?'

'Oké, ik ben er een keer geweest. Eén keer maar. Hooguit tien minuten. Die trut liet me er niet door. Ze zei dat hij er niet was.'

Garrett vroeg: 'Waarom was je naar Ekerlings kantoor gegaan?'

'Omdat ik niks van de lul had gehoord,' zei Travis nijdig. 'Hij had geschreven dat hij mijn shit goed vond, dus had ik hem nog meer gestuurd. Maar toen hoorde ik niks meer van hem. De klootzak had op zijn minst effe kunnen bellen. Dat is toch niet te veel gevraagd?'

'Nee,' zei Decker. 'Je was dus kwaad.'

Martel wuifde dat opzij. 'Als je een ster wilt worden, moet je je van dat soort dingen niets aantrekken. Als je dat doet, kom je nooit ergens.' Hij keek om zich heen. 'Als ik nog geen dikke huid had gehad voordat ik hier terechtkwam, had ik die hier wel gekregen. Die eikels hier vinden mijn shit trouwens heel goed. Zodra ik weer vrij ben, ga ik het helemaal maken.'

'Leuk om fans te hebben,' zei Decker.

'Zeg dat.'

'Maar je was kwaad toen Ekerling zijn beloften niet nakwam.'

'Ja, natuurlijk, maar daarom heb ik hem nog niet vermoord!'

'Dan is het vervelend voor je dat we iemand hebben die zegt dat je dat wel hebt gedaan.'

Eindelijk maakte Martel oogcontact. 'Wat?'

'We hebben iemand die zeg dat je Ekerling hebt vermoord.'

Martel zat onrustig te wiebelen op zijn stoel. 'Voor de laatste keer: ik heb Ekerling niet vermoord.'

'We hebben iemand die zegt van wel,' zei Decker nogmaals.

'Dan liegt hij.'

'Interessant dat je niet vraagt wie het is,' zei Diaz.

Decker haalde de trekker over. 'Vooruit, Travis. Vertel ons het hele verhaal. Iemand wil je erin luizen. Straks ga je de bak in voor iemand die dat niet waard is. Wie is het en waarom doet hij het?'

'Waarom vragen jullie dat niet aan jullie getuige?'

'Hebben we gedaan,' zei Garrett. 'We hebben zijn verhaal aangehoord en het ziet er voor jou niet goed uit.'

Diaz zei: 'Nu willen we jouw versie horen.'

Martel vouwde zijn handen op zijn borst en trok een triomfantelijk gezicht. 'Jullie zitten me doodgewoon te belazeren. Jullie hebben helemaal geen getuige.'

'Reken maar van wel,' zei Decker.

'O ja?' Smalend. 'Wie dan?'

'We weten wie je erin heeft geluisd, omdat je dat aan de hele wereld op MySpace hebt verteld.' Decker boog zich naar hem toe. '"*Like music and the crime – the shit of B and E.*"'

Martel hief met een ruk zijn hoofd op. Hij probeerde zich te herstellen en de rechercheurs hooghartig te blijven aankijken, maar dat lukte niet erg. Uiteindelijk kwam hij blijkbaar tot de conclusie dat zwijgen de beste manier was om zich tegen ongewenste informatie te verweren. Decker wist dat hij beet had en begon zijn vangst langzaam binnen te halen.

'"B and E",' herhaalde hij. 'Slim, hoor. Voor niet-ingewijden betekent dat alleen niets. Maar wij weten over welke misdaad het in werkelijkheid gaat.'

Martel bleef zwijgen.

'Hoe lang denk je dat het geduurd heeft voordat B begon te babbelen toen we hem hadden opgepakt? Wil je over B praten? Hij praat ook over jou.'

Martel gaf geen antwoord. Decker begon op hem in te praten zonder details te geven.

B en E.

B en E.

The music and the crime – the shit of B and E.

B tegen E.

Het duurde nog een uur voordat Martels weerstand scheurtjes begon te vertonen.

Martel deed zijn mond open en weer dicht. 'Misschien weet ik wat je bedoelt, misschien ook niet.'

'We hebben meer nodig dan "misschien" als je wilt dat we je helpen,' zei Garrett.

'Misschien weet ik het, misschien niet.'

'Wel of niet?'

'Als het is wie ik denk dat het is, heb ik hem een of twee keer ontmoet.'

'Eén keer of twee keer, Travis?' vroeg Garrett.

'Zoiets.'

Decker vroeg: 'Zag B je muziek wel zitten?'

'Dat zei hij.' Martel praatte half binnensmonds.

'Wilde hij je een contract aanbieden?'

'Dat zei hij.'

'Maar alleen als je Primo vermoordde...'

'Ik heb niemand vermoord en als Banks dat zegt, dan liegt hij!'

Yes! dacht Decker. De naam was gevallen. Hij zou het liefst de video terugspoelen om er zeker van te zijn dat het moment was vereeuwigd. Het enige wat nog ontbrak was de voornaam. Hij wilde dat Martel hem ook nog Rudy zou noemen. 'Wat voor regeling had je met Banks?'

'Ik heb niemand vermoord! Als jullie zo achterlijk zijn dat je niet eens het verschil kunt zien tussen waarheid en leugens, kan ik het niet helpen.'

In Deckers hoofd kwamen flitsen voorbij van het heden en het verleden. De parallel tussen Little en Ekerling... Leroy Josephson was voor Little wat Travis Martel voor Ekerling was. Als dat zo was, had Banks Travis Martel op dezelfde manier gebruikt als Leroy Josephson: om de moord te plegen of om het lijk en de auto te laten verdwijnen.

Hij zei: 'Banks zegt dat je Ekerling hebt vermoord...' Toen Martel wilde protesteren, hief Decker sussend zijn hand op. 'Dat is zijn versie. Als jij de trekker niet hebt overgehaald, wie dan wel?'

'Jezus, man, waar heb ik het nou al die tijd over?' riep Martel vertwijfeld. 'Ik weet niet wie het heeft gedaan omdat ik er niet bij was. Ik heb de wagen alleen gejat!'

'Oké, Travis, zoals je wilt,' zei Decker. 'Je hebt alleen de auto gestolen. Hoe precies?'

Martel dacht diep na. Decker begon al te vrezen dat hij hem weer kwijt was, toen Travis opeens oogcontact maakte. 'Eerst wil ik weten wat Rudy over mij zegt.'

Eindelijk. De voornaam. Rudy... Banks. Hij had beide namen gezegd.

Decker zei: 'Je weet best wat Rudy zegt.' Hij haalde een denkbeeldige trekker over. 'Dat zegt Banks.'

'Ik heb Primo niet vermoord!'

'Hoe is het dan gegaan, Travis?' vroeg Garrett. 'Vertel ons de waarheid, dan kunnen we je misschien helpen.'

Decker zei: 'Laat je niet opzadelen met een veroordeling wegens moord als je alleen maar een wagen hebt gejat.'

'Jezus, dat zeg ik toch zelf ook al!' Travis liep rood aan van frustratie.

Garrett zei: 'Als je alleen maar de auto hebt gestolen of na de moord ergens mee hebt geholpen, moet je ons vertellen wat je precies hebt gedaan. Maar wel de waarheid, hè? Dan kunnen we je misschien helpen.'

Martel wendde zijn blik af. 'Ik wil eerst nog een peuk.'

'Ze zijn op,' zei Decker. 'Ik zal een pakje voor je gaan halen nadat je ons hebt verteld hoe het in zijn werk is gegaan.'

'Ik weet niet hoe het in zijn werk is gegaan omdat ik er niet bij was.'

'Vertel ons dan wat je wél weet,' zei Garrett.

Travis begon heel traag. 'Banks zei dat hij cd's van me wilde uitbrengen, oké?'

'Oké.'

'Dat hij mijn shit hartstikke goed vond. Hij wilde er iets mee doen. Hij heeft me verteld wat hij van plan was. Hij kon veel.'

Decker zei: 'Rudy is een succesvolle producer.'

'Ja, dat zei hij zelf dus ook.'

De rechercheurs wachtten. Martel zei: 'Geef me alsjeblieft een sigaret.'

Decker begon met overdreven gebaren zijn zakken te doorzoeken. Hij vond een sigaret en gaf Martel een vuurtje.

Na een paar trekken kwam Martel op gang. 'Rudy zei dat er een probleem was met Ekerling. Ekerling had cd's van mij, zie je, en Banks zei dat ik Ekerling toestemming had gegeven die uit te brengen.'

'Hoe wist Rudy dat Ekerling jouw demo's had?' vroeg Decker.

'Omdat ik hem dat had verteld toen ik hem voor het eerst ontmoette. Toen heb ik hem verteld dat de klootzak me had gedist, oké?'

'Heb je dan aan Rudy Banks verteld dat je een deal had met Primo Ekerling?'

'Ik had geen deal met Ekerling. Ekerling had me laten stikken. Maar Rudy zei dat hij mijn shit niet op de markt kon brengen omdat Ekerling de rechten op de cd's had en die niet wilde teruggeven.'

Decker zei: 'Rudy Banks heeft tegen jou gezegd dat hij jouw nummers wilde uitbrengen, maar dat Ekerling eigenaar was van de cd's en jouw rechten niet wilde teruggeven?'

Er kwam een sombere blik in Martels ogen. 'Ja.'

'Waarom was Ekerling eigenaar van jouw cd's?'

'Omdat Rudy zei dat het erúítzag alsof we een deal hadden.'

'Goed,' zei Decker. 'Ga door. Jij had dus toestemming van Ekerling nodig, maar die wilde hij je niet geven.'

'Nee.' Hij nam een trek aan zijn sigaret. 'En toen zei Rudy dat hij het probleem zou oplossen als hij van mij toestemming kreeg het probleem op te lossen. Dus zei ik: "Ja hoor, van mij mag je het probleem oplossen." Ik wist helemaal niet wat hij daarmee bedoelde, met het probleem oplossen, oké? Ik dacht dat ze als producers onder elkaar iets zouden regelen of zo. Of misschien dat ze er een advocaat bij zouden halen of zo.'

'Ja, dat lijkt me logisch,' zei Garrett.

Toen Travis ophield met praten, spoorde Diaz hem weer aan.

'En toen... iets van een week na dat gesprek... Ja, een week later ongeveer.' Een stilte. 'We waren op het Bitty Bit-feest in Hollywood in de opnamestudio van Citizen. Hartstikke druk was het er. Wat een mensen. Meer mooie wijven dan ik in mijn hele leven heb gezien, in bontjassen en bling en...' Hij kreeg een afwezige blik in zijn ogen. 'En er waren van die dure hapjes en drankjes en allemaal voor niks, en alle grote platenbonzen waren er en ik kon zomaar met iedereen praten...' Een glimlach. 'En ze luisterden ook naar me... Cool was dat.' Hij kwam weer terug op aarde. 'Toen kwam Rudy naar me toe. Hij zei dat hij iets belangrijks moest gaan doen en dat hij me in de loop van de avond zou oppikken.'

'Hoe was je op dat feest gekomen?' vroeg Decker.

'Ik was met Rudy meegereden. Daarom kwam hij zeggen dat hij me later zou ophalen.'

'Aha. Rudy kwam dus naar je toe en wat zei hij precies? Dat hij iets belangrijks moest gaan doen?'

'Ja. Iets belangrijks. En dat hij me zou ophalen.' Martel krabde aan zijn wang. 'Dat werd drie uur later. Het feest was nog in volle gang. Ik had het reuze naar mijn zin. Rudy kwam bij me, trok me opzij en zei dat we een probleem hadden.'

De rechercheurs wachtten.

'Ik had nogal zitten zuipen, oké? Ik herinner me het allemaal niet zo best.'

'Vertel maar wat je je herinnert,' zei Diaz. 'Rudy kwam bij je en zei dat er een probleem was.'

'Ja, hij zei dat we een probleem hadden,' beaamde Martel. 'Hij zei dat hij naar Ekerling was gegaan om met hem te praten en de cd's te halen, maar dat er een probleem was.'

'Dat zei Rudy tegen jou,' verduidelijkte Diaz.

'Rudy, ja. Rudy kwam me dat vertellen. Rudy zei dat Ekerling zich als een klootzak had gedragen en hem geen toestemming wilde geven om mijn cd's uit te brengen. Mijn eigen cd's.'

'Ga door.'

'Rudy had gezegd dat het mijn cd's waren en dat het niet eerlijk van

Ekerling was dat hij me mijn eigen cd's niet wilde teruggeven.'

'Oké.'

'Vanaf dat punt is alles een beetje wazig... ik had veel gedronken... misschien ook wat ander spul genomen.'

Met andere woorden, zijn hersenen waren aangetast door hallucinatorische substanties.

Martel zei: 'Rudy zei dat Primo zich vreselijk had opgewonden. En toen... toen was Primo met een mes op hem afgekomen. Hij begon met dat mes naar hem te steken. En toen moest Rudy zich dus verdedigen.'

'Wat zei Rudy dat hij met Primo had gedaan?' vroeg Garrett.

'Hij zei dat hij hem uit zelfverdediging had doodgeschoten. Omdat Primo met dat mes op hem was afgekomen.'

Decker zei: 'Ik begrijp het niet helemaal. Wie heeft Primo doodgeschoten?'

'Rudy. Er was verder niemand bij.'

'Oké,' zei Decker. 'Rudy zei tegen jou dat hij Primo uit zelfverdediging had doodgeschoten.'

'Ja.' Martel dacht nog eens over zijn verhaal na en was tevreden. 'Dat zei Rudy. Dat hij Primo uit zelfverdediging had doodgeschoten. Maar nu zat hij met een probleem, oké?'

'Wat was het probleem?'

'Dat hij het lijk ergens moest dumpen. Hij zei dat ik hem moest helpen omdat het allemaal mijn schuld was. Omdat het om mijn cd's ging en dat een blanke jury het zo zou zien.'

De rechercheurs knikten hem bemoedigend toe.

Martel zuchtte. 'Rudy zei dat hij de Mercedes van Ekerling een paar blokken verderop had neergezet. Hij gaf me de sleuteltjes en zei dat ik de auto ergens moest dumpen. Hij gaf me een paar honderd dollar voor de moeite. En hij zei dat als iemand me zou vragen hoe ik aan het geld kwam, ik moest zeggen dat het van een drugsdeal was.'

Decker zei: 'Vroeg je je niet af waarom hij Primo's Mercedes Benz had en waarom jij die moest dumpen?' Toen Martel zijn schouders ophaalde, zei Decker: 'Kom kom, Travis, daar heb je vast wel over nagedacht. Waar moest je de auto dumpen?'

'Hoe bedoel je?'

'Zei hij dat je de auto ergens in Hollywood moest neerzetten of in South Central?'

'Hij zei dat ik hem in South Central moest achterlaten, bij het Jonas Park. Dan zou het eruitzien alsof een brother de wagen had gestolen, in het park een dealtje had gesloten en de Mercedes daar had achtergelaten omdat het een gestolen auto was.'

'Is er veel drugshandel in het Jonas Park?' vroeg Decker.

'Ja, natuurlijk.' Martel zweeg om zijn gedachten op een rijtje te zetten... of om een geloofwaardig verhaal te verzinnen. 'Toen heb ik Gerry opgebeld via het mobieltje van iemand daar op het feest. Ik heb gezegd dat ik hem kwam halen en dat we ergens een Mercedes gingen dumpen.'

'Ga door.'

'Toen heb ik Gerry opgehaald en zijn we een poosje gaan rijden in die auto en toen hebben we hem in het Jonas Park neergezet. Maar toen wisten we niet hoe we thuis moesten komen. In het park zaten alleen drugskoeriers en die ga je echt niet om een lift vragen.'

'Even kijken of ik alles goed heb begrepen, Travis.' Decker probeerde zijn gezicht in de plooi te houden. 'Rudy had je de sleuteltjes van Primo Ekerlings auto gegeven.'

'Ja.'

'Waar stond de auto geparkeerd?'

'Om de hoek.'

'Om de hoek van waar het Bitty Bit-feest was.'

'Ja.'

'Jij bent in de Mercedes weggereden terwijl het lijk van Primo Ekerling in de kofferbak lag en je hebt Geraldo Perry opgebeld...'

'Nee, ik heb eerst Gerry gebeld en toen ben ik in de Mercedes weggereden.'

Decker zei: 'Ja. Sorry. Eerst heb je Gerry gebeld, via iemands mobieltje op het Bitty Bit-feest en tegen hem gezegd dat je een Mercedes Benz had met een lijk in de kofferbak en dat je die moest dumpen en dat je hem zou komen halen.'

'Ik wist niet dat er een lijk in de kofferbak lag. Alleen dat ik de wagen moest dumpen.'

'Van wie was het mobieltje?' vroeg Garrett.

'Wat?'

'Je zei dat je Gerry had gebeld op het Bitty Bit-feest. Van wie was het mobieltje dat je daarvoor hebt gebruikt?'

'Weet ik veel. Een of andere kerel.' Hij leek zich te ergeren aan de vraag.

Decker zei: 'Toen heb je Gerry opgehaald en zijn jullie gaan rondrijden met Primo Ekerling in de kofferbak van de auto… en toen?'

'We zijn naar het Jonas Park gereden omdat we hem daar moesten achterlaten. Maar toen we daar aankwamen, wisten we niet hoe we thuis moesten komen. Toen zei Gerry dat we net zo goed nog een beetje konden gaan rondrijden in de Mercedes. En ik dacht, wat maakt het ook uit, die vent is toch al dood.'

En daarmee had Travis Martel zichzelf tegengesproken. Door toe te geven dat hij had geweten dat er een dode man in de kofferbak lag.

'… dus zijn we met de Mercedes teruggereden naar het Bitty Bit-feest, maar toen was het inmiddels bijna twee uur en al het eten was op en de drank ook en…' Hij boog zich naar voren. 'We hadden toen al twee uur rondgereden en Gerry had honger en zei dat hij trek had in pannenkoeken. Dus zijn we weer in de wagen gestapt en weer gaan rijden en toen we langs Mel's kwamen, zei hij: 'Zullen we bij Mel's iets gaan bikken?'

'Gerry had honger en zei "Zullen we bij Mel's iets gaan bikken"?'

'Ja,' zei Martel. 'We hebben de wagen een paar straten verderop neergezet. We wisten nog steeds niet hoe we thuis moesten komen, dus heb ik Rudy opgebeld, maar het nummer dat hij me had gegeven, klopte niet, of misschien had ik het niet goed opgeschreven. Er nam tenminste niemand op.'

'Misschien had hij je met opzet een verkeerd nummer gegeven,' zei Garrett.

'Ja, dat heb ik ook al zitten denken.'

'Jullie zaten daar dus en wisten niet hoe je thuis moest komen. En toen?'

'Toen heeft Gerry een vriendje van hem opgebeld en gezegd dat we hem op pannenkoeken zouden trakteren als hij ons kwam halen, en die jongen zei goed, maar dat hij iemand bij zich had en dat we die dus ook op pannenkoeken moesten trakteren. Gerry zei dat het goed was, dat iedereen pannenkoeken zou krijgen. Het duurde bijna een uur tot Gerry's vrienden kwamen en toen heb ik voor iedereen pannenkoeken gekocht met het geld dat ik van Rudy had gekregen. Pannenkoeken en daarna ook nog eieren met spek en weet ik wat nog meer. Bij elkaar was het wel honderd dollar, maar dat kon me niet schelen, want ik had daarna zeker nog tweehonderd dollar over. Dus hebben we allemaal pannenkoeken en eieren met spek en weet ik wat gegeten en toen zijn we naar huis gegaan.'

Martel haalde zijn schouders op.
'Dat was het.'
Het bleef stil in de verhoorkamer.
Decker zei: 'Even recapituleren. Rudy zei dat hij naar Ekerlings kantoor was gegaan om je cd's te halen.'
'Ja.'
'Rudy zei dat er een probleem was. Dat hij ruzie had gekregen met Ekerling.'
'Ja.'
'Ekerling was op Rudy afgekomen met een mes en Rudy had Ekerling doodgeschoten en in de kofferbak van de Mercedes gelegd.'
'Ja.'
'Dus je wist van het lijk in de kofferbak, Travis.'
'Hij was dood. Ik heb het met mijn eigen ogen gezien. Hij was hartstikke dood.'
'Oké.'
'Ik heb hem niet vermoord.'
'Dat weet ik,' suste Decker. 'Rudy zei dat jij het lijk voor hem moest dumpen. Hij gaf je de sleuteltjes van de Mercedes en zei dat je de wagen bij het Jonas Park moest achterlaten.'
'Ja.'
'Je hebt Geraldo Perry opgehaald en bent naar het Jonas Park gereden om de wagen daar te dumpen. Maar toen besefte je dat je niemand had die je bij het park kon komen ophalen. Dus ben je helemaal teruggereden naar Hollywood om de auto daar te dumpen.'
'Ja. Zoals ik al heb gezegd, wilde Gerry ook wel even naar het Bitty Bit-feest. En ik dacht: waarom niet, want Ekerling was toch al dood.'
'Juist,' zei Decker. 'Je bent dus in de Mercedes teruggereden naar Hollywood, naar het Bitty Bit-feest, maar tegen die tijd was het feest afgelopen en had Gerry honger. Hij wilde pannenkoeken.'
'Ja, daarom hebben we de Mercedes uiteindelijk daar achtergelaten. We kwamen langs Mel's en kregen zin in pannenkoeken. We hebben iedereen op pannenkoeken getrakteerd.'
'Waarom heb je ons dat dan niet meteen verteld?' vroeg Diaz.
'Omdat Rudy had gezegd dat als er iets gebeurde, ik niks moest zeggen. Dat hij een blanke advocaat voor me zou nemen en dat alles dik in orde zou komen.'

'En dat geloofde jij?'

'Hij is zelf ook blank,' zei Travis. 'En hij zegt dat hij zelf ook advocaat is.'

'Dat is inderdaad zo,' zei Decker.

'Hij weet hoe die dingen werken. En ik wist dat hij mijn cd's niet zou uitbrengen als ik hem zou verlinken.'

Garrett schoof een groot blocnote naar hem toe. 'Zou je dit verhaal even voor ons willen opschrijven? Misschien kunnen we dan met de openbare aanklager gaan praten en een goed woordje voor je doen.'

Martel keek naar het blocnote en de pen en toen naar Garrett. 'Al dat gepraat over eten... daar heb ik honger van gekregen. Ik moet eerst iets eten.'

'Ga maar alvast schrijven, dan laat ik wel iets komen,' zei Diaz.

'Ik wil die troep niet die ze hier hebben,' protesteerde Martel. 'Ik heb jullie geholpen, dus verdien ik een behoorlijke maaltijd.'

'Wat wil je dan?'

'Al dat gepraat over pannenkoeken...' Martel schokschouderde. 'Ik heb onderhand wel zin in pannenkoeken.'

36

Decker had gewerkt als in een casino: lange uren in kamers met kunstlicht zonder precies te weten hoeveel tijd er was verstreken. Hij was die ochtend om negen uur aangekomen bij het huis van bewaring. Tegen de tijd dat hij terug was in West Valley was het bijna zes uur. De zon was nog niet onder, maar de schaduwen waren lang. De voicemail van zijn mobieltje zat vol en er lag een flinke stapel telefoonberichten in zijn In-bakje.

Hij zette zijn auto op het parkeerterrein van het politiebureau, ging via de achterdeur naar binnen en liep de gangen door naar zijn kantoor. De deur stond open, het licht was aan en een heerlijke geur dreef de recherchekamer binnen. Op zijn bureau was een roodgeruit tafelkleed uitgespreid met daarop plastic bordjes en plastic bestek. Rina zat in zijn stoel, verdiept in een boek.

'Goed boek?' vroeg hij.

Ze keek op. 'Erg goed.' Ze stond op en kuste zijn wang. 'Ik had zin in een picknick.'

'We zijn binnen.'

'We kunnen het raam openzetten en doen alsof we buiten zijn.'

Decker glimlachte en sloeg zijn armen om zijn vrouw heen. 'Je hebt geen idee hoe geweldig ik dit vind. Ik val om van de honger.'

'Zullen we dan maar meteen beginnen?'

'Graag.' Decker trok een stoel bij en ging tegenover het bureau zitten. 'Wat heb je voor lekkers meegenomen?'

Rina deed de picknickmand open. 'Wil je een bruin bolletje met cornedbeef of kipsalade op zevengranenbrood?'

'Doe maar van elk een.'

Ze gaf hem twee in folie verpakte broodjes. 'Verder heb ik komkommersalade, Waldorfsalade...'

'Zet alles maar gewoon neer met een vork erbij.'

'Goed.'

Decker had het broodje met cornedbeef in een mum van tijd op en begon aan de salades. 'Waar is Hannah?'

'Naar een studiegroep. Ze zei dat jullie gisteravond hebben gepraat.'

'Dat klopt.'

'Ze zei dat het een goed gesprek was geweest.'

'Interessant. Ik weet nooit of ze mijn gezelschap op prijs stelt of juist vervelend vindt.' Hij keek op van zijn broodje. 'Ik heb altijd het gevoel alsof ik word onderworpen aan een lakmoesproef. Afhankelijk van haar stemming word ik dan te zuur of te flauw bevonden.'

Rina lachte. 'Heb je een goede dag gehad?'

'Het was een erg lange dag, maar die heeft tenminste wel iets opgeleverd.' Hij gaf haar een korte samenvatting van de acht uren die hij samen met Travis Martel in de verhoorkamer had doorgebracht. 'Nu Banks erbij betrokken lijkt te zijn, kan Hollywood nog meer mankracht inzetten om hem op te sporen.'

'Nog meer mankracht? Waren ze dan al naar hem op zoek?'

'Ja, maar nu kan het veel intensiever.' Hij vertelde haar over de bloedvlekken die hij achter de plinten van Rudy's flat had ontdekt. 'Het bloed is niet van Primo Ekerling.'

'Van wie dan wel?'

'Dat is de grote vraag. We hebben het DNA binnen. We weten dat het van een vrouw is. Als we Banks te pakken hebben, krijgen we hopelijk antwoord op de vraag van welke vrouw. Dat Hollywood naar hem zoekt, heeft voor mij het voordeel dat ik mijn energie daar niet aan hoef te besteden. Bovendien heb ik het voor elkaar gekregen dat ze een paar mannetjes hebben ingezet om naar Ryan Goldberg te zoeken.'

'De vermiste Doodoo Slut.'

'Ja.' Hij legde zijn broodje neer en pakte een stapeltje van de roze briefjes. 'Sorry. Ik wil even kijken of hier soms een bericht bij zit van Liam O'Dell.'

'Ga je gang. Ik heb mijn boek.'

'Wat ben je aan het lezen?' vroeg hij afwezig.

'Een biografie van Eric Clapton.'

'Ik wist niet dat je van zulke boeken hield.'

'Hangt ervan af. Veel beroemdheden zijn een beetje gek, maar rocksterren zijn echt helemaal getikt.'

'Vertel mij wat.' Decker nam de briefjes door. 'Daar ben ik bij mijn zeer vluchtige kennismaking met artiesten van de D-lijst al achter gekomen. En toch blijven de sterren in spe aanzwermen als sprinkhanen in een droge zomer. Het maakt niet uit wie hen vertrapt, wie hen onder zijn hak vermorzelt, de stroom houdt nooit op. Travis Martel zit in hechtenis en was bereid het risico te nemen dat hij levenslang zou krijgen, omdat hij dacht dat Rudy Banks alsnog zijn muziek zou gaan uitgeven als hij ooit weer op vrije voeten zou komen. Stapelgek. Ah, daar heb ik hem.' Decker pakte de telefoon en draaide Liams mobiele nummer. 'Ik zal het kort houden.'

O'Dell nam op toen de telefoon drie keer was overgegaan.

'Met Decker. Hoe gaat het?'

'Niks te melden.' Zijn stem klonk gespannen.

'Ik heb het bureau Hollywood zover gekregen dat ze een paar agenten inzetten om naar Ryan te zoeken.'

'Gefeliciteerd.'

Decker negeerde zijn sarcasme, omdat hij wist wat erachter zat. 'Ik heb de hele dag met Travis Martel zitten praten, in het huis van bewaring. Hij heeft ons interessante dingen verteld.' Hij gaf Mad Irish een samenvatting van de acht uur aan geraffineerde ondervraging. 'Rudy heeft Martel een opnamecontract aangeboden als hij Primo zou vermoorden of alleen de auto ergens zou dumpen.'

'En geloof jij hem? Martel?'

'Ik weet zeker dat hij erbij betrokken is, en ik weet zeker dat Rudy er ook bij betrokken is.'

'Een strop om Rudy's nek is een prettige gedachte, maar ik maak me meer zorgen om Mudd. We overwegen een privédetective in te huren als de politie het zoeken staakt. Weet jij soms iemand?'

Phil Shriner in ieder geval niet, dacht Decker. 'In de Valley ken ik er wel een paar... in de stad niet zo.' Hij wachtte even. 'Aaron Fox, een privédetective uit West-Los Angeles, schijnt erg goed te zijn. Hij heeft bij het LAPD gezeten, maar ik heb hem nooit persoonlijk ontmoet. Ik zal zijn nummer voor je opzoeken. Bel me als je iets van Ryan hoort.'

'Jij ook.' Liam hing op.

'Alles in orde?' vroeg Rina.

'Langzaam maar zeker komen we er wel.' Decker pakte zijn broodje kip uit. 'Heerlijke broodjes. Dank je wel.'

Rina deed een trommeltje open. 'Hannah heeft koekjes gebakken voor de recherchekamer. Jij mag er één. Ze zijn parve.'

'Wil je haar namens de hele ploeg bedanken? Waar hebben we deze traktatie aan te danken?'

'Ze was koekjes aan het bakken voor haar vriendinnen en toen heb ik gezegd dat als ze toch bezig was, ze ook best een portie voor jullie kon bakken.'

'En wat zei ze?'

'Dat ze het zou doen, al had ze er duidelijk niet veel zin in. Toen heb ik gezegd dat je een briefje voor haar zou schrijven en dat ze dan op school waarschijnlijk extra punten zou krijgen omdat het meetelt als vrijwilligerswerk. Toen klaarde ze helemaal op, want dan hoeft ze deze week niks extra's voor school te doen.'

Decker at een koekje. 'Heerlijk, zeg! Ik zou eigenlijk beledigd moeten zijn door de lauwe reactie van mijn eigen dochter op de suggestie koekjes te bakken voor mij en mijn ploeg, maar dat ben ik niet.' Hij nam nog een koekje uit de trommel en stak het in zijn mond. 'Laten we wel wezen. Niemand werkt voor nop.'

Het was een prachtige, heldere ochtend. Het zonlicht buitelde uit de wolkeloze blauwe hemel en de rit naar de Palisades verliep filevrij. Decker reed, Marge zat naast hem met een mokka latte, Oliver dreef vanaf de achterbank de spot met haar koffiekeuze en probeerde haar op stang te jagen door te zeggen dat hij medelijden had met alle sukkels die drie dollar betaalden voor iets wat je zelf voor nog geen vijfentwintig cent kon maken.

Op een gegeven moment viel Marge tegen hem uit. 'Als je nou je mond niet houdt, giet ik mijn mokka latte over je hoofd.'

'Nog één vraag,' zei Oliver. 'Drinkt Will die troep ook?'

'Will is een echte koffieleut.'

'Ik ook, maar dat vroeg ik niet. Ik wil weten of Will ook van opgeklopte sojakoffie met mokka of chocola of vanille of...'

'Ja, hij drinkt het ook. Af en toe. Kun je je onaangename, agressieve gedrag alsjeblieft voor Melinda Little bewaren? Dank je wel.'

'Ik wil wedden dat Melinda ook opgeklopte sojakoffie met mokka drinkt...'

'Mag ik hem doodschieten?' vroeg Marge aan Decker. Ze draaide zich om op haar stoel. 'Als jij vanochtend een kop doodgewone koffie had gedronken om wat cafeïne in je lijf te krijgen, zou je me nu niet zo zitten jennen.'

'Ik betaal geen twee dollar voor iets wat ik voor tien cent kan maken.'

'Scott, je hebt niet eens een koffiezetapparaat. Je hebt niet eens een blikje oploskoffie in huis. Dat is jouw probleem. Je komt 's ochtends naar het bureau en wacht tot er iemand koffiezet en dan koers je op de koffiehoek af. Vanochtend heeft er niemand koffiegezet, dus heb je nu pijn in je hoofd en moeten wij lijden onder het tekort aan chemicaliën in jouw lijf. Dat is niet eerlijk.' Ze rommelde in haar tas. 'Hier. Neem een aspirientje. Misschien ga je dan wat minder venijnig kijken.'

Oliver wilde nog een snerende opmerking maken, maar de hoofdpijn won het. 'Heb je iets om de pil mee door te slikken?' Marge gaf hem het restant van haar mokka-latte. 'Bedankt.'

'Geen dank.' Ze keek uit het raam naar de schuimende witte branding aan de rand van de eindeloze blauwe zee. 'Mooi hier... vooral zonder stoorzenders.'

Oliver hield zijn hoofd tussen zijn handen en bromde iets.

Decker zei: 'Ja, er zijn mensen die zich zo'n uitzicht kunnen veroorloven.'

Marge zei: 'Ik vraag me af hoe Melinda – met twee kinderen en waarschijnlijk heel veel schulden – erin is geslaagd een multimiljonair als Michael Warren aan de haak te slaan.'

'Ze is een erg mooie vrouw,' zei Decker.

Marge zei: 'Er zijn zo veel mooie vrouwen in Los Angeles.'

'Ze zal wel goed in bed zijn,' zei Oliver.

'Er zijn zo veel vrouwen goed in bed,' zei Marge.

'Maar waarschijnlijk zijn er niet veel die bereid zijn álles te doen wat de man wil.'

'Waarom denk jij dat Melinda zo iemand is?'

'Ze is aan gokken verslaafd. Ze is om geld met alle leden van de Doodoo Sluts naar bed gegaan. Als je een hoer bent, doe je wat de klant wil, en ik wil wedden dat punkrockers heel vreemde dingen willen.'

37

Ze zag eruit alsof ze zo van een jacht was afgestapt. In werkelijkheid stond Melinda juist op het punt op een jacht te stappen. Ze droeg een blauw met wit gestreept topje, een witte capribroek en witte sandalen met hoge hakken. Gouden armbanden en een diamanten horloge om haar polsen, paarlen oorhangers aan haar oren. Haar blonde lokken los en wild.

Ze keek nadrukkelijk op haar horloge. 'Ik heb hier geen tijd voor. Als ik over een uur niet in de jachthaven ben, hou ik het hele gezelschap op. Wat wilt u?'

'Ik wil weten waarom u hebt gelogen,' zei Decker.

Ze knipperde een paar keer met haar ogen. 'Dat heb ik u al verteld. Ik heb over Phil Shriner gelogen omdat ik me schaamde voor mijn gokverslaving. Ik zag niet in wat het voor zin had dingen op te rakelen die inmiddels verleden tijd waren.'

'Niet die leugen,' zei Decker. 'Ik heb het over Primo Ekerling. De producer die op dezelfde manier als uw man is vermoord. Ik heb u gevraagd of u hem had gekend. U hebt me geantwoord dat de naam u niet bekend voorkwam.'

Melinda zei niets.

'Mevrouw Warren, u ben een intelligente vrouw. U wist dat we opdracht hadden gekregen een onderzoek in te stellen en dat we dat ook zouden doen. U had moeten weten dat u met die leugen niet zou wegkomen.'

'Shriner zeker weer!' Ze liep rood aan van woede. 'Die schoft kent de betekenis van het woord vertrouwen niet! Ik zal hem aanklagen!'

'We hebben het niet van Shriner. We hebben het van Liam O'Dell.' Melinda's mond ging open en dicht. 'U had kunnen weten dat we met alle bandleden zouden gaan praten, omdat de moord op Ekerling vrijwel identiek was aan de moord op Ben. Vond u zelf niet dat er heel goed een verband kon zijn tussen de twee moorden?'

'Toen ik erover in de krant las, vond ik het wel eigenaardig, maar...' Ze zweeg en kreeg tranen in haar donkere ogen. 'Moet ik een advocaat laten komen?'

Oliver zei: 'We hebben nog een paar vragen. Daarna kunt u altijd nog beslissen.'

'Volgens mij heb ik geen advocaat nodig.' Weer liep ze rood aan van woede. 'Ik heb niets gedaan.'

Decker zei: 'We willen alleen maar de waarheid. Laten we er even bij gaan zitten en bij het begin beginnen.'

Melinda keek op haar horloge. Een diepe, theatrale zucht. 'Een dagje ontspannen varen zit er duidelijk niet meer in.' Een giftige blik. 'Ik zal mijn man bellen om te zeggen dat ze maar zonder mij moeten gaan. Ik heb dan wel een ogenblikje nodig om tot bedaren te komen. Als hij hoort dat mijn stem gespannen klinkt, komt hij naar huis. Hij mag hier niets van weten.'

'Ga uw gang.'

Ze haalde een paar keer diep adem en belde toen. Haar stem klonk kalm en de leugen vloeide moeiteloos over haar lippen. Dat ze een oude vriendin wilde zien die maar één dag in Los Angeles was. Toen ze ophing waren haar ogen vochtig. 'Bent u nu tevreden?'

'Dat u ongelukkig bent, doet ons echt geen plezier, mevrouw Warren,' zei Decker.

'Nee? Daar lijkt het anders wel op.'

Ze verwisselde het matrozentenue voor een spijkerbroek en een T-shirt. De armbanden en het horloge had ze afgedaan. Ze had haar gezicht gewassen en zonder make-up zag ze eruit als de vrouw van middelbare leeftijd die ze was. Nadat ze koffie had gezet, opgediend met met nootjes en bonbons, ging ze in een grote fauteuil zitten met haar benen onder zich opgetrokken. Ze nam kleine teugjes van haar koffie en liet haar gezicht omkringelen door de damp die uit het kopje opsteeg.

Oliver zette zijn kopje op de lage tafel en haalde een notitieboekje tevoorschijn. 'Toen u het nieuws over de dood van Primo Ekerling las en zag hoeveel overeenkomsten er waren met de moord op uw man, wat dacht u toen?'

Ze likte aan haar lippen. 'Het is misschien vreemd, maar ik dacht niet dat het iets te maken had met de moord op Ben. Er zat vijftien jaar tussen. Waarom zou het iets te maken hebben met Bens dood?'

'Maar waarom niet?' vroeg Oliver. 'De overeenkomsten waren meer dan duidelijk. En om het maar ronduit zeggen: Primo is ooit uw minnaar geweest.'

Haar lach klonk honend. 'Toen mijn man werd vermoord, lag die psychotische episode van mijn leven al lang achter me.'

Decker zei: 'Ik wil nog iets verder teruggaan. Hoe was die psychotische episode eigenlijk tot stand gekomen?'

Haar ogen werden vochtig. Ze zette haar koffiekopje neer en wrong haar handen. 'Weet u hoe het is om met Jezus getrouwd te zijn?' Toen er geen antwoord kwam, ging ze door. 'Bennett was een heilige en dat moest ik van iedereen horen... O, wat had ik geboft dat ik hem aan de haak had geslagen. Mijn ouders gaven meer om hem dan om mij. Ze waren zelfs zo dol op hem dat ze hem míjn geld hebben gegeven.'

'Uw trustfonds?' zei Decker. Toen Melinda hem onderzoekend aankeek, zei hij: 'We hebben met uw moeder gepraat.'

'Mijn moeder haat me.' Ze zei het heel nuchter. 'Ze is zo ongelooflijk narcistisch dat ze jaloers is op ieder ander die aandacht krijgt.'

Marge zei: 'Het moet u zwaar zijn gevallen om tegen het imago van uw man op te boksen terwijl uw eigen moeder zich tegen u gekant had. En als klap op de vuurpijl gaf ze uw man ook nog het beheer over uw trustfonds.'

'Ja!' Ze stond op en begon te ijsberen. 'Dat is toch te gek voor woorden? Wat een belediging! Ze vertrouwde een wildvreemde meer dan haar eigen dochter! Ik kon haar wel vermoorden!'

'En uw man?' vroeg Oliver.

'Mijn man?' Rood aangelopen van woede wendde ze zich tot Oliver. 'Mijn man? Wat bedoelt u? Ik heb het over mijn moeder.'

Oliver dimde de retoriek wat. 'Ik vroeg me af of u net zo kwaad was op uw man als op uw moeder.'

Ze hield op met ijsberen en zuchtte geïrriteerd. 'Ben probeerde fair te zijn. Hij besteedde het geld aan dingen waarvan hij dacht dat we er allemaal plezier aan zouden beleven. Ik wilde de Mercedes net zo goed als hij. Maar misschien was ik toch wel een beetje boos op hem omdat hij die overeenkomst had gesloten met mijn moeder.'

'Alsof ze onder één hoedje speelden?'

'Ja, maar Ben kon ook moeilijk anders. Het was dit of niks. Anders zou mijn moeder het geld terugnemen en in een trustfonds voor de kinderen stoppen. Ben heeft de rol van vredestichter op zich genomen. Maar ik voelde me vreselijk achtergesteld.'

Marge vroeg: 'Is het in die tijd geweest dat u zo overspelig bent geworden?'

'Misschien wel... Ik weet het niet.' Ze schudde haar hoofd en ging weer zitten. Ze keek naar het plafond toen ze sprak. 'Ben was nooit thuis. Hij was altijd voor andere mensen in de weer. Voor de kinderen, voor school, voor mijn ouders, voor de gemeente. Ik kwam op de laatste plaats.'

'Hebt u hem verteld hoe u daarover dacht?' vroeg Decker.

'Jezus op de vingers tikken?' Ze wees naar haar borst. '*Moi*?' Ze streek met haar vingers langs haar ogen en wendde haar blik af. 'Ik raakte in verwachting toen we verloofd waren. Het kind was niet van hem. Ik heb een abortus laten uitvoeren en hij is evengoed met me getrouwd. Heilige Ben. Dat was mijn eerste vergissing. Ik had niet met hem moeten trouwen. Mijn moeder was dol op hem. Ik dacht dat ze misschien meer van mij zou houden als ik iemand trouwde die bij haar in de smaak viel.'

Een stilte daalde neer over de kamer.

'Mocht u Ben eigenlijk wel?' vroeg Marge toen op zachte toon.

'Ja, natuurlijk. Ik hield van hem.' Ze zakte onderuit in de grote, met canvas overtrokken fauteuil. Haar stem daalde tot een fluistering. 'Maar ik geloof dat hij mij niet erg mocht. Ik bedoel, welke man trouwt met een vrouw van wie hij weet dat ze hem ontrouw is?'

Niemand gaf antwoord.

'Wilt u weten wat ik denk? Dat hij zo veel verplichtingen op zich nam om niet bij mij te hoeven zijn. Om geen seks met me te hoeven hebben. Ik geloof dat hij niet erg van seks hield. Althans, niet met mij.'

'Misschien was hij homoseksueel,' zei Oliver. 'Waarom zou hij anders geen seks willen met zo'n mooie vrouw als u?'

Dat leverde hem een oprechte glimlach op. Af en toe deed Oliver zoiets en dat herinnerde Marge er dan altijd aan waarom ze met hem werkte.

Melinda zei: 'Daar heb ik over nagedacht, maar ik denk niet dat hij een ander had: man of vrouw. Zijn werk en al zijn andere bezigheden slokten al zijn tijd op.'

'Kan hij gelogen hebben over die andere bezigheden?' vroeg Marge.

'Hij was altijd beschikbaar als ik hem belde. En hij gaf me altijd zijn dagplanning, voor het geval dat. Als ik hem belde, nam hij altijd meteen op. Misschien worstelde hij met zijn seksuele duivels. Misschien was hij daarom altijd zo druk bezig... om geen tijd te hebben voor avontuurtjes.'

Marge zei: 'En intussen zat u in uw eentje thuis met twee veeleisende kleine kinderen en geen hulp. Ik ben zelf ook moeder. Ik weet dat het niet meevalt.'

'Vooral omdat ik maar zo weinig geld kreeg... vanwege mijn "probleem".' Ze maakte in de lucht aanhalingstekentjes bij het woord 'probleem'. 'Ik moest om iedere cent bedelen, als een kind dat meer zakgeld wil. Het was ronduit vernederend.'

'Wie bepaalde hoeveel geld u kreeg?' vroeg Decker. 'Uw moeder of Ben?'

'Allebei. Ben deed iedere week de boodschappen, kocht kleren en andere dingen voor de jongens, betaalde de rekeningen en ging over alle andere uitgaven.' Ze glimlachte wrang. 'Ik mocht mijn eigen kleding zelf kopen, maar Ben moest elke dollar kunnen verantwoorden, anders zou mijn moeder het trustfonds afpakken. Daardoor bleef er niet veel over voor mijn hobby.'

'Met die hobby bedoelt u gokken?' vroeg Oliver.

Ze pakte haar kopje en nam een slok. De koffie was inmiddels lauw geworden. 'Iedereen was zo bang dat ik het gokken niet in bedwang zou kunnen houden, dat ik het deed om te bewijzen dat ze ongelijk hadden. En toen raakte ik in de schulden.'

'Hoe hebt u die afbetaald?'

Melinda keek naar Decker en trok één wenkbrauw op. 'Ik was creatief. Een paar keer ben ik erin geslaagd Bens handtekening te vervalsen en wat van mijn eigen geld op te nemen.'

'Is Ben daarachter gekomen?'

'Zo ja, dan heeft hij er niets over gezegd. Misschien was hij er stiekem wel blij om. Het was een grote verantwoordelijkheid om over mij te moeten waken... Ik denk dat hij het als een last ervoer. Soms won ik en kon ik de schatkist weer aanvullen.'

Decker sneed het gevoelige onderwerp aan. 'En wanneer hebt u de Doodoo Sluts leren kennen?'

Bij het horen van die naam hief ze meteen haar hoofd op. 'Dat deel van mijn leven was helemaal afgesloten voordat Ben werd vermoord. Al zeker een jaar.'

'Ik geloof u wel,' zei Decker, 'maar ik had toch graag dat u antwoord gaf op mijn vraag.'

'Ik had eerst Primo leren kennen... in een casino. Ik was bijna blut en hij gaf me wat fiches. Die avond won ik en hebben Primo en ik dat gevierd.' Weer keek ze naar het plafond. 'Ben was met de jongens gaan kamperen. Er was niemand thuis. Het was niet de eerste keer dat ik Ben bedroog, maar ditmaal was het met een man die ik amper kende.'

Het bleef stil in de kamer.

Melinda zei: 'Primo hield van een glaasje en liet het geld rollen. Dat beviel me.' Ze haalde haar schouders op. 'Dat is alles.'

'En hoe bent u van Primo op de anderen overgestapt?'

Er verscheen een ijzige blik in haar ogen. 'Ik zie niet in wat mijn psychotische verleden met de moord op mijn man te maken heeft.'

Decker zei: 'Dan zal ik u dat vertellen. We weten dat een persoon uit uw verleden en een hoofdverdachte in de moord op Primo iets met elkaar gemeen hebben.'

Melinda keek verward. 'Maar de moordenaars van Primo zijn al opgepakt. Twee criminele jongens die ik helemaal niet ken. De politie zei dat het om een carjacking ging.'

'Het gaat om veel meer dan een carjacking en het wordt ons langzaam duidelijk hoe het in elkaar zit. Maar er is een sleutelfiguur in dit drama en ik geloof dat u wel weet wie dat is.'

'Ik heb geen flauw idee waar u het over hebt.'

'Denk even na,' zei Decker. 'Volgens ons is de dood van uw man terug te voeren naar een van de leden van de Doodoo Sluts. Primo is dood. Er zijn er dus drie over. Neem het lijstje maar even door.'

Ze zei niets.

'Melinda,' zei Marge sussend, 'je loopt nu al zo lang rond met dit afschuwelijke geheim. Stort je hart uit. Vertel ons wat je over de moord op je man weet.'

'Maar ik weet niets!' riep ze uit. 'Ik weet niet wat er is gebeurd! Denkt u dat ik niet al lang iets gezegd zou hebben als ik had gedacht dat de Doodoo Sluts er iets mee te maken hadden?'

'Misschien durfde je dat niet,' zei Marge. 'Maar nu zal het allemaal uitkomen. Dit is je kans om ons te vertellen wat je weet.'

'Niets! Ik weet niets!' riep Melinda. 'Zijn jullie doof? Waarom zou een van de Doodoo Sluts mijn man vermoord hebben? Over wie hebben we het eigenlijk?'

Decker zei: 'Rudy Banks wordt vermist. En we hebben een getuige die beweert dat hij Ekerling heeft vermoord.'

'Rudy?' zei Melinda ademloos. Haar verwarring leek oprecht te zijn. 'Ik... ik... Heeft Rudy Primo vermoord? Maar... Rudy? Ze waren vrienden!'

'Ze zijn al jaren geen vrienden meer,' zei Marge. 'De afgelopen tien jaar hebben ze elkaar voor van alles en nog wat voor de rechter gedaagd.'

Melinda schudde haar hoofd. 'Dat wist ik niet. Ik heb al die ruige jongens een jaar voordat mijn man is vermoord de rug toegekeerd en sindsdien nooit meer iets van hen gehoord.'

Decker probeerde een andere tactiek. 'Waarom had u zich van de band gedistantieerd?'

Melinda slaakte een diepe zucht. 'Omdat ik last van mijn geweten kreeg. Een tijdje was het allemaal heel lekker, maar toen werd het zo vunzig. Ik wist dat ik thuis niet veel genegenheid hoefde te verwachten, maar dat kon me niets meer schelen. Ik wilde er gewoon mee ophouden.'

'Vooral toen de bandleden u geen geld meer gaven,' zei Decker.

Ze keek hem vernietigend aan. 'Ja, vooral toen de bandleden me geen geld meer gaven. U hoeft niet zo smalend te doen, inspecteur. Ik heb voor mijn zonden geboet op meer manieren dan u kunt tellen. Toen het allemaal voorbij was, werd ik niet alleen gekweld door nachtmerries.'

'Waar dan nog meer door?' vroeg Oliver. 'Angst dat Ben erachter zou komen?'

'Eh, ja, dat ook. Hoor eens, ik ben doodmoe. Ik kan gewoon niet meer. U moet nu maar gaan.'

Er klikte iets in Deckers brein. 'U was niet bang dat Ben erachter zou komen, u was bang voor de band. En niet voor de hele band, maar voor één lid van de band. Omdat hij u stalkte.'

Tranen welden op in Melinda's ogen. Decker knikte onmerkbaar naar Marge.

'Vertel het ons maar, Melinda,' paaide Marge. 'Stort je hart maar uit.'

Toen Melinda uiteindelijk begon te praten, deed ze het met zo'n zachte stem dat Decker zich naar voren moest buigen om haar te kunnen verstaan. 'Hij kwam naar me toe zodra Ben naar zijn werk en de kinderen naar school waren. En als hij niet bij me kwam, belde hij me wel tien keer per dag op. Hij was zo'n grote man. Ik was bang voor hem.'

Decker zei: 'U hebt het over Ryan Goldberg. Mudd. Hij was obsessief verliefd op u.'

'Hij was gek!'

'En het is geen moment in u opgekomen dat hij wel eens iets te maken kon hebben met de dood van uw man?'

'Misschien wel...' De tranen stroomden nu over haar wangen. 'Maar al had ik geweten dat hij het had gedaan, dan zou ik nog niks gezegd hebben.'

'Was je bang dat hij je iets zou doen?' vroeg Marge.

Melinda streek met haar hand langs haar ogen. 'Hij was groot en sterk en er zat een steekje bij hem los! Hij dacht dat ik mijn gezin in de steek zou laten om met hem mee te gaan. Ik was doodsbang dat mijn verachtelijke gedrag geopenbaard zou worden als ik aan de politie vertelde dat ik hem verdacht, en ik was vooral bang dat Ryan terug zou komen om mijn kinderen te vermoorden!'

Decker bestudeerde haar rood aangelopen gezicht. Hij was nog niet tevreden. 'U denkt dus wél dat Ryan het misschien heeft gedaan.'

Ze droogde haar tranen. 'Die mogelijkheid leek me heel reëel, al zei hij zelf dat hij het niet had gedaan. Hij zwoer dat hij Ben met geen vinger had aangeraakt.'

Decker zei: 'Dus ook nadat Ben was vermoord kwam hij bij u?'

'Een paar keer. Hij zwoer dat hij het niet had gedaan.'

'En geloofde u hem?'

'Ik weet niet wat ik geloofde,' zei Melinda. 'Ik weet alleen dat hij uiteindelijk wegbleef. Ik had hem aan zijn verstand weten te brengen dat de politie zou denken dat hij Ben had vermoord als hij me niet met rust liet. Ik zei dat hij zich beter ergens kon verschuilen en dat ik contact met hem zou opnemen zodra het veilig was.'

'Heeft hij daarmee ingestemd?'

'Ik weet alleen dat hij niet meer kwam en sindsdien heb ik geen contact meer met hem gehad.'

'Vroeg u zich af waarom hij niet meer kwam? Waarom hij geen pogingen meer deed contact met u te houden?' vroeg Decker haar.

'Nee. Ik was alleen maar opgelucht. Na Bens dood was ik helemaal murw. Ik was bang en blut en helemaal de kluts kwijt. Ik had twee kinderen en kon bij niemand om hulp aankloppen. Ik heb vermoedelijk gedacht dat Ryan er genoeg van had gekregen om op een telefoontje van mij te wachten en dat hij een ander meisje had leren kennen. Hij was een makkelijk doelwit. Je hoefde hem maar een beetje te vleien en hij gaf je alles wat hij bezat.'

'Hij gaf u geld.'

'Hij gaf me een heleboel geld, tot de andere bandleden het beheer over zijn bankrekening overnamen.'

'Was u boos op hen?' vroeg Marge.

'Natuurlijk. Ik was woedend. Maar uiteindelijk was dat het beste wat me had kunnen overkomen, want daardoor besefte ik eindelijk hoe diep ik was gezonken. Pas toen ik het uit wilde maken met Ryan begreep ik dat hij stapelverliefd op me was.'

Oliver zei: 'Waarom hebt u hem niet radicaal gedumpt?'

'Omdat ik bang was dat hij iets tegen Ben zou zeggen. En ik had een beetje medelijden met hem... Ik dacht dat hij een goedige reus was, tot hij tien keer per dag bij me op de stoep stond. Toen was ik snel over mijn medelijden heen.'

'Dus u denkt dat als een van hen Ben heeft vermoord, het Ryan moet zijn geweest?'

'Dat weet ik niet.' Ze haalde haar schouders op. 'Het is voorbij. Ben is dood. Ik heb een nieuw leven opgebouwd.'

Decker zei: 'Wat voor verhouding had u met Rudy Banks?'

'Onstuimig en kort. Rudy was erg knap om te zien, maar een psychopaat. We zijn een paar keer met elkaar naar bed geweest en toen was het weer voorbij. En dat vonden we allebei prima.'

'Wist u dat Rudy op North Valley had gezeten en uw man kende?'

Melinda keek verward. 'Ik... ik meen me te herinneren dat hij in Los Angeles was opgegroeid, ja.'

'Rudy mocht je man niet,' zei Marge. 'Hij zei dat het zijn schuld was dat hij van school was getrapt.'

'Dat hoor ik nu voor het eerst,' zei Melinda.

Oliver zei: 'Bovendien had uw man Rudy's drugshandel opgerold.'

'Handelde Rudy dan in drugs?'

Haar verbazing leek oprecht. Decker zei: 'Rudy verkocht drugs aan de scholieren van North Valley High. Hij gebruikte jongens uit armenwijken als koeriers, omdat hij die makkelijk voor zijn karretje kon spannen.

Een van zijn koeriers was Darnell Arlington. Toen Darnell werd geschorst, stortte de business in.'

Melinda zei: 'Ik was niet op de hoogte van alles wat er op de school van mijn man gebeurde.'

'Maar u kende Darnell Arlington.'

'Ik wist dat mijn man zich om hem bekommerde. Ik wist ook dat Darnell een wrok tegen Ben bleef koesteren nadat hij van school was gestuurd. Maar hij had een alibi.'

'Rudy heeft nooit gezegd dat hij uw man kende?'

'Nee, natuurlijk niet. Anders zou ik nooit iets met hem begonnen zijn. Toen ik hem ontmoette was hij een rockster en gedroeg hij zich ook zo: veel drugs, kinky seks en agressieve muziek. Hij was jong, knap en wild en een tijdje vond ik dat allemaal erg opwindend. Tot het me begon te vervelen. Toen hij me geen geld meer gaf, heb ik het met Mudd aangelegd, die heel royaal was. Waarom denkt u anders dat ik iets begonnen was met Ryan? Om zijn knappe kop?'

Decker zag de berekenende feeks onder het uiterlijk van de fatsoenlijke vrouw. Hij zei: 'En hoe paste Liam O'Dell in het rijtje?'

'U hoeft niet alle smerige details te weten, oké? Het is geëindigd bij Ryan. Ik heb mijn man niet vermoord en weet ook niet wie het heeft gedaan.'

Decker stak zijn vinger op. 'U bedroog uw man. U stal van zijn bankrekening. U vond het een belediging dat hij u ontliep en geen belangstelling toonde voor seks. Waarom zou ik dan moeten geloven dat u niets te maken had met zijn dood?'

'Dat zal ik u vertellen!' zei Melinda vinnig. 'De politie heeft destijds een uitgebreid onderzoek naar me gedaan. Ze zijn nagegaan of mijn verhaal over de avond van de moord klopte, en dat was zo. Ze hebben mijn belgegevens doorgenomen. Ze hebben mijn bankrekeningen uitgeplozen. Ze hebben de verzekeringspolissen nagetrokken. Ze hebben onderzocht of ik ooit een wapen had aangeschaft. Of ik Ben bedroog in de tijd dat hij werd vermoord... wat niet zo was, omdat ik inmiddels had begrepen hoe goed ik het eigenlijk had met hem. Ik hield van Ben.'

Opeens werd ze boos.

'Ik heb u volledige medewerking verleend. Ik heb u alles verteld wat ik weet zonder dat ik er een advocaat bij heb gehaald. Wat wilt u nog meer van me?'

Oliver zei: 'Nog een vraag... u bent indertijd ondervraagd door Arnie Lamar en Cal Vitton. Bent u dus door hen onschuldig verklaard?'

Melinda sloeg haar ogen op naar het plafond. 'Ik weet niet wie me onschuldig heeft verklaard, maar dat waren inderdaad de rechercheurs die over de zaak gingen en ja, ik heb met beiden heel vaak gepraat. Als u me niet gelooft, moet u het maar aan hen gaan vragen.'

'Aan Lamar kan ik het gaan vragen, maar Vitton is dood.' Toen ze niet reageerde, voegde Oliver eraan toe: 'Hij heeft zelfmoord gepleegd.'

Ze kromp ineen. 'Wanneer?'

'Vlak nadat we het onderzoek naar de moord op uw man hadden heropend,' zei Oliver.

'Interessante timing,' zei Marge. 'Denk je dat die zelfmoord iets te maken kan hebben met de dood van je man, Melinda?'

'Hoe moet ik dat nou weten?' Ze begon met haar voet op de vloer te tikken. 'Verder nog iets?'

Decker zei: 'Rudy Banks heeft een week geleden zijn hele flat leeggehaald. Sindsdien heeft niemand iets van hem vernomen. Zijn verdwijning valt ook al samen met de heropening van de zaak.'

'Zei u niet dat u een getuige had die beweert dat Rudy Ekerling heeft vermoord? Was dat soms maar gelul dan?'

'Nee hoor, dat is waar. We hebben een getuige.'

'Misschien vond hij dat u hem te dicht op de hielen zat en is hij ervandoor gegaan.'

'Vindt u dit niet zorgwekkend?' vroeg Decker. 'Dat Vitton dood is en Rudy vermist wordt?'

Ze gaf geen antwoord.

'Dan zal ik u nog iets vertellen,' zei Decker. 'Een van de redenen waarom u niets meer van Ryan Goldberg hebt gehoord, is dat hij een zware zenuwinzinking heeft gehad. Hij was er zo ernstig aan toe dat hij een shocktherapie moest ondergaan. Ik heb hem twee weken geleden gesproken. Hij is totaal gestoord.'

'Heeft hij het over mij gehad?' vroeg Melinda.

Decker moest die vraag even verwerken. Over narcisme gesproken. Of zou het angst zijn? 'Nee, hij heeft het niet over u gehad.'

'Waarom was u naar hem toe gegaan?'

'Aanvankelijk omdat ik op zoek was naar informatie over Primo Ekerling. Toen verdween Rudy opeens en ben ik teruggegaan naar Ryan voor informatie over Rudy. En ook om te zien of alles in orde was met hem. En nu is Ryan óók verdwenen.'

Melinda's geschokte reactie uitte zich traag. 'Wordt Ryan vermist?'

'Daar ziet het naar uit. Tenzij hij uit eigen beweging vertrokken is. We kunnen hem in ieder geval niet vinden.'

Ze beet op de nagel van haar duim. 'Moet ik me zorgen maken?' Toen geen van de rechercheurs antwoord gaf, vloekte ze hardop. 'Jezus, wat is dit klote zeg. Ekerling is dood, twee psychopaten worden vermist en de politie zit me op mijn huid. Ik geloof dat het tijd is dat ik een advocaat neem.'

'Doet u dat,' zei Decker. 'En als u toch bezig bent, neem dan ook een lijfwacht.'

38

Decker gooide Marge de sleuteltjes van de Crown Vic toe. 'Rij jij maar. Ik moet nadenken.'

De eerste tien minuten van de rit terug naar de Valley verliepen in stilte. Oliver vouwde zijn handen achter zijn hoofd, zakte onderuit en sloot zijn ogen. Decker trok een blikje fris open en dronk met kleine slokjes terwijl hij zijn aantekeningen doornam en schema's maakte. Toen zei hij: 'Oké, kijken hoever we komen. Melinda Little Warren. Liegt ze over haar rol in de moord op haar man, ja of nee?'

'Ondanks het feit dat ze niet vies is van liegen, denk ik in dit geval toch van niet,' zei Marge. 'Ze heeft met ons gepraat zonder advocaat.'

'Als ik even voor advocaat van de duivel mag spelen: ze wist misschien dat als ze een advocaat in de arm zou nemen, haar huidige echtgenoot alles over haar verleden te weten zou komen en haar zou dumpen.'

'Dat is waar, maar als ze in moeilijkheden verkeert, denk ik dat ze niet zou aarzelen de beste juridische spreekbuis van Los Angeles te nemen. Ze kan het zich in ieder geval veroorloven.'

'Haar man kan zich dat veroorloven. Hoeveel geld heeft ze zelf? En stel dat haar huidige echtgenoot net zo is als de vorige? Stel dat hij de hand op de knip houdt en ze weet dat hij er niets voor zou voelen om een advocaat voor haar te nemen?'

'Allemaal waar, maar dat ze zonder advocaat met ons heeft gepraat wil voor mij zeggen dat ze ofwel denkt dat ze slim genoeg is om hier zonder kleerscheuren uit te komen, of inderdaad niets te maken heeft met de moord op Ben Little. Bovendien hebben Vitton en Lamar haar helemaal doorgelicht en niets gevonden wat in haar nadeel spreekt, afgezien van Bens verzekeringspolis. Volgens mij was Ben voor haar levend meer waard dan dood. Hij stond haar toe aan het trustfonds te knibbelen. En als ik even als vrouw mag spreken: ik denk dat ze eigenlijk best van haar man hield.'

'Mee eens,' zei Oliver met zijn ogen dicht.

'Ben je het eens met hem of met mij?' vroeg Marge.

'Met jou.' Oliver ging rechtop zitten. 'Melinda is een arrogant wijf, een leugenaarster en een dievegge. Misschien zelfs een moordenares. Maar ik geloof niet dat ze Ben Little heeft vermoord. Ik geloof dat ze inderdaad haar buik vol had van de drugs, seks en rock-'n-roll. Ik denk dat ze blij was dat ze zich net op tijd, met haar huwelijk nog intact, van die losers had gedistantieerd.'

'Denk je dat ze ondanks haar liefdeloze huwelijk gelukkig was?'

Marge zei: 'Er zijn vrouwen die best met een liefdeloos huwelijk kunnen leven, vooral als ze af en toe bij een andere bron kunnen bijtanken. Melinda lijkt me zo'n vrouw.'

Oliver zei: 'Ik denk ook niet dat ze Ryan Goldberg ertoe aangezet heeft Ben te vermoorden. Ze zou daarvoor nooit zo'n sul nemen, tenzij ze van plan was hem na de moord van kant te maken. Anders zou hij een blok aan haar been worden.'

Marge zei: 'Daar ben ik het mee eens.'

Decker zei: 'Mag ik jullie eraan herinneren dat Goldberg vermist wordt? Misschien hééft ze hem vermoord.'

'Als ze hem dood had gewild,' zei Marge, 'had ze hem toen al vermoord.'

'Zou Ryan Ben dan in zijn eentje hebben vermoord?' vroeg Decker.

Marge zei: 'Volgens Melinda heeft Goldberg gezworen dat hij het niet had gedaan.'

'Dat zegt niks.'

'Jij hebt Goldberg ontmoet, Pete. Wat denk jij?'

'Op het eerste gezicht lijkt hij geestelijk te ver heen om een moord te kunnen plegen. Maar zoals je al zei weet ik niet hoe hij toen was en ken ik hem nu eigenlijk ook niet. Hij kan negenennegentig komma negenennegentig procent van de tijd een goedige reus zijn. Misschien is het de nul komma een procent waar we ons zorgen om moeten maken.'

Oliver trok een gezicht. 'Hij stalkte Melinda. Dat is geen passief gedrag.'

Marge zei: 'Maar hij is daarmee gestopt toen Ben Little dood was.'

'Dat komt overeen met wat Liam zei, over dat Ryan met gemak op een ander meisje overstapte,' zei Decker. 'Goldberg was een onverbeterlijke romanticus die verliefd werd op iedere vrouw die met hem naar bed ging. Maar we mogen niet vergeten dat Mudd een zware zenuwinzinking heeft gehad. Misschien als gevolg van het feit dat hij Ben Little had vermoord.'

Oliver zei: 'Ik kreeg van Melinda de indruk dat ze echt bang voor hem was. Zo bang dat ze niet eens naar de politie ging toen hij haar stalkte.'

Marge zei: 'Zou Ryan zo in de war zijn geweest dat hij dacht dat hij Melinda alleen kon krijgen als hij Ben Little uit de weg ruimde?'

'Misschien wel,' zei Decker. 'Maar als hij Ben heeft vermoord in de hoop Melinda voor zichzelf te krijgen, waarom is hij na de dood van Little dan uit haar leven verdwenen?'

'Stel,' zei Oliver, 'dat Ryan hem met of zonder instemming van Melinda heeft vermoord. Melinda zat toen met dat voldongen feit. Ze heeft tegen Mudd gezegd dat hij van het toneel moest verdwijnen. Dat deed hij, en toen hij ergens verscholen zat, kreeg hij zo'n last van zijn geweten dat hij een zenuwinzinking kreeg en Melinda vergat.'

Decker knikte. 'Dat zou kunnen, al weet ik niet zeker of hij met voorbedachten rade een moord heeft kunnen plegen. Als hij Ben heeft vermoord, is het waarschijnlijk een impulsieve daad geweest. Of een ongeluk. Een grote kerel die zijn eigen kracht niet kent, een ruzie die uit de hand is gelopen.'

'Zoals Lennie uit *Van muizen en mensen*,' zei Marge.

Oliver zei: 'Mag ik u beiden eraan herinneren dat Little in maffiastijl is doodgeschoten in de kofferbak van zijn eigen auto?'

'Mudd heeft hulp gehad, Scott,' zei Marge. 'We weten dat Leroy Josephson erbij betrokken was. Misschien wilde Rudy Banks dat Little van kant werd gemaakt, maar wilde hij het zelf niet doen. Hij heeft Leroy Josephson ervoor ingehuurd, maar wist dat Leroy hulp nodig zou hebben. Die hulp kwam in de vorm van Ryan Goldberg. Rudy vond hen een goed team: twee mannen die hij kon manipuleren.'

'Allemaal heel leuk en aardig,' zei Decker, 'maar waarom wilde Rudy Little laten vermoorden?'

'Misschien was Rudy erachter gekomen dat Little een aantrekkelijke levensverzekering had,' zei Marge. 'Ben was voor Melinda levend waarschijnlijk meer waard dan dood, maar voor Rudy Banks had Ben levend geen enkele waarde. Rudy haatte hem. Door hem te vermoorden ontdeed hij zich van een man die hij niet kon uitstaan en kwam het geld van Littles verzekering vrij.'

Oliver zei: 'Maar waarom zou Melinda een deel van dat geld aan Rudy hebben gegeven?'

'Om ervoor te zorgen dat haar verleden een geheim bleef,' zei Marge.

'We kunnen van alles bedenken, maar we kunnen ook iets doen,' zei Decker. 'Hoe zitten jullie morgen?'

'Dat weet ik niet precies,' zei Marge.

'Ik geloof dat er op mijn programma nog niet veel staat,' zei Oliver.

'Boek dan een vlucht naar Ohio. Het is tijd voor een tweede bezoek aan meneer Arlington. We moeten teruggaan naar de ontbrekende schakel. Arlington was niet hier ten tijde van de moord, maar heeft die misschien wel georganiseerd. Darnell en Rudy zaten samen in de drugshandel. Darnell had redenen om kwaad te zijn op Ben Little. Ga terug naar het bureau, bestel de vliegtickets en verzin tussen nu en morgen een aannemelijk scenario over Rudy en Arlington dat eindigt in de moord op Little. Confronteer Arlington dan met die theorie. Ik ben benieuwd hoe hij zal reageren.'

'Komt voor elkaar,' zei Oliver.

'En wat ga jij doen?' vroeg Marge. 'Ik dacht dat je met ons mee wilde.'

'Rudy wordt vermist, Ryan wordt vermist. Ik denk dat ik voorlopig beter hier kan blijven.'

De coach was gekleed in een zwarte trainingsbroek en een zwart met wit gestreept scheidsrechtersshirtje. Om zijn nek hing een fluitje. Basketballen stuiterden op de houten vloer van de gymzaal terwijl de jongens heen en weer dribbelden. 'Ik ben niet verplicht met u te praten.' Darnells stem klonk als gesmolten staal. 'Ik hoop dat u dat beseft.'

'We stellen het dan ook erg op prijs,' antwoordde Marge.

Oliver zei: 'Het is erg belangrijk dat we met je praten, Darnell. Waarom denk je dat we anders twee keer op kosten van de belastingbetaler hierheen mochten vliegen?'

Arlington was kwaad, maar hield zich in. Hij floot driemaal kort. Het gedribbel werd gestaakt. Zijn stem weergalmden door de zaal. 'Twintig minuten zelfstandig trainen. Iedereen mag zelf beslissen waar hij op wil oefenen, als je maar iets doet. Ik ga naar mijn kantoor. Daar kan ik jullie in de gaten houden. Lijntrekkers worden gestraft.'

De coach nam Marge en Oliver mee naar een kantoor met een groot raam dat uitzicht bood op de gymzaal. Het was een ruim vertrek, wel vier keer zo groot als Deckers kantoor, met planken die doorbogen onder het gewicht van gewonnen bekers. De muren hingen vol erecertificaten en zwart-witfoto's van de teams van Polk High die door de jaren heen kampioenschappen hadden gewonnen. Arlingtons bureau stond in de hoek, maar hij verkoos een plaats voor het raam waar hij zijn leerlingen kon zien.

'Deze school heeft veel succes, zie ik,' zei Marge.

'Dankzij mij,' antwoordde Arlington.

Oliver pakte zijn notitieboekje en keek naar de schematische samenvatting van het verhaal dat Marge en hij hadden verzonnen om Darnell aan Rudy te koppelen. Toen keek hij naar Arlington. 'We willen alleen maar uitzoeken wat er met Ben Little is gebeurd. De man had veel voor je gedaan. Waarom ben je zo boos?'

'Doe me een lol,' beet Darnell hem toe. 'Ik weet precies hoe jullie werken. Als je niet krijgt wat je wilt, verzin je maar wat.'

Nu zijn vrouw en kinderen er niet bij waren, dacht Marge, werd de drugskoerier in Darnell zichtbaar. 'Ik wil met je praten over Rudy Banks.'

'Ik heb u al verteld dat ik me hem amper herinner.'

'Jij moet nodig iets zeggen over dingen verzinnen!' zei Oliver. 'Je hebt als koerier voor hem gewerkt, Darnell. Samen met Jervis Wenderhole en Leroy Josephson.'

'Leroy is dood, Jervis is jeugdleider voor achterstandskinderen en ik werk me hier te pletter om ook dit jaar een beker te winnen, zodat ik niet zal worden ontslagen en mijn kindertjes te eten kan geven. Met de dood van doctor Ben heb ik niks te maken gehad.'

Hij draaide zich om en keek de rechercheurs woedend aan.

'Nadat u bij me thuis was geweest, brigadier, heb ik gehuild als een kind toen ik aan doctor Ben dacht. Nu ik volwassen ben, zie ik pas in wat die arme man voor me wilde doen.'

De tranen schoten hem in de ogen en hij wendde zich weer af.

'Ik heb nooit de gelegenheid gehad hem te bedanken. Een telefoontje zou genoeg zijn geweest, gewoon even zeggen: uw vertrouwen in me was niet vergeefs... Kijk maar: het gaat goed met me.'

'Ik geloof je best, Darnell,' zei Marge, 'maar dat verandert niets aan het feit dat jij en Rudy op North Valley High in drugs handelden. Het verandert niets aan het feit dat Ben Little, toen hij daarachter kwam, jullie organisatie heeft opgerold en je van school heeft getrapt.'

De ijzige klank keerde terug in Arlingtons stem. 'Als jullie het allemaal zo goed weten, waarom is Rudy toen dan niet opgepakt voor handelen in drugs?'

'Hou je niet van de domme, Darnell,' zei Oliver. 'Je weet heel goed hoe het is gegaan. Dat Rudy vrijuit ging, hoorde vermoedelijk bij de deal die Ben had gesloten opdat jíj niet naar de jeugdgevangenis gestuurd zou worden. Als de drugshandel op school een stille dood zou sterven, zou Rudy mogen verdwijnen zonder aangeklaagd te worden en zou jij naar Ohio gestuurd worden met een onbeschreven strafblad.'

Marge zei: 'Het is waarschijnlijk een poosje goed gegaan. Maar je kent Rudy, Darnell. Je wist dat hij die melkkoe niet snel zou opgeven. Hij is weer aan het werk gegaan, ditmaal met Josephson en Wenderhole.'

'En toen kwam Ben Little erachter,' ging Oliver door. 'Hij was woedend. Hij dacht dat jij en Rudy achter zijn rug om nog steeds samenwerkten. Ditmaal zou hij je zwaar straffen. Rudy zei dat jullie Little de mond moesten snoeren, dat Little je zou aangeven en dat je in de gevangenis zou komen, als je Rudy niet zou helpen van hem af te komen.'

'Ik kan me voorstellen hoe kwaad je was,' zei Marge. 'Had je het eindelijk een beetje voor elkaar, ging doctor Ben – de man die je van school had laten trappen – alles weer verpesten.'

Darnell draaide zich op zijn hakken om, zijn gezicht bezweet van woede, zijn ogen vlammend van verontwaardiging. Hij siste: 'Jullie zijn geen cent waard van wat ze jullie betalen, als dit het beste is wat jullie weten te verzinnen.'

Marge drukte door. 'Ik heb dit uit de mond van Jervis Wenderhole. Hij zei dat hij het van Leroy Josephson had gehoord. Rudy Banks had Josephson en Wenderhole een opnamecontract beloofd als ze hem zouden helpen zijn probleem met Little op te lossen.'

'U liegt dat u barst!'

'O ja?' zei Marge net zo fel. 'Voordat jullie gepakt werden en jij naar Ohio werd gestuurd, had Rudy studiotijd voor jullie geregeld. Je dacht dat Banks je zou helpen een ster te worden. Is dat gelogen?'

'Nadat ik van school was getrapt, heb ik nooit meer contact met hen gehad!'

'Je durft me niet aan te kijken,' zei Marge. 'Wie liegt hier dus?'

Oliver zei: 'Dit is je kans om het goed te maken, Darnell. We staan open voor jouw versie van het verhaal. We hebben je verteld wat Jervis...'

'Jervis heeft u niks over mij verteld.' Hij richtte zijn priemende blik op Marge. 'Hij heeft me opgebeld nadat u bij hem was geweest.' Zijn gezicht drukte pure haat uit. 'We waren brothers! Door dik en dun! Ik weet precies wat hij tegen u heeft gezegd. En ik zeg niks meer, omdat u alles wat ik zeg in mijn nadeel zult gebruiken.' Arlington keek op zijn horloge. 'Ik moet over tien minuten terug naar mijn leerlingen.'

'We kunnen wel wachten tot na de les,' zei Marge.

'Voor wat ik verder nog te zeggen heb, zijn dertig seconden voldoende. Ik weet niet wat er met doctor Ben is gebeurd en ik heb nooit moeite gedaan het uit te zoeken omdat ik tegen de tijd dat ik hoorde dat hij was vermoord met niemand in Los Angeles nog contact had.'

'Doctor Ben heeft je een paar keer gebeld,' zei Marge.

'Ja, maar ik was nog zo kwaad op hem, dat ik niet met hem wilde praten. En Jervis of Leroy kreeg ik nooit te spreken, want mijn grootmoeder nam altijd op en die liet me met niemand uit Los Angeles praten, zelfs niet met mijn eigen moeder.'

Een korte stilte.

'In het begin was ik daar woedend om, maar achteraf gezien had ze gelijk. Ik moest helemaal opnieuw beginnen als ik nog iets van mijn leven wilde maken. Mijn grootmoeder heeft me naar een katholieke school gestuurd die goed stond aangeschreven. Ik had geen strafblad. Ik kon weer de fout ingaan – en daar kreeg ik ruimschoots de gelegenheid voor – of een nieuwe weg inslaan. Ik wilde een poging wagen om een nieuwe weg in te slaan. Ik heb me aangemeld voor basketbal en werd aangenomen. Ik was niet de langste speler, maar ik was rap met mijn handen en had goed voetenwerk, en net zo belangrijk was dat ik echt ging trainen. Algauw toonden scouts van plaatselijke colleges belangstelling voor me. Waarom zou ik dus een man die helemaal aan de andere kant van het land zat en me juist had geholpen, iets aandoen en daarmee mijn laatste kans op succes verspelen?'

'Omdat je kwaad was.'

'Niet zó kwaad.' Arlington keek weer op zijn horloge. 'Ik moet gaan.'

Marge legde een zijdezachte klank in haar stem. 'Ja, ga maar. We kunnen je niet tegenhouden. Maar dit is iets wat je al vijftien jaar dwarszit en aan je zal blijven vreten tot je het opbiecht.'

'Ik heb niks op te biechten.'

'Je hebt twee kleine kinderen, Darnell. Hoe zou je het vinden als je dochters zonder vader moesten opgroeien? Hoe denk je dat het met de zonen van Little is gegaan? Hebben ze er geen recht op de waarheid te weten?'

'Ik was er niet bij!'

'Ik weet dat je er niet bij was. Je speelde hier in Ohio een basketbalwedstrijd. En je mag best volhouden dat je er niets vanaf weet. Misschien zal ik je uiteindelijk zelfs geloven. Maar je geweten kun je niets voorliegen.'

Daarna bleef het stil. Darnell staarde uit het raam naar de leerlingen die gehoorzaam oefeningen deden. Opeens kreeg hij tranen in zijn ogen. 'Leroy Josephson... belde me op... ongeveer een half jaar nadat doctor Ben was gestorven. Ik had niets meer van hem gehoord sinds ik uit Los Angeles was vertrokken, dus kwam het telefoontje geheel onverwacht. Ik nam op omdat mijn grootmoeder toevallig niet thuis was.' Zijn gezicht verloor zijn harde trekken. 'Ik had moeten ophangen. Ik wist dat hij niet deugde. Leroy zat altijd in de problemen. Maar ja, het was Leroy en we waren ooit vrienden geweest.' Arlington trok een gepijnigd gezicht. 'U kent dat soort vrienden wel. Die altijd wat van je moeten en nooit iets terugdoen. Je weet dat ze geen donder waard zijn, en toch kun je ze niet laten vallen.'

'Ik ken er wel twintig,' zei Oliver. 'Er zijn zelfs mensen die beweren dat ikzelf zo'n soort vriend ben.'

Arlington trok zijn wenkbrauwen op. 'Ik heb Leroy dus aan de lijn en opeens voel ik me alsof ik terug ben in Los Angeles. Ik verval in het gettotaaltje: yo, bro, whassup, u kent dat wel. Leroy zit te jubelen over een opnamecontract dat hij heeft geregeld voor A-Tack... Jervis Wenderhole.'

'Ik weet dat Jervis zich A-Tack noemde en ik weet dat hij een cd met Primo Ekerling heeft gemaakt.'

'Ja. Leroy kletst maar door dat Jervis een cd had uitgegeven en een grote ster ging worden en dat Leroy zijn manager zou worden en dat ze al support-acts hadden geboekt bij grote sterren en weet ik wat allemaal. En dat ik als de donder terug moest komen naar Los Angeles en dat Leroy zou zorgen dat ik ook een ster werd en als ik geen geld had voor de reis, zou Leroy me wel wat lenen, want hij had toch zat.'

'Zei hij hoe hij aan dat geld was gekomen?'

'Nee. Ik ging ervan uit dat hij het had gestolen.'

'Niet dat hij het aan drugs had verdiend?'

'Nee, je verdient niet veel aan drugs, tenzij je aan de top zit. Koeriers krijgen een schijntje en kunnen soms wat shit scoren, als ze het uit een zending kunnen jatten.' Hij likte aan zijn lippen. 'Ik wist dat Leroy enorm kon lullen, maar hij klonk nu toch alsof hij het meende. Ik stond op het punt om te zeggen, oké, ik doe mee. Ik werkte me de pleuris op school en had nog steeds de smoor in dat ze me naar Ohio hadden gestuurd. Nu doctor Ben er niet meer was... Ik had het idee dat ik de oude draad makkelijk weer kon oppakken... dat ik makkelijk weer op North Valley kon gaan dealen en verder lekker gaan rappen.

Maar Onze Lieve Heer moet over me gewaakt hebben. Ik wilde ja zeggen, maar uit mijn mond kwam nee. Leroy wilde me overhalen, maar ik lachte erom en probeerde hem de loef af te steken. Ik zei dat ik de beste basketballer op school was en dat scouts van allerlei colleges al belangstelling voor me hadden. Dat was bullshit, maar ik kon natuurlijk niet voor hem onderdoen.'

Oliver knikte. 'Wat zei Leroy?'

'Eerst dat ik niet goed wijs was. En toen dat het eigenlijk maar goed was ook dat ik nee had gezegd, omdat Rudy nog steeds kwaad op me was omdat ik zijn hele organisatie naar de filistijnen had geholpen. Toen heb ik tegen Leroy gezegd dat ik dat niet had gedaan, maar Ben Little.'

Stilte.

Arlington ging door: 'En toen begon Leroy zachtjes te lachen. Te gniffelen eigenlijk... En hij zei... hij zei: "Over Ben Little hoeven we ons geen zorgen meer te maken." En ik zei: "Dat weet ik. Hij is dood. Iemand heeft hem doodgeschoten." En toen zei hij: "Daar weet ik alles van, Big D." Zo noemde hij me altijd. Big D. En toen... toen zei hij: "Ik was er zelf bij, zie je."'

Weer bleef het stil.

'Ik was met stomheid geslagen. Het was alsof Leroy me in mijn maag had gestompt. Ik voelde me net zo beroerd als toen ik het nieuws over de moord had gehoord. Ik wist niet eens dat Leroy en doctor Ben elkaar kenden. Maar doctor Ben kende natuurlijk iedereen. Dus zei ik... vroeg ik... "Heb jij het gedaan, Yo-King? Heb jij doctor Ben vermoord?" Opeens ging Leroy in de verdediging. Hij zei: "Nee, nee, ik niet. Ik zei alleen dat ik erbij was." Toen zei hij: "Ik wist niet dat ze hem gingen vermoorden. Het liep gewoon uit de hand." En ik vroeg: "Wie heeft het dan gedaan?" En Leroy zei: "Dat maakt niet uit. Ik niet en Jervis ook niet. Het was niet eens een brother. En nu is het verleden tijd." Toen vroeg hij weer of ik een beroemde rapper wilde worden, ja of nee. En toen zei ik: "Nee, ik heb geen tijd om een beroemde rapper te worden." En dat was dat. Hij heeft me daarna nooit meer opgebeld en ik hem ook niet.'

Arlington slikte moeizaam.

'Het is niet eens bij me opgekomen om de politie te bellen. Ik had geen bewijs dat Leroy de waarheid sprak en zelfs als dat zo was, dan zou ik nooit een vriend hebben verraden.' Hij slikte weer. 'Achteraf bleek dat Leroy niet had gelogen en dat A-Tack echt succes had. Hij bracht een cd uit die Leroy me heel geniepig meteen opstuurde. Ik was zo jaloers als de pest. Ik wist dat ik beter was. Ik vond het ongelooflijk stom van mezelf dat ik niet was teruggegaan om met Leroy te werken. Iedere keer dat ik naar de cd luisterde, zei ik tegen mezelf: "Ik ben veel beter. Ik ben veel en veel beter."'

Stilte.

'Als jullie weten wat er met Jervis en Leroy is gebeurd, weten jullie waarom ik van gedachten ben veranderd.'

Marge vroeg: 'Wie heeft je over de schietpartij verteld?'

'Mijn moeder.' Hij wendde zijn blik af. 'Ze belde me op, helemaal over haar toeren, om me te vertellen dat Leroy dood was en Jervis verlamd.'

'Wat dacht je toen?'

'Wat ik dacht?' Een korte stilte. 'Ik voelde me afgrijselijk. Ik ben op mijn knieën gevallen en heb Jezus gedankt dat Hij me had gered.' Hij slaakte een diepe zucht. 'Ik wilde het feit dat Leroy was doodgeschoten niet zien als Gods wraak om doctor Ben, maar zo zag ik het wel. Ik kon het niet helpen. Ik begreep alleen niet waarom God vond dat Jervis ook gewond moest raken. Ik bedoel, als Leroy míj toen had gebeld om hem op te pikken, zou ik net zo goed zijn gegaan.

Door zijn verwonding veranderde Jervis radicaal. Hij vertelde me dat hij sinds hij in een rolstoel terecht was gekomen, veel tijd had om na te denken. Jezus is in zijn leven gekomen en hij heeft niet meer omgekeken, zei hij.'

'Heeft Jervis contact met je gehouden nadat je Californië had verlaten?'

'Nee. Tien jaar lang hebben we niks van elkaar gehoord. Toen stuurde hij me opeens een kerstkaart... en daarop had hij geschreven wat hij nu deed. Dus heb ik hem een kaart teruggestuurd en hem verteld wat ík deed. De afgelopen vijf jaar zijn we dat blijven doen, maar meer ook niet. Ik was blij dat hij iets van zijn leven had gemaakt en hij was ook blij voor mij. Ik heb hem vorige week pas voor het eerst weer gesproken, toen hij me opbelde om me te vertellen dat u met hem was komen praten.' Hij keek naar Marge. 'Toen vertelde hij me dus dat hij toen naar het Clearwater Park was gegaan op Leroy op te pikken. Hij vertelde me dat Leroy zat te bibberen van de zenuwen en dat hij meteen had begrepen dat er iets helemaal fout zat. Toen heb ik hem verteld dat Leroy me een half jaar na de dood van doctor Ben had opgebeld, en wat hij had gezegd. Dat hij erbij was geweest, maar dat hij zei dat hij zelf niks had gedaan.'

Arlington staarde door de ruit.

'Misschien heeft Leroy hem vermoord, misschien had hij hulp. We zullen het nooit weten omdat Leroy dood is.'

'Weet je zeker dat Leroy niets over Rudy Banks heeft gezegd met betrekking tot de moord?' vroeg Oliver.

'Leroy heeft geen namen vermeld. Ik weet dat de politie na de moord op doctor Ben met hem heeft gepraat. Ik vond dat als zij er niet in waren geslaagd de waarheid aan Leroy te ontfutselen, ik het vuile werk niet voor hen hoefde te doen.' Hij keek weer naar de rechercheurs. 'Als u me per se wilt arresteren, neem ik aan dat het niet veel uitmaakt wat ik zeg.'

'We gaan je niet arresteren,' zei Marge. 'Maar we zitten ook nog niet in het stadium waar we ons druk moeten maken over de juridische kant van de zaak. We willen alleen maar een oude misdaad oplossen. We proberen het woord te doen voor Ben Little, omdat hij niet meer voor zichzelf kan opkomen. Bedankt dat je met ons hebt gepraat. We zullen later nog wel wat vragen hebben.'

Arlington deed de deur van zijn kantoor open en blies op het fluitje. 'In de rij en dribbelen langs de lijnen. Hij wendde zich weer tot Marge en Oliver. 'U mag me gerust nog meer vragen stellen. Ik zal ze allemaal beantwoorden. Maar doe me een plezier, als u weer met me wilt praten, bel me dan gewoon op.'

39

Decker leunde achterover in zijn stoel en bekeek zijn twee rechercheurs. Het toegewijde duo was vanaf het vliegveld regelrecht naar het politiebureau gekomen. 'Dus Leroy Josephson heeft aan Darnell Arlington verteld dat hij heeft gezien hoe Bennett Little werd vermoord?'

'Leroy zei "dat hij er zelf bij was",' antwoordde Marge. 'Hij zei nadrukkelijk dat hij Ben niet had vermoord, maar dat er iets uit de hand was gelopen en dat Little toen het loodje had gelegd.'

'Meer details heeft hij niet gegeven,' voegde Oliver eraan toe.

'Het begint er naar uit te zien dat alle mensen met wie we tot nu toe zijn gaan praten, ermee te maken hebben of er iets vanaf weten, maar dat ze geen van allen Little hebben vermoord,' merkte Marge op. 'En al even frappant is, dat degenen van wie men zegt dat ze het gedaan hebben, dood zijn of vermist worden.'

'En Darnell kwam op jullie allebei geloofwaardig over?'

Oliver wreef in zijn ogen. Marge en hij waren om vier uur opgestaan om de vlucht van half zeven te halen. Van oost naar west vliegen was altijd ontwrichtend. Ze hadden dan wel drie uur gewonnen en waren erin geslaagd om om tien uur op het bureau te zijn, maar zijn interne klok was zo in de war dat hij daar weinig aan had. Zelfs sterke koffie hielp niet. 'Ik weet het zo onderhand niet meer. Toen we daar vertrokken, had ik het gevoel dat hij de waarheid sprak.'

'Ik ook.' Marge droeg een broek met elastiek in de taille, een ruim T-shirt en een eenvoudig jack. Gerieflijke reiskleding waarmee je overal voor de dag kon komen. 'Als je het noodzakelijk acht, kunnen we Wenderhole en Arlington een leugendetectortest laten ondergaan. Maar zelfs als die zou uitwijzen dat ze liegen, hebben we niets wat hen met de misdaad in verband brengt: geen getuigen, geen tastbaar bewijsmateriaal, alleen geruchten.'

Oliver gaapte. 'Helemaal mee eens.'

Decker zei: 'Je ziet er moe uit, Scott.'

'Ik word zo wel wakker, of ik wil of niet. Vanmiddag moet ik naar de rechtbank.'

'Lester Hollis?'

'Ja.'

'En jij?' vroeg Decker aan Marge.

'Niks dringends. Alleen een stapel achterstallig papierwerk.'

'Zijn er dingen boven water gekomen die erop wijzen dat Melinda Little, Jervis Wenderhole en Darnell Arlington betrokken waren bij de moord op Bennett Little?'

'Betrokken is een ruim begrip,' zei Marge. 'Ik geloof dat ze er geen van drieën bij waren toen Little werd vermoord.'

'Mee eens.'

'Denken we dat Melinda, Wenderhole of Arlington iemand opdracht heeft gegeven Bennett Little te vermoorden?'

'Nu ik Darnell heb gesproken, denk ik dat hij niets te maken had met de moord op Little,' zei Oliver. 'Hij was niet in Los Angeles, had geen geld om een moordenaar in te huren, was net met een schone lei begonnen en volgens de belgegevens heeft hij geen contact gehad met Rudy Banks, Jervis Wenderhole of Leroy Josephson nadat de moord was gepleegd.'

'Vóór de moord, nadat Darnell uit Los Angeles was vertrokken, heeft zowel Josephson als Wenderhole hem een paar keer gebeld,' zei Marge, 'maar dat kunnen de telefoontjes zijn geweest die door zijn grootmoeder zijn onderschept. Ze waren in ieder geval van korte duur. Na de moord op Little is er geen contact geweest tussen de jongens tot Josephson hem een half jaar later belde. En daarna jarenlang weer geen enkel contact. Ik denk dus dat Arlington onschuldig is.'

'En Wenderhole?'

Marge zei: 'Wenderhole heeft toegegeven dat hij Leroy bij het Clearwater Park had opgepikt, dus weten we dat hij er zijdelings bij betrokken was. Maar hij houdt pertinent vol dat het oppikken van Leroy het enige is wat hij heeft gedaan en hij is bereid een leugendetectortest te ondergaan om zichzelf te vrijwaren van schuld aan de moord. Ik geloof dat hij de waarheid spreekt.'

'Laten we het geld van een leugendetectortest dan uitsparen door te wachten tot we voldoende goede redenen hebben om te mogen denken dat Wenderhole wél rechtstreeks bij de moord betrokken was.'

'Gezien zijn situatie kan hij toch niet op de vlucht slaan.'

'Dan hebben we Melinda Little nog. Zij was thuis toen haar man werd vermoord. Denken we dat ze iemand heeft ingehuurd om hem te vermoorden?'

'Zij is de joker in dit spel kaarten,' zei Oliver. 'Ze kan Banks ingehuurd hebben, ze kan Goldberg ingehuurd hebben, ze kan Goldberg zelfs hebben overgehaald het voor niks te doen. Maar om alle redenen die we al genoemd hebben, denk ik niet dat ze het heeft gedaan.'

'Bovendien,' zei Marge, 'laten de bankrekeningen zien dat er vlak voor of na de moord geen grote som geld is opgenomen of afgeschreven. Ook nadat ze het geld van de verzekering had gekregen, zijn er alleen normale bedragen afgeschreven, niet opeens een groot bedrag dat in contanten was opgenomen en geen verdacht uitziende cheques.'

'Volgens ons heeft ze alleen maar steeds wat geld opgenomen om te gokken,' zei Oliver.

Decker zei: 'Oké, die drie schrijven we af, en omdat Leroy Josephson dood is, kunnen we hier voorlopig verder niks mee. Bureau Hollywood heeft dringender redenen om Banks op te sporen. Ze zoeken ook naar Goldberg, omdat hij in hun district als vermist is opgegeven. Tot een van hen tweeën terecht is, of allebei, kunnen we niets anders doen dan wachten.'

Wachten betekende meestal hopen dat iemand een vergissing beging. Dat kon binnen een dag zijn, na een week, een maand, een jaar, of nooit. Toen er twee weken waren verstreken zonder dat er enige vooruitgang in de zaak was geboekt, gaf Strapp Decker opdracht Genoa Greeves te bellen om haar op de hoogte te stellen van de stand van zaken.

Strapp zei: 'Doe net of we er bovenop zitten.'

'We zitten er ook bovenop,' antwoordde Decker. 'Alleen staan we momenteel stil.'

'Zeg dat er niet bij. Zeg maar dat we ieder moment een arrestatie verwachten.'

'Ik regel het wel.'

'Daar vertrouw ik op.'

Twee weken na Deckers telefoontje kwam ze naar het politiebureau. Ditmaal was ze niet opgetut maar verscheen ze in een spijkerbroek,

T-shirt en gympjes. Ze was niet opgemaakt, droeg geen sieraden en had een vlecht in haar haar. Geen handtas, alleen een aktetas. Ze stak Decker haar hand toe. 'Neemt u me niet kwalijk dat ik er zo weinig elegant uitzie. Ik kom regelrecht van het vliegveld.'

'Reizen is moeilijk genoeg zonder je druk te maken over je kleding. De luchtvaartmaatschappijen kunnen zeggen wat ze willen, maar het wordt met de dag erger.'

'Ik heb mijn eigen vliegtuig,' zei ze.

'Ah... natuurlijk.' Hij ging haar voor naar zijn kantoor. 'Dank u voor uw komst.'

'Geen dank.'

'En nogmaals heel veel dank dat u onze computers hebt vervangen. De rest van het LAPD is groen van jaloezie.'

'Maar al die moderne technologie lijkt niet veel te helpen bij het oplossen van misdaden,' zei ze.

'Jawel, alleen niet de moord op Bennett Little. Uiteindelijk zal er een doorbraak komen, maar ik weet niet hoe lang dat nog zal duren. Maar ik zal u eerst vertellen wat we tot nu toe hebben gedaan.'

Genoa haalde haar laptop uit de aktetas. 'Ga uw gang.' Terwijl Decker haar over het onderzoek vertelde, ratelden haar vingers erop los. Ze kon erg snel tikken en leek zijn verhaal woordelijk op te nemen. Toen hij klaar was, deed ze de laptop dicht en liet die weer in de aktetas glijden. 'Ik zal straks alles doornemen. Welke methoden gebruikt u om Rudy Banks en Ryan Goldberg op te sporen?'

'We doen navraag bij iedereen die hen kent. Met Goldberg hebben we de meeste moeite omdat hij zo'n eenling was.' Toen ze daar niets op zei, ging hij door: 'Zijn broer en een voormalig lid van de band hebben een privédetective in de arm genomen om hem op te sporen, maar die heeft nog geen resultaten geboekt.'

'En Rudy Banks?'

'We weten inmiddels dat zijn meubels hier in Los Angeles zijn opgeslagen. Op het huurcontract staan een valse naam en een niet-bestaand adres. De huur is twee jaar vooruitbetaald in contant geld. We hebben een camera opgehangen tegenover de unit. Tot nu toe is er niemand geweest.'

'Hij kijkt dus niet naar zijn spullen om.'

'Nee,' zei Decker. 'De mensen die er werken zullen ons bellen als er iemand komt of opbelt over die meubels. We zijn er trouwens niet achter gekomen wie de inboedel vanaf zijn flat naar dat depot heeft gebracht. Het is geen verhuisbedrijf geweest, maar we doen nu navraag bij bedrijven als U-Haul en Ryder, waar je aanhangers kunt huren als je zelf je boel wilt verhuizen.'

'Hoe zit het met Rudy's vrienden en zakenrelaties?'

'Rudy lijkt niet veel vrienden te hebben. Wel mensen met wie hij zaken heeft gedaan. Geen van hen heeft iets van hem gehoord. Verontrustend is vooral dat zijn advocaten niets van hem vernomen hebben. De man heeft een aantal rechtszaken lopen. Eerlijk gezegd weet ik niet of hij nog leeft of al dood is.'

Genoa bleef neutraal kijken. 'En Goldberg... van hem weet u ook niet of hij nog leeft?'

'Nee.'

'En als ik een paar privédetectives op de zaak zet?'

'Dat zou misschien tot complicaties leiden. Maar ik kan u niet tegenhouden.'

Ze aarzelde. 'Deze zaak zet u erg onder druk.'

'Daar gaat het niet om,' loog hij. 'Wanneer ik ermee bezig ben, werk ik er hard aan, maar ik heb er nu een beetje afstand van genomen. De afdeling Moordzaken van het bureau Hollywood blijft naar Banks zoeken. Ze hebben een getuige dat hij betrokken is geweest bij een van de moorden.'

'Die op Primo Ekerling.'

'Ja. We hebben een opsporingsbevel uitgevaardigd voor Rudy's auto.'

'U hebt aardig wat werk verricht, maar de zaak is nog lang niet opgelost.'

'Nee, maar we blijven eraan werken. We hebben de handdoek nog niet in de ring gegooid.'

Ze dacht even na. 'Bij psychologie heb ik ooit geleerd dat partiële bekrachtiging het gedrag versterkt. Weet u wat ik daarmee bedoel?'

'Ja. Een kleine beloning voor iedere geslaagde stap zorgt ervoor dat de persoon in kwestie zal blijven werken voor de volgende beloning.'

'Precies. Ik geloof dat u een partiële bekrachtiging verdient.'

'Niet ik, maar de politie. Ik ben hier maar in loondienst.'

'En, dat vind ik nu zo dom van de overheid. Dat ze niet met beloningen werken.'

'Ik krijg voldoende beloning, mevrouw Greeves. Ik hecht veel waarde aan mijn werk. Mijn beloning krijg ik als ik een misdadiger achter de tralies krijg.'

'Wilt u mij vertellen dat u niet om het geld werkt?'

'Dat zeg ik niet. Ik zou echt niet voor niks werken.'

'Waarom mag ik u dan niet een soort prestatiepremie geven?'

'Omdat het nu eenmaal niet de gewoonte is. Maar ik zal u niet tegenhouden als u nog iets voor de politie of de gemeenschap wilt doen. Ik weet dat hoofdinspecteur Strapp u graag wil spreken. U zou hem kunnen vragen wat we nodig hebben.'

'Ik mag die man niet. Hij is niet oprecht.'

'Jawel. Maar u maakt hem nerveus.'

Genoa glimlachte. Toen werd ze weer serieus. 'Weet u met wie ik me nog het meeste identificeer, van alle mensen die bij deze zaak betrokken zijn?'

'Nou?'

'Met Ryan Goldberg. Mij zou misschien een soortgelijk lot beschoren zijn als doctor Ben er niet was geweest.' Ze stond op. 'Goed, ik zal met hoofdinspecteur Strapp gaan praten en hem een kluif voorhouden. Hou me op de hoogte van de ontwikkelingen.'

'Dat zal ik doen.'

'En laat het me weten als u Rudy of Goldberg vindt, of Rudy's auto. Ik kan me voorstellen dat het moeilijk kan zijn om een persoon op te sporen, maar een auto moet toch makkelijk te vinden zijn.'

'U weet zelf toch ook wel hoe moeilijk het soms is om je huissleutels te vinden als je die in je eigen huis op een rare plek hebt neergelegd?'

Ze keek peinzend. 'Ja, dat is zo, en mijn huis heeft een oppervlakte van bijna drieduizend vierkante meter.'

Decker glimlachte, maar ze zag de humor er niet van in. 'De auto kan in een andere kleur zijn gespoten, of zijn omgekat, of ergens in een afgesloten garage staan, of zomaar ergens op straat. Amerika is een groot land, mevrouw Greeves. Er is veel ruimte om in te verdwijnen.'

Het kussen begon te trillen: kleine vingertjes die zachtjes zijn wang masseerden. Zonder zijn ogen te openen trok Decker de deken over zijn hoofd, stak zijn hand onder het kussen en haalde de telefoon tevoorschijn.

'Decker.'

'Ik zal je vertellen wat ik te weten ben gekomen, maar ik weet niet hoe betrouwbaar de informatie is.'

Hij was meteen klaarwakker. Zijn hart begon te bonken.

'Moment.' Decker gleed uit bed en liep op zijn tenen naar de inloopkast. Op de tweede plank lagen twee potloden en een blocnote klaar. 'Oké, ik luister. Zeg het maar.'

'Er is een klein motel dicht bij Ocean Boulevard in Santa Monica. Het heet The Sand Dune. Ze verhuren er kamers per uur. Dames komen en gaan.'

'En?'

'Mijn bronnen vertellen me dat de man die je zoekt daar onlangs is geweest. Andere naam, ander haar, andere kleren, maar het is hem waarschijnlijk wel. Ze zeggen dat hij met contant geld betaalt en van mollige types houdt. Of dat allemaal waar is of niet zou ik niet kunnen zeggen. Ik geef het alleen door. Je hoeft me niet te bedanken; je vriendschap is het enige wat ik verlang.'

'Met vriendschap bedoel je dat je me bijna hebt vermoord?'

'Als ik je had willen vermoorden, had ik dat gedaan. Bovendien kwetst men altijd degene van wie men houdt.'

'Heb jij toevallig rechtstreekse betrekkingen met dat etablissement?'

'Ik? Nee. Waarom denk je dat?'

'Je hebt wel vaker dames geholpen.'

'Ik ben een goed mens. Ik help iedereen.'

'Ik neem aan dat je de informatie van een dame hebt gekregen. Ik zou graag met haar willen praten.'

'Daarin kan ik je niet tegemoetkomen, maar ik zal je geen lichamelijk letsel toebrengen als je naar het motel in kwestie gaat om met wat mensen te praten. Zolang je maar beleefd blijft.'

'Donatti, het gaat om een moordzaak. Ik móét met haar praten.'

'We weten niet eens of ze bestaat. En als ze bestaat, weten we niet of ze de waarheid spreekt. Mensen zeggen zo veel om bij mij in een goed blaadje te komen.'

'Kunnen mensen bij jou wel in een goed blaadje staan?'

'Ja zeker. Al heb ik liever dat ze in een slecht blaadje staan. Dat is voor mij veel leuker.'

De onzekerheidsfactor.

Stel dat Donatti het mis had.

Stel dat Donatti hem met opzet iets voorloog.

Stel dat Rudy Banks niet zou komen opdagen.

Stel dat hij wel kwam opdagen en dat er iets misging.

Stel dat hij kwam opdagen, dat alles volgens plan verliep, maar dat hij niet betrokken was bij de moord op Ben Little.

Stel dat de zaak nooit zou worden opgelost, hoezeer Decker ook zijn best deed.

Voorlopig werd het 'Stel dat' opzijgeschoven om plaats te maken voor 'Wat er gedaan moet worden'.

Het gesprek met de eigenaar van The Sand Dune verliep moeizaam. Er was heel wat overredingskracht nodig voordat meneer Craddle bereid was te geloven dat de rechercheurs van Moordzaken waren en niet van Zedendelicten. Uiteindelijk begreep de man dat hij er op den lange duur beter van zou worden als hij de politie hielp.

Bureau Hollywood zette agenten achter de balie van The Sand Dune. Soms was dat een man, soms een vrouw. Beveilingcamera's waren er al, dus bekeken Decker, Diaz en Garrett de meest recente banden om te zien of ze Banks uit de honderden meters film van zich steels gedragende mannen konden pikken. Aangezien de kwaliteit niet erg goed was, waren de gezichten vaak niet duidelijk genoeg te onderscheiden. Bovendien bedekten veel mannen met opzet hun gezicht of gingen ze aan de balie met hun rug naar de camera staan. De politie installeerde een paar extra camera's, zodat ze de gezichten beter konden bekijken, vanuit verschillende hoeken. Onderdelen van de oude camera's werden vervangen. Alles was gereed.

En toen konden ze alleen nog maar wachten.

En wachten.

En wachten.

40

Geduld was niet alleen een schone zaak, maar ook noodzaak. Toen Rudy Banks na een paar maanden nog niet was gesignaleerd, zag het bureau Hollywood geen heil meer in de tip van Decker. Ze trokken hun agenten terug uit The Sand Dune en gaven hun nieuwe opdrachten. Iedere week ging Diaz, Garrett, Decker, Marge, Oliver of een rechercheur van de afdeling Moordzaken van het bureau Hollywood naar het hotel om de films op te halen en nieuwe cassettes af te leveren. Het verbaasde niemand dat er op de films niks interessants stond: alleen stiekeme kerels en callgirls. Maar dat was nu eenmaal de aard van recherchewerk: vele uren geestdodende routine, gecompenseerd door zeldzame momenten waarop de adrenaline met zo'n vaart door je aderen stroomde dat je er volslagen high van werd.

Marge zat in haar woonkamer koffie te drinken en te zappen, toen ze werd gebeld door de nieuwbakken brigadier Cindy Decker-Kutiel.

'Weet jij waar mijn vader is?'

'Nee.' Marge zette het geluid af. 'Neemt hij zijn mobieltje niet op?'

'Het staat uit.'

'Misschien is hij met Rina naar de bioscoop.'

'Hij laat zijn mobiel meestal op de trilstand staan.'

'Misschien heeft hij vergeten hem op te laden. Wat is er aan de hand, Cindy?'

'Ik ben op mijn werk. Het is mijn beurt om de films van The Sand Dune te bekijken. Ik heb Rip en Tito al gebeld, maar ik denk dat iemand uit jullie uithoek er ook wel bij wil zijn.'

Marge schoot overeind en morste bijna haar koffie op haar broek. 'Heb je hem gevonden?'

'Ik denk het. Niet ik, maar Petra Conner, die me is komen helpen de films te bekijken. Ken je Petra?'

'Ik heb haar op jouw bruiloft ontmoet. Ze werkt bij Moordzaken en jullie zitten samen in een bowlingploeg.'

'Klopt. En Petra is kunstenares. Ze heeft een goed oog voor nuances in gezichten. Ik snap niet waarom we er niet eerder aan gedacht hebben haar erbij te halen.'

'Ik bel Oliver en dan komen we meteen.'

'Goed... O, er komt een telefoontje binnen. Dat zal mijn vader zijn. Tot straks.'

Toen eenmaal was vastgesteld dat het hoogstwaarschijnlijk Rudy was, ontdekten ze dat hij er al vaker was geweest, een keer met een kaal hoofd – waarschijnlijk een latex kapje – een andere keer met een blonde pruik. Bij zijn laatste bezoek, drie weken eerder, droeg hij een honkbalpet en een bomberjack.

'Deze...' De receptionist tikte met zijn wijsvinger op de foto, 'heeft ze graag mollig.' Zijn naam was Cecil Dobbins: achtenvijftig jaar, een meter zeventig lang, honderdtwintig kilo zwaar, met een bierbuik, grijs haar en waterige blauwe ogen.

Het was stil die avond en hij was in een spraakzame bui. Hij werkte nu anderhalf jaar voor meneer Craddle, vertelde hij. Het was best een goede baan, maar een beetje saai. De grootste hoofdbrekens die hij hier had, was de eis dat het hotel clean moest blijven, dat alles wat er gebeurde wettelijk was toegestaan en dat de betrokken personen allemaal volwassen waren. 'Meneer Craddle wil geen problemen. Daarom werkt hij ook met u mee.'

'Dat stellen we op prijs,' zei Marge.

'U hoeft er alleen maar op te letten of u deze man weer ziet,' zei Garrett. 'U moet hem niet zelf aanhouden of zoiets. Hij is gevaarlijk.'

Decker voegde eraan toe: 'Laat niet merken dat u weet wie hij is.'

'In deze business moet je een stalen gezicht hebben,' zei Dobbins terwijl hij een cijfertje invulde in een Sudokupuzzel. 'Nooit laten merken wat je denkt. De mannen die hier komen zijn meestal zenuwachtig. Hoe ongeïnteresseerder ik eruitzie, hoe rustiger ze worden. Ik ga iedere week pokeren in Gardena. Ik heb een goede pokerface.'

'Wint u wel eens?' vroeg Oliver.

'Net genoeg om het te blijven doen. Als ik ermee zou ophouden, zou ik meer kunnen sparen, maar als je nooit eens wat risico's neemt, zou het leven maar saai zijn.' Dobbins ging verder met zijn cijferpuzzel. 'Maakt u zich over mij geen zorgen. Ik ben zo gewiekst als wat.'

Garrett zei: 'Bel ons als u deze man ziet.'

'Meteen,' drong Diaz aan.

'Het maakt niet uit hoe laat het is,' zei Marge. 'U kunt elk van de nummers bellen die we u hebben gegeven.'

'En als u de nummers toevallig niet bij de hand hebt, kunt u ook het alarmnummer bellen en vragen of ze u willen doorverbinden met een van ons.'

Dobbins zei: 'Ja, ja, het is geen hogere wetenschap, zeg. Ik snap het heus wel.' Hij had de puzzel af. 'Het komt dik voor elkaar.'

Diaz zei nog: 'Als u hem maar niet zelf gaat aanhouden.'

'Dat had ik al begrepen.'

Verder hadden ze er weinig meer aan toe te voegen, dus lieten ze Cecil Dobbins weer achter met zijn saaie baan. Hij pakte de krant en begon aan de kruiswoordpuzzel.

Maandag. Negen uur 's avonds.

Garrett tegen Decker: 'We hebben hem!'

Decker was thuis en zat televisie te kijken. Hij kon nauwelijks geloven wat de man aan de andere kant van de lijn hem vertelde. 'Rudy Banks?'

'We weten waar hij is. Hij is tien minuten geleden in The Sand Dune aangekomen. Ik zit er twintig minuten vandaan. Tito een half uur, want hij zit in de file.'

Decker pakte zijn sleutels en zijn portefeuille, liep naar de safe en probeerde zijn vingers niet te laten trillen toen hij de draaischijf naar de cijfers van de code draaide. 'Wie houdt het hotel in de gaten?'

'Ik heb Santa Monica gebeld om te vragen of ze er een paar gewone auto's naartoe kunnen sturen, geen patrouillewagens. Ze zijn al bezig de omgeving af te zetten, maar ik heb nadrukkelijk gezegd dat het niet te opvallend mag gebeuren. Ik weet niet hoeveel mensen er in het hotel zijn, maar het is niet verlaten.'

'Als hij maar geen gijzelaars neemt,' zei Decker.

'Voor zover ik weet, zijn er twee agenten in burger in de buurt van het hotel.'

'Goed. Waar treffen we elkaar?'

'Buiten het hotel. Ditmaal zal hij niet ontkomen.'

De deur van de safe klikte open. Decker stak zijn beretta in zijn schouderholster. 'Ik ben er over een half uur. Uiterlijk drie kwartier.'
'Hopelijk hebben we het dan allemaal al achter de rug.'

Toen hij de oprit af reed, belde hij Marge om haar op de hoogte te brengen. 'Ik ben al onderweg. Bel jij Oliver even.'
De verkeersgoden waren hem niet gunstig gezind. Hij had voor de snelweg alleen al een uur nodig en zodra hij die had verlaten, wist hij dat er iets was gebeurd. Het verkeer stond muurvast. Hij zocht een nieuwszender op en toen hij hoorde wat er aan de hand was, gaf hij gefrustreerd een klap op het dashboard. 'Verdomme nog aan toe!'
Klik, klik, klik, klik...
'Niemand weet hoeveel personen in The Sand Dune zijn, of er mensen gegijzeld worden en zo ja, om hoeveel personen het gaat. Er zijn onbevestigde berichten dat er minstens één man gewapend is...'
Decker zette de radio uit en belde Garrett. Toen hij niet opnam, belde hij Diaz. Geen antwoord.
Hij zette de radio weer aan.
'... dat de gewapende man minstens drie vrouwen in gijzeling heeft.'
Zijn mobieltje ging. Het was Garrett. 'Waar zit je?'
'Op vijf minuten afstand van het hotel.'
'Heb je het gehoord?'
'Ja.'
'Oké, dan zie ik je zo.'
Decker zette het zwaailicht op het dak en deed de sirene aan, maar evengoed kostte het hem nog een kwartier om tussen de rijen stilstaande auto's met boze bestuurders door te laveren. Toen hij eindelijk op zijn bestemming aankwam, liet hij de agenten van het Santa Monica Police Department zijn penning zien en werd hij doorgelaten.
Ocean Avenue was een zee van chroom: wit met lichtblauwe patrouillewagens van het SMPD, wit met zwarte politiewagens, ambulances, brandweerauto's en een onafzienbare hoeveelheid reportagewagens. Decker parkeerde ertussen en liep behoedzaam terug naar de onheilsplek, bescherming zoekend achter de auto's. Hij stak snel over naar Tito Diaz en Rip Garrett. Garrett droeg een kostuum met een stropdas, Diaz liep in een spijkerbroek.
'Wat is er gebeurd?' vroeg Decker.

Garrett ziedde van woede. 'Ik had om gewone auto's gevraagd. Toen ik hier aankwam, zag ik patrouillewagens. Ik dacht eerst dat het SMPD een stommiteit had uitgehaald, maar toen hoorde ik dat ze hadden gereageerd op een melding dat er binnen iemand was neergeschoten.'

'Jezus...'

'Tito en ik hebben de rechercheurs van het SMPD op de hoogte gebracht van de laatste ontwikkelingen. Ze zijn niet blij met ons.'

'We hebben ze anders al die tijd op de hoogte gehouden van wat we hier aan het doen waren,' zei Decker.

'Ja, maar ik denk dat ze niet geloofden dat het echt iets zou opleveren. Daarom vonden ze het ook niet erg dat we in hun district opereerden.'

'Wie heeft de schietpartij gemeld?'

'Ik heb de stem niet gehoord, maar het was een man.'

Diaz zei dat hij had gehoord dat het Cecil Dobbins was.

'Wie is er gewond? Is het ernstig?'

Tito haalde zijn schouders op. Decker keek naar het verwaarloosde hotel waar ze tegenover stonden. Het was in de jaren twintig waarschijnlijk de privéwoning geweest van een rijke familie: drie verdiepingen hoog, bijna geheel betimmerd met hout in de stijl van Greene and Greene, met een veranda rondom. Decker kon zich levendig voorstellen hoe het gezin daar op mooie zomeravonden zoals deze had gezeten om te genieten van de koele zeebries.

Dat plaatje gold echter al heel lang niet meer.

Het huis had al tientallen jaren geen likje verf gekregen. Zelfs in het zwakke licht van de buitenlamp zag Decker hoe de oude verf afbladderde. Uit historisch oogpunt was het geweldig dat het huis nog veel van de originele glas-in-loodramen had. Het ondoorzichtige glas was echter een groot obstakel voor hun scherpschutters.

Garrett zei: 'Santa Monica laat een gijzelingsonderhandelaar komen.'

'Hoe zit het met de achterdeur?' vroeg Decker. 'Hij kan geen twee ingangen tegelijk onder schot houden.'

'Het SMPD heeft een paar mensen door de achterdeur naar binnen gesmokkeld, maar toen begon hij te schieten,' antwoordde Garrett.

'Hij heeft niemand geraakt,' zei Diaz.

'Weten we zeker dat het Rudy Banks is?'

Garrett zei: 'Een van de vrouwen die door het SMPD zijn gered, heeft hem herkend van een foto en ons verteld over de gijzelaars.'

'We denken dat hij drie vrouwen gegijzeld houdt,' zei Diaz. 'En misschien Dobbins.'

Garrett voegde eraan toe: 'We hebben het mobiele nummer van een van de vrouwen.'

'Ik geloof dat het SMPD wacht tot de onderhandelaar er is en dat die dan die vrouw zal bellen.'

Decker voelde het mobieltje in zijn zak trillen en nam op. De stem aan de andere kant van de lijn had een zwaar Iers accent. 'Ik zit hier te zappen en zie goddomme opeens een foto van Rudy met een blonde pruik op het scherm!'

'Jezus!' Decker zei tegen Garrett en Diaz: 'Het smoel van Rudy Banks is al op tv.'

'Shit!' mompelde Garrett. 'Dan weet hij nu precies wat we doen.'

Irish zei: 'Wat gebeurt er? Is Mudd erbij betrokken?'

'Dat weet ik niet, Liam. Ik moet ophangen.' Hij verbrak de verbinding, maar vrijwel meteen trilde het mobieltje weer. Het was Cindy. 'Pap, op het nieuws zeggen ze dat Rudy Banks mensen gijzelt in The Sand Dune.'

'Ik ben daar al.'

'Ik kom ook.'

'Nee...' Te laat. Ze had opgehangen. Nou ja. Gezien de verkeerssituatie zou ze misschien pas aankomen als het allemaal al voorbij was. Tien minuten later arriveerden Marge en Oliver, die er twee uur over hadden gedaan om door de opstoppingen heen te komen. Marge droeg een joggingpak, maar Scott had tijd gevonden om een geruit colbertje en een bruine broek aan te trekken. Decker bracht hen op de hoogte van de stand van zaken.

Diaz zei: 'Ze willen ons alleen maar stand-by hebben. We bungelen er maar zo'n beetje bij.'

'Terreinoorlog.'

'Belachelijk,' zei Oliver. 'We hebben hen toch van de hele operatie op de hoogte gehouden?'

'Ja, maar aan de andere kant: als er doden vallen, zal dat hun statistieken schaden en niet de onze.'

De media kwamen naar hen toe: precies op tijd voor een live-uitzending tijdens het elf-uurjournaal. Er was een vrouw van ABC, een man van CBS, een man en een vrouw van NBC. Mensen van de plaatselijke netwerken, mensen van Fox, van CNN en MSNBC. De schrijvende pers – zowel voor internet als kranten – was net zo tuk op informatie. De situatie beloofde mooie koppen. Als Rudy Banks ooit had gehoopt weer als de wilde jongen die hij was geweest in de aandacht te komen, was dit zijn kans.

De verslaggevers bestookten de rechercheurs met vragen.

Het enige wat ze ervoor terugkregen, was een collectief schouderophalen. Ze drongen nog een poosje aan en liepen toen door naar een andere groep in de hoop daar iets te weten te komen. Tegen die tijd was het half twaalf.

Deckers mobieltje ging. Het was Liam weer. 'Hoe kan ik bij je komen? Het is hier een gekkenhuis.'

'Ga naar huis, Liam. Op tv kun je het allemaal beter volgen dan hier.'

'Ik zie het al op tv. Er zitten hier wel honderd mensen met laptops. En nog eens honderd met videocamera's.'

'Ik moet ophangen, O'Dell.'

'Als jij niet met me wilt praten, ga ik met hen praten. Bloggers genoeg in de buurt.'

'Als je het maar laat!'

'Waar zit je precies?'

'Waar zit *jíj*?' Decker luisterde en zei toen: 'Ik stuur iemand naar je toe om je te begeleiden.' Hij hing op en zei: 'Liam O'Dell dreigt met de media te gaan praten tenzij we hem hierheen halen. Hij wil alles van dichtbij meemaken.'

Marge zei: 'Ik ga hem wel even halen.'

Decker belde Rina om te zeggen dat hij voorlopig niet thuiskwam. Nadat hij had opgehangen, richtte hij zijn blik op vijf mannen in donkere pakken die uit een zwarte Town Car stapten. 'Daar heb je Special Operations... of de FBI.'

'Dit is geen federale zaak,' zei Oliver.

'Misschien heeft het SMPD om assistentie gevraagd,' zei Decker. 'Misschien heeft de FBI hier in de buurt een kantoor. Misschien woont de gijzelingsonderhandelaar toevallig dichtbij.'

'Er zijn hier veel te veel mensen,' zei Oliver. 'We kunnen net zo goed naar huis gaan, want we mogen toch niks doen. Ik neem aan dat ze de gijzeling in de loop van de nacht wel zullen beëindigen.'

'Ga gerust,' zei Decker. 'Maar ik blijf hier.'

Marge kwam terug met Liam in haar kielzog. Hij droeg een sweatshirt en een spijkerbroek en liep op pantoffels. 'Is Mudd erbij?'

'We weten niks, O'Dell,' zei Decker. 'We zijn toeschouwers, net als jij.'

'Wie zijn die kerels daar?'

'FBI of Special Operations,' zei Decker. 'Ze hebben zich nog niet voorgesteld.'

O'Dell tuitte zijn lippen. 'Moeten we niet met ze gaan praten?'

'Nee, O'Dell, we moeten hier blijven,' zei Decker. 'Als die kerels met ons willen praten, komen ze vanzelf wel.'

'Wat zijn ze aan het doen?'

'Het is maar een gokje, hoor, maar ik denk dat ze uitzoeken hoe ze telefonisch contact met Rudy kunnen krijgen.'

'Hoe lang gaat dat duren?'

Decker sloeg zijn arm om O'Dells schouders. 'Liam, beste jongen, de wielen van de gerechtigheid draaien érg langzaam.'

Een half uur later arriveerde Cindy met een laptop, een grote thermosfles met koffie en een stapel schuimplastic bekertjes. Ze schonk voor iedereen koffie in en logde toen in op een van de plaatselijke netwerken.

De groep ging zitten en kon zichzelf toen op het scherm zien zitten.

Het was nu over twaalven, maar de menigte dunde niet uit. Aangezien er in Los Angeles meestal rond elf uur al niks meer te beleven viel, begreep Decker dat hij die avond voor een hoop extra entertainment had gezorgd.

Na een half uur verwaardigden de mannen in pak zich hen te benaderen. De agent die hen aansprak was rond de veertig. Hij was keurig gekleed, had een stoere kin en een streng gezicht en kauwde verwoed op een stuk kauwgum. 'Wie is Decker?'

'Inspecteur Decker voor u en dat ben ik. Wie bent u?'

'Special agent Jim Cressly van de FBI. Wat weet u over deze situatie?'

Decker vertelde hem het hele verhaal. 'U hebt dus al eerder met Rudolph Banks te maken gehad?'

'Ik heb u net verteld dat ik hem één keer aan de telefoon heb gehad.'

'Hij wil u spreken,' zei Cressly.

'Wie? Rudy?'

'Rudy, ja. Kom maar mee.' Toen de hele groep rechercheurs naar voren kwam, hief Cressly zijn hand op. 'Nee. Alleen Decker.'

Decker trok een gezicht en zei à la Arnold Schwarzenegger: *'I'll be back.'* Cressly ging Decker voor naar een busje van de politie dat was uitgerust met telefoonlijnen en stelde hem voor aan Jack Ellenshaw, de gijzelingsonderhandelaar van de FBI. Ellenshaw was rond de veertig, had een lang gezicht en een prominente kin. Hij was net zo keurig gekleed en net zo kortgeknipt als Cressly. Voorschriften van de FBI. Promotie kon daar afketsen op de lengte van je haar.

Ellenshaw gaf hem een korte uiteenzetting over de elektronische apparatuur en vroeg toen: 'Hebt u zoiets al eens eerder gedaan?'

'Ja.'

'Een keer? Twee keer?'

'Twee keer.'

'Met succes?'

'De gijzelaars zijn in beide gevallen ongedeerd gebleven,' zei Decker. 'In het ene geval is de gijzelnemer omgekomen, in het andere geval is hij in leven gebleven.'

'Oké, maar u laat alles aan mij over. Ik zal steeds opschrijven wat u moet zeggen. Als u zich daaraan houdt, kan er niks fout gaan.'

Decker gaf daar geen antwoord op. Hij was allerminst van plan zich aan een script te houden. Hij was iemand die zich aan de omstandigheden aanpaste. 'Weet u hoeveel mensen hij in gijzeling houdt?'

'Drie vrouwen en Cecil Dobbins.'

'De receptionist?'

'Ja.'

'Ik heb gehoord dat hij gewond is.'

'Een kogel in zijn arm. Daarom moeten we ook een beetje voortmaken.'

'Wie zijn de vrouwen? Hoe heten ze en hoe oud zijn ze?'

'Amber Mitchell, zesentwintig, Lita Bloch, achttien, Pamela Nelson, eenentwintig.'

'Is bekend of ze aan ziekten lijden?'

'Dat zijn we nog aan het uitzoeken.'

'Weet u zeker dat er behalve die vijf niemand aanwezig is?'

'We weten niets zeker.'

'Wiens nummer belt u om Rudy te spreken te krijgen?'

'Dat van Pamela Nelson. En we moeten nu echt beginnen.'

'Ga uw gang.' Decker was verrassend kalm toen de man het nummer intoetste, maar toen hij de stem hoorde, begon zijn hart als een razende te bonken.

41

'Wat moeten jullie nou weer?'

Als Decker het timbre niet had herkend, had hij de animositeit wel herkend. 'Je spreekt met inspecteur Peter Decker. Je hebt om me gevraagd.' Stilte. 'Hoe gaat het?'

'Hoe denk je? Opeens staat verdomme het hele leger van de Verenigde Staten voor de deur. Wat is er aan de hand?'

De onderhandelaar schreef verwoed iets op en wees naar zijn blocnote. Decker negeerde hem. 'Dat weet ik ook niet precies. Ik ben er net.'

'Wat heb ik gedaan?'

'Wie zegt dat je iets gedaan hebt?'

Een korte stilte. Toen: 'Waarom laat dat teringwijf mijn foto dan op tv zien en zeggen ze dat ik iemand vermoord heb?'

'Dat zou ik niet weten,' antwoordde Decker. 'Ik wil juist van jou horen wat er is gebeurd.'

'Vraag maar aan je achterlijke collega's. Of vertellen jullie elkaar nooit wat?'

'Jawel, maar we tasten allemaal in het duister. Jij bent de enige die het weet.'

'Zo is het! Waarom wilde je toen met me praten, Decker?'

'Ik werkte aan een cold case. We hadden wat vragen voor de mensen met wie de politie indertijd heeft gepraat. Dat heb ik je toen ook verteld.'

'Kut, man, denk je dat ik dat allemaal kan onthouden? Welke zaak was dat?'

'De moord op doctor Bennett Little.'

'Niemand heeft me daarover iets gevraagd. Ik kan me die zaak amper herinneren en dat heb ik je ook gezegd.'

Decker zei: 'Nou, we kwamen je naam in ieder geval tegen. Maar we zijn geen steek verder gekomen en nu staat die zaak weer in de ijskast.

Wat is er daarbinnen aan de hand, Rudy?'

'Niks. Behalve dat je tegenwoordig niet eens meer rustig kunt neuken. Hoe heb je me gevonden?'

'Gevonden?' Decker was met opzet even stil. 'Ik wist niet eens dat er naar je gezocht werd.' Nog een stilte. 'Wat is er aan de hand, Rudy? Ze hebben me uit mijn bed gebeld. Ze zeiden dat ik onmiddellijk hierheen moest komen, maar nu krijg ik allemaal tegenstrijdige informatie. Ik wil het dus graag van jou horen.'

'Schei uit met dat zogenaamde oprechte gelul. Ik weet best wat jullie willen. Dat ik naar buiten kom, zodat je me overhoop kunt schieten.'

'Als je dat denkt, moet je binnen blijven.'

De onderhandelaar zat wild te gebaren. Decker keek naar de blocnote en negeerde de instructies. 'Nogmaals, Rudy, jij hebt om mij gevraagd.' Hij wachtte even. 'Vertel me wat je wilt. Misschien kan ik je helpen.'

'Zeg maar tegen die kutcollega's van je dat als dit mijn einde wordt, ik er een heel mooi einde van zal maken. Jullie weten helemaal niet wie je tegenover je hebt, stomme klootzakken!'

Decker begon te improviseren. 'Natuurlijk wel, Rudy. Iedereen weet wie je bent. De Doodoo Sluts hebben niet voor niks een gouden plaat gekregen. We weten heel goed wie je bent.'

'Wie zit hier achter?'

'Waar achter?'

'Van wie moest je me opsporen?'

'Rudy, ik wilde je alleen maar iets vragen over Bennett Little. Maar zoals gezegd staat die zaak al lang weer in de ijskast.'

'Je hebt zeker met die trut gepraat. Dat kutwijf denk dat ik iets te maken had met de moord op haar vriendje. Ik was er niet eens in de buurt. Ik was op een feestje.'

'Over wie heb je het?'

'Doe me een lol, zeg. Ik hou niet van spelletjes. Als je op die toer gaat, schiet ik die kuthoeren hier overhoop.'

Decker besloot een risico te nemen. 'Ik weet echt niet over wie je het hebt. Bedoel je soms Melinda Little?'

'Melinda Little?' Een stilte. 'Wat heeft die ermee te maken?'

'Ik zei toch dat ik aan de moord op Bennett Little werkte? Zij is de enige vrouw die ik ken met betrekking tot die zaak.'

'Niet Melinda Little. Marilyn Eustis.'

'Wie is dat?'
'Niet lullen.'
'Ik weet het echt niet.'
'De vriendin van Primo Ekerling.'
'Ik behandel de moord op Ekerling niet, Rudy.' Decker hoopte dat zijn leugen geloofwaardig overkwam. 'Daar gaat het politiebureau van Hollywood over. Ik weet alleen wat ik erover in de krant heb gelezen. Ik weet dat jullie zakenpartners waren. Ik weet dat jullie samen in een band hebben gespeeld. Ik wist niet dat er iemand van bureau Hollywood met je wilde praten.'
Daarop volgde een lange stilte.
'Wat is er gebeurd, Rudy?'
'Wat is er gebeurd? Die achterlijke dikzak kwam opeens met een pistool op me af. Nu word ik belegerd door een zooitje nazi's, terwijl ik me alleen maar tegen die schoft heb verdedigd!'
'Rudy, ik heb gehoord dat die man gewond is. Is dat waar?'
'Ik probeerde me alleen maar te verdedigen.'
'Dat weet ik en ik geloof je ook, maar als hij gewond is, moet je hem laten gaan, dan kan er een dokter naar de wond kijken.'
'Een dokter. Ja, vast! Die kutpolitie wil natuurlijk het hotel bestormen.'
'Oké, ik heb een voorstel. Als ik nou in de voortuin ga staan met mijn handen omhoog. Dan kun me in het vizier houden terwijl je de dikzak laat gaan. Als je denkt dat ik je belazer, kun je me voor mijn kop schieten.'
'Ik weet niet eens hoe je eruitziet, hufter.'
'Nee, maar ik zal als enige in de tuin staan met een helm op mijn hoofd en mijn handen in de lucht.'
'Hoe moet ik je voor je kop schieten als je een helm opzet?'
'Richt dan maar op mijn borst.'
'Je trekt natuurlijk een kogelvrij vest aan.'
'Ja, natuurlijk. Waar het om gaat is dat jij gewapend bent en ik niet. Jij hebt het voor het zeggen en ik wil niet dood.'
'En terwijl ik jou in het vizier hou, en met mezelf overleg of ik je moet neerschieten of niet, richt een scherpschutter zijn geweer op mij.'
'Rudy, we weten niet eens in welke kamer je zit.'
'En ik weet niet waar jij zit. Ik zie buiten niemand met een telefoon.'
'Ik zit in een busje van de politie. Maar ik heb mijn eigen mobieltje bij

me. Ik kan naar het midden van de voortuin lopen, met mijn helm op en mijn vest aan, en je dan via mijn mobiel bellen.'

'Ik bel jou wel.' Hij verbrak de verbinding.

Het kogelvrije vest en de helm lagen al klaar. Het vest paste, de helm was wat krap, maar hij kreeg hem toch over zijn hoofd.

Cressly zei: 'Laat je niet doodschieten.'

'Ik zal mijn best doen.'

'Rondom het hotel zitten agenten van het SMPD en het LAPD, en onze eigen scherpschutters.'

'Fijn.'

'Succes.'

'Bedankt.' Decker vroeg zich af of er op hem geschoten zou worden en moest meteen denken aan de weinige keren dat dat was gebeurd. Banks was een psychopaat, maar in de rangorde van psychopaten bleef hij ver onder Hersh Schwartz en zat hij niet eens in dezelfde categorie als Chris Donatti. Hij stapte uit het busje en liep naar het midden van de voortuin. Hij werd meteen verblind door de flitslichten die als lichtspoorkogels van alle kanten op hem af kwamen. Toen zijn mobieltje ging, schrok hij onwillekeurig. Met trillende handen nam hij op. 'Ik neem aan dat je me ziet?'

'Ja. Je ziet eruit alsof je zo naar Irak kan.'

'Ik ben gewoon voorzichtig.'

'Je bent stapelgek. Of ik ben dat.'

'We zijn geen van beiden stapelgek, maar als je de dikzak nu naar buiten kunt sturen, zou dat prettig zijn.'

'Je houdt je handen niet omhoog.'

Decker klemde de telefoon tussen zijn wang en zijn schouder. Toen hief hij beide handen op. 'Oké?'

Rudy gaf geen antwoord.

'Hallo?'

'Ja, zeikstraal, ik ben er nog.'

In deze trant ging het een paar minuten door. Deckers armen begonnen pijn te doen. 'Ik moet mijn armen laten zakken, Rudy. Ik zal het heel langzaam doen. Haal alsjeblieft geen rare dingen uit.' Stukje bij beetje liet hij zijn armen helemaal zakken. Zijn vermoeide voeten waren ijskoud, maar hij hield vol. 'Oké? Je ziet dat ik je nog steeds niks kan doen. Blijf met me praten. Laat je de dikzak gaan?'

'Ik denk erover na.'

Ze bleven een vol uur praten. Deckers geduld werd beloond toen Cecil Dobbins hijgend en puffend naar buiten kwam, zijn gewonde arm ondersteunend met zijn gezonde hand. Het ambulancepersoneel ving hem op en ging meteen aan het werk.

Decker zei: 'Dat was heel verstandig van je, Rudy. Heel verstandig. Als je het niet erg vindt, trek ik me nu terug.'

'Bang dat ik per ongeluk de trekker overhaal?'

'Zoiets.'

'Ik heb jou anders niet nodig. Ik heb hier nog drie wijven om op te oefenen.' Toen Decker achteruit begon te lopen, zei Banks: 'Staan blijven.'

Decker bleef abrupt staan. Zijn voeten voelden aan als blokken ijs. In de Valley was het die dag warm geweest, maar aan het strand was het 's zomers altijd vijf tot tien graden koeler. Hij had een brandend gevoel in zijn schouders vanwege het gewicht van het kogelvrije vest, de spanning in zijn spieren en de vochtige lucht die vanuit de zee werd aangevoerd.

Rudy zei: 'Ik wil je blijven zien.'

Decker zei: 'Goed. Dan blijf ik staan. Ik moet alleen mijn voeten verzetten, want ik ben mijn evenwicht een beetje kwijt.'

'Doe het wel langzaam. Eén verkeerde beweging en je bent er geweest.'

'Duidelijk.' Decker verzette zijn voeten tot al het gewicht dat hij droeg weer evenredig verdeeld was. 'Dank je.'

'Geen dank.'

Decker kon nauwelijks geloven dat de schoft een beleefd antwoord had gegeven. Begon er iets te klikken tussen hen? 'Oké, wat is er nou eigenlijk aan de hand?'

'Mag jij zeggen.'

'Ik wou dat ik het wist. Je hebt om mij gevraagd, dus ben ik gekomen. Je wilt dat ik midden op het grasveld blijf staan, dus doe ik dat. Jij hebt het op dit moment voor het zeggen.'

'Zo is het! Je kunt tegen die eikels van Hollywood zeggen dat ik niks te maken heb met de moord op die hufter. Ik ben blij dat hij dood is, maar ik heb het niet gedaan.'

'Ik wil niet dom overkomen, maar heb je het over Primo Ekerling?'

'Ja, zeikstraal. Ze hebben de daders al gepakt. Eerlijk gezegd vind ik dat ze een medaille verdienen. Hij was een klootzak, een zuiplap en nog een waardeloze bassist ook. Ze hadden trouwens geen van allen talent. Zonder mij waren ze nergens.'

'Rudy, iedereen weet dat de band zonder jou nergens was.' Twintig minuten lang prees Decker de band en gaf Banks hem al vloekend gelijk. Toen ging Decker een stapje verder. 'Ik weet dat je een slimme jongen bent, Rudy. Je hebt de dikzak laten gaan. Dat was verstandig van je. Wees nou nog een keer zo verstandig door nog iemand te laten gaan. Waarom zou je drie wijven vasthouden als het veel eenvoudiger zou zijn als je er maar eentje in de gaten hoeft te houden?'

'Omdat ik dan reserve heb, als er eentje mocht ontsnappen.'

'Goed, laat er dan één gaan.'

'Welke?'

'Dat mag je zelf weten.'

Er klonk opeens lawaai op de achtergrond, vrouwen die gilden. Deckers hart sloeg over en hij had al zijn zelfbeheersing nodig om niet naar binnen te stormen. Zolang er geen schoten gelost werden, dwong hij zichzelf te blijven staan. Vijf minuten later kwam een naakte jonge vrouw het gebouw uit rennen met een blouse tegen haar borst gedrukt om haar borsten te bedekken. Ze werd meteen door het medische personeel opgevangen.

Nog twee te gaan. Decker zei: 'Heel verstandig van je, Rudy. Als je op deze voet doorgaat, kan ik je zonder kleerscheuren uit deze situatie halen.'

'Als je me maar niet belazert, eikel.'

'Natuurlijk niet.'

'Laat om te beginnen al die juten oprotten. Ik kom pas naar buiten als ze weg zijn. Dan praten we verder. Jij en ik en niemand anders.'

'Ik denk dat ik het wel voor elkaar kan krijgen dat ze zich een eindje terugtrekken.'

'Niet terugtrekken. Ik wil dat ze helemaal oprotten!'

'Dat doen ze nooit. Dan moet je eerst de gijzelaars vrijlaten. Als je dat doet, denk ik dat ik het wel voor elkaar kan krijgen dat ze weggaan.'

'Als ik de wijven laat gaan, stormt de politie meteen binnen. Ik hou het hier voorlopig wel uit, Decker. Ik heb eten, ik heb vrouwen. Verder heb ik niks nodig.'

Hij moest slapen, dacht Decker. In de komende vierentwintig tot zesendertig uur zou op een gegeven moment zijn adrenalinepeil zakken en zou de vermoeidheid hem de baas worden. Hij zei: 'Het heeft geen haast. Zeg maar wat je wilt, dan zal ik zien of ik het voor elkaar kan krijgen.'

'Ik wil dat iedereen daarbuiten oprot!'

'Ik kan de reportagewagens wel weg krijgen. Het ambulancepersoneel moet blijven. En de brandweerauto's ook.'

'Ik ga de boel heus niet in de fik steken.' Decker zei niets. Banks ging door: 'De juten moeten weg.'

'Ik zal zien wat ik kan doen. Ik ga nu achteruit weglopen, Rudy. Als ik niet met die lui ga praten, gebeurt er natuurlijk niks. Misschien gaat er wat tijd in zitten. Als je vragen hebt, kun je me bellen.'

'Oké.' Rudy verbrak de verbinding.

Decker liep achteruit tot hij buiten Rudy's bereik was en holde toen naar het busje. Hij zette de helm af en masseerde zijn pijnlijke slapen. 'Ik heb ijskoude voeten en een barstende koppijn. Kan iemand me dikke sokken, aspirine en koffie brengen. Ik moet zo weer terug.'

Cressly gaf hem een grotere helm en zei tegen zijn mannen: 'Zorg dat de inspecteur krijgt wat hij nodig heeft.'

'Dank u.' Decker zette zijn nieuwe hoofdbescherming op. Veel beter. 'Banks wil de politie weg hebben. Laat iedereen zich een beetje opvallend terugtrekken terwijl ik nadenk over mijn volgende stap. Hebben jullie nog advies voor me?'

Ellenshaw zei: 'Nee. U doet het prima.'

Cressly zei: 'We zullen zo veel mogelijk auto's weghalen, maar we willen u daar niet open en bloot laten staan.'

'Als het er maar geloofwaardig uitziet.' Decker slikte twee aspirientjes en schonk een kop koffie in.

Een paar minuten later had Cressly het SMPD aan de lijn gehad. Hij zei: 'We zullen een deel van de zichtbare auto's weghalen. Maar die man is niet achterlijk. Hij weet heus wel dat we niet echt weggaan.'

'Ja, maar zien is geloven.' Decker had inmiddels twee koppen koffie op met plakken cake. Hij maakte de kinband van zijn helm vast en schikte iets aan het kogelvrije vest. Hij had al een paar dikke badstofsokken en een bomberjack aangetrokken en begon te transpireren. 'Oké, dan ga ik maar weer.'

'Veel succes,' zei Cressly.

'Bedankt.'

Toen Decker terugliep naar de tuin reden de patrouillewagens weg. Na vijf minuten ging zijn telefoon. 'Decker.'

'Denk je daarmee weg te komen? Er staat goddomme nog steeds een heel leger! Even tellen: een, twee, drie, vier, vijf... ik zie hiervandaan al zes auto's. Dan staan er zeker nog twintig verdekt opgesteld.'

'Wat is het kleinste aantal politiewagens dat je kunt tolereren?'

'Nul.'

'Wat denk je van twee?'

'Goed dan. Twee.'

Een half uur later stonden er nog maar twee politiewagens voor The Sand Dune. Decker zei: 'Ik heb een hoop voor je voor elkaar gekregen, Rudy. Als je nou ook iets voor mij doet en nog een meisje vrijlaat?'

Pas na nog een half uur bakkeleien kwam er weer een naakte vrouw uit het sjofele hotel.

Nog één te gaan. 'Verstandig van je, Rudy.'

'Ik lijk wel gek dat ik haar heb laten gaan. Zodra ik de laatste hoer vrijlaat, is het met me gedaan.'

'Rudy, ik weet dat je denkt dat ik maar wat uit mijn nek lul, maar we zijn echt niet van plan om je dood te schieten,' zei Decker. 'Als ik nou eens naar binnen kom? Dan kunnen we met ons drieën het hotel verlaten.'

'Ik ben misschien niet goed wijs, maar ik ben niet achterlijk.'

'Waarom ben je zo bang?' vroeg Decker. 'Ik zal me helemaal uitkleden, als je wilt, zodat je kunt zien dat ik echt geen enkel wapen bij me heb.'

'Hoeveel scherpschutters zitten daarbuiten, Decker?'

'Je kunt me voor je uit laten lopen. Ze schieten mij heus niet neer om jou te grazen te nemen.' Decker hief zijn ogen op naar de hemel. 'Althans, dat hoop ik niet!' Geen antwoord. 'Ik probeer het je zo makkelijk mogelijk te maken. Maar als je wilt, kun je er ook blijven zitten.'

'Dat maak ik zelf wel uit!'

En zo ging het nog een uur door. Het was inmiddels over drieën. Ondanks de sokken had Decker koude voeten, al waren het geen ijsklompjes meer, en deden ze pijn van het lange staan. De rest van zijn lichaam baadde in het zweet. De vermoeidheid begon hem parten te spelen, terwijl hij juist alert moest blijven. Uiteindelijk zei hij: 'Rudy, je mag daar net zolang blijven zitten als je wilt, maar ik heb slaap.'

'Ga dan slapen.'

Decker zei: 'Laat me binnenkomen, en dan gaan we samen naar buiten. Je kunt het meisje voor je houden en mij achter je. Dan ben je van alle kanten gedekt tot we je in veiligheid hebben gebracht.'

'Tot jullie me in de boeien kunnen slaan, zul je bedoelen.'

'Als je alleen maar uit zelfbehoud op de dikzak hebt geschoten, kunnen ze je alleen aanklagen wegens illegaal wapenbezit.'

'Dat lieg je.'

'Ik garandeer het je,' zei Decker.

'Zo veel autoriteit heb je niet!'

'Heb ik er niet voor gezorgd dat de politie zich terugtrok?'

'Ik ben niet achterlijk. Ik weet dat jij daar de autoriteit niet voor hebt!'

Decker herhaalde: 'Als je alleen uit zelfbehoud op de dikzak hebt geschoten, kunnen ze je alleen aanklagen wegens illegaal wapenbezit. Kun je daarmee leven?'

'Ja, natuurlijk kan ik daarmee leven, maar ik weet dat ze me evengoed een poging tot moord zullen aansmeren.'

'Hij heeft een kogel in zijn arm, Rudy. Niet in zijn borst, niet in zijn hoofd, niet in zijn buik. In zijn árm. We weten dus dat je niet van plan was hem dood te schieten.'

Het kostte nog een heleboel tijd om Rudy ervan te overtuigen dat Decker het meende, maar uiteindelijk stemde hij ermee in zich over te geven. Maar ze waren er nog niet, want nu begon Banks eisen te stellen over de manier waarop dat zou gebeuren.

Eerst moest Decker zijn bomberjack uittrekken en zich tot op zijn hemd uitkleden. Toen beval Banks hem zijn schoenen uit te trekken, zijn enkels te laten zien en zijn broekzakken binnenstebuiten te keren. Decker slaagde erin een blik te werpen op de verlichte wijzerplaat van zijn horloge. Het was bijna vijf uur. Over een uur kwam de zon op.

Banks zei: 'Ik ga met de hoer naar de lobby. Ik laat je wel weten wanneer je binnen mag komen.'

'Goed.' Hij bleef aan de lijn en hoorde de vrouw om haar leven smeken. Ze huilde en jammerde aan een stuk door. Decker wou dat ze ermee zou ophouden. Hij was bang dat Banks het ervan op zijn zenuwen zou krijgen. Na een tijdje hoorde hij Rudy tegen hem zeggen: 'Oké, je mag binnenkomen. Maar doe het langzaam.'

Decker liep voetje voor voetje de donkere lobby in. Toen zijn ogen aan de duisternis gewend raakten, zag hij eerst de vrouw, toen het pistool tegen haar hoofd, toen een langere persoon achter haar. Donkere krullen en felle ogen. Een vierkante kin en uitstekende jukbeenderen. Dezelfde Rudy Banks als hij op internet had gezien, maar met de blik van een roofdier.

Rudy sprak op een zachte toon. Hij klonk opmerkelijk kalm. 'Ik heb zitten denken. Als jij achter me zou lopen, zou je me makkelijk kunnen overmeesteren.'

'Dat was ik niet van plan, maar als je er zenuwachtig van wordt, laat het meisje dan gaan, en zet dat pistool tegen míjn hoofd.'

'Met die helm op zeker.'

'Dan niet. De helm hou ik op. Nogmaals, jij bent gewapend, ik niet.'

'Dat klopt, maar je bent een grote kerel. Zodra ik haar laat gaan, doe jij natuurlijk een duik naar mijn pistool.'

'Als ik je had willen aanvallen, had ik tien scherpschutters meegebracht. Ik weet trouwens hoe het aanvoelt om een kogel in je lijf te krijgen. Daar pas ik liever voor.'

'O ja? Ben je al eens neergeschoten?'

'Twee keer.' Decker wachtte zwijgend op Rudy's besluit.

Niemand zei iets terwijl Rudy zijn kansen afwoog. Het leek een eeuwigheid te duren.

'Ik hou die meid bij me. Ze is mijn enige bescherming tegen de scherpschutters.'

Decker probeerde zo rustig mogelijk te blijven. Hij wist niet welke van de meisjes Rudy nog in zijn klauwen had. Niet dat het iets uitmaakte. Het enige wat Decker zag, was doodangst op het gezicht van een kind. 'Zoals je wilt. Als je het mij vraagt, is het voor jezelf beter als je haar laat gaan, want dan heb je minder kans dat er iets misgaat, maar jij bent de baas.'

'Juist!'

Deckers gedachten draaiden nu nog maar om één vraag: hoe hij het pistool bij het hoofd van het meisje weg kon krijgen zonder dat zij of hijzelf zou worden neergeschoten. Het zou ook niet ideaal zijn als Banks een kogel in zijn lijf kreeg, maar daarmee zou Decker best kunnen leven. Hij zag de ogen van het meisje: donker en wijd opengesperd van angst. 'Oké, baas, wat gaan we doen?'

'Ga op je knieën zitten.'

Nee, dat ging dus niet door. Decker zei: 'Ik weet niet of je van plan bent op me te gaan schieten, maar ik blijf staan.'

'Ik ga niet op je schieten, maar ik wil zeker weten dat je niet op me af zult springen als ik haar laat gaan.'

Decker deed vijf stappen achteruit. 'Hiervandaan kan ik niet op je afspringen.'

Uiteindelijk, voor Deckers gevoel na uren, hoewel er amper een paar seconden waren verstreken, liet Banks het huilende meisje los en holde ze de lobby uit. Nu keek Decker in de loop van een halfautomatische 11mm-Glock. 'Oké, baas. Jij en ik.'

'Draai je om.'

Decker zei: 'Jij wilt mij in de gaten kunnen houden, maar ik jou ook. Als je het op je heupen krijgt en gaat schieten, wil ik tijd genoeg hebben om te bukken.'

Stilte.

'Ik ga je niet aanvallen, Rudy.'

Banks arm begon te trillen. Hij ondersteunde hem met zijn vrije hand.

Decker zei: 'Het zal je zijn opgevallen dat het hotel niet wordt bestormd, ook niet nu je het meisje hebt vrijgelaten. Het komt echt neer op jou en mij, Rudy.'

Rudy gaf geen antwoord.

'Ik hoef alleen maar te bellen om te zeggen dat we naar buiten komen,' zei Decker. 'Meer niet. Ik garandeer je dat de politie dit niet wil en niet zal verprutsen. Zodra je jezelf uit deze onaangename situatie bevrijd hebt, kun je je advocaat bellen, die ervoor zal zorgen dat je op borgtocht vrijkomt. Voordat je het weet zit je thuis met een biertje naar football te kijken.'

'Football interesseert me geen reet.'

'Oké, maar je snapt wat ik bedoel. Je bent een man van de wereld, Rudy. Je weet heel goed hoe je de media kunt manipuleren.' Decker probeerde zijn minachting uit zijn stem te houden. 'Laat die eikels zien uit welk hout je bent gesneden.'

Stilte.

Het pistool bleef op zijn hoofd gericht.

Toen fluisterde Rudy: 'Bel maar.'

'Verstandig,' zei Decker. 'Heel verstandig.' Hij deed het onmiddellijk, voordat Banks van gedachten zou veranderen. 'Oké. We kunnen gaan.'

Banks waarschuwde: 'Langzaam lopen!'

Decker had het koud en warm tegelijk. 'Oké.'

'Je bent stapelgek dat je bereid bent als menselijk schild te dienen.'

'Dat zegt mijn vrouw straks vast ook.'

'En ik ben stapelgek dat ik je vertrouw.'

'We zullen elkaar moeten vertrouwen.'

'Krijg jij hiervoor promotie of zo?'

'Misschien een bonus.'

'Als we het overleven.'

'Zo niet, dan krijgt mijn vrouw het geld van mijn levensverzekering.'

'Shit, shit, shit! Hoe ben ik in deze klotesituatie verzeild geraakt?'

'Ik heb geen idee, Rudy. Ik had een telefoontje van Hollywood gekregen dat je met me wilde praten. Meer weet ik er niet van.'

'Zeg maar tegen Hollywood dat ze geschift zijn als ze denken dat ze mij kunnen opzadelen met de moord op Ekerling.'

'Ik zal de boodschap doorgeven.'

Banks slaakte een zucht, van berusting of vermoeidheid. 'Nou, vooruit dan maar. Jij gaat voorop.'

'Je moet wel dat pistool hier laten, Rudy. Als ze een wapen zien, worden ze nerveus.'

Langzaam liet Banks het pistool zakken. Decker hoorde zichzelf uitademen. 'Goed zo. Leg het op de grond. Schop het niet naar me toe. Straks gaat het per ongeluk af. Leg het voorzichtig op de grond.'

Seconden tikten weg tot Banks deed wat hem was opgedragen.

'Steek nu je handen omhoog en doe een paar stappen bij het pistool vandaan.'

'Ik ben echt gek dat ik dit doe.'

'Het is bijna voorbij,' zei Decker sussend. 'Hou je handen in de lucht. Zo dadelijk gaan we samen naar buiten.'

Banks gehoorzaamde.

'Heel goed. Zie je wel dat ik je niet aanval? En hoe langzaam ik alles doe?'

Rudy gaf geen antwoord.

Decker zei: 'Jij gaat voorop, maar ik blijf pal achter je.'

Stapje voor stapje liepen ze The Sand Dune uit en bleven staan op de veranda. Ze stonden zo dicht bij elkaar dat Decker Banks zurige adem kon ruiken en aan zijn hijgende ademhaling kon horen hoe bang hij was. De dageraad stond op het punt aan te breken. Het zwart van de nacht was al veranderd in grijs. Dat ze wat beter konden zien, was een groot voordeel.

Over een paar seconden zou alles voorbij zijn. Nog een paar meter.

Ze hadden nog geen twee stappen gezet toen er een schot klonk. Decker liet zich onmiddellijk vallen met zijn armen over zijn hoofd en nek, trillend als een espenblad. Hij wist niet of de pijn die hij voelde werd veroorzaakt door het vuur van een kogel, of omdat de helm met een klap de koude grond had geraakt.

Agenten stoven op hem af. Hij hoorde zijn eigen stem, die bleef zeggen: 'Ik leef nog, ik leef nog.' Hij duwde de mannen van zich af. 'Donder op! Ik mankeer niks!' Trillend van de angst en de adrenaline wreef hij over zijn armen en wachtte tot zijn ogen weer scherp konden zien. Hij bekeek zijn leven nog met staafjes in plaats van met kegeltjes. Paramedici zaten geknield op het gras, op de plek waar hij zojuist had gestaan en waren met iemand bezig.

'Wat is er gebeurd?' hoorde hij zijn eigen stem vragen.

'Iemand heeft de klootzak neergeschoten,' antwoordde iemand.

'Godverdomme!' Decker draaide zich om en zag dat het Cressly was. 'Ik stond pal naast hem. Ze hadden mij net zo gemakkelijk kunnen raken!'

'Mijn mannen hebben geen schot gelost.'

'Jezus. Wie dan wel?' Nu zag Decker dat er aan de rand van het gazon iets gebeurde. Agenten werkten iemand tegen de grond. Hij holde ernaartoe.

Ryan Goldberg lag op zijn buik op de grond met een agent op zijn rug en een pistool tegen zijn hoofd. Om hem heen stonden twintig agenten die hem in elkaar zouden schoppen als hij zich verroerde. Zijn polsen waren op zijn rug vastgeboden met een plastic strip. Een paar meter bij hem vandaan lag een pistool in het gras.

Decker keek sprakeloos toe.

Op de een of andere manier slaagde Liam O'Dell erin het afgezette terrein op te komen. Hij was helemaal over zijn toeren. Hij wapperde met zijn handen en riep: 'Waarom heb je dat gedaan, Mudd? Waarom heb je dat gedaan?'

Ryan antwoordde: 'Omdat Rudy een slecht mens is.'

De agenten hesen Ryan overeind en duwden O'Dell opzij. Hij struikelde en viel bijna. Toen hij zijn evenwicht had teruggevonden, riep hij: 'Godverdomme, Mudd! Nu kom je in de gevangenis!'

Ryan draaide zich om en glimlachte gelukzalig. 'Irish, ik zit al vijftien jaar in een gevangenis. Waar ik nu naartoe ga, kan het alleen maar beter zijn.'

'Jezus!' Liam wilde achter hem aan gaan, maar de agenten hielden hem tegen en dreigden dat ze hem ook zouden opsluiten als hij niet snel maakte dat hij wegkwam. Hij riep: 'Ik zal zorgen dat je een goede advocaat krijgt, Mudd.'

'Bel mijn broer,' riep Goldberg terug. 'Hij is arts.'

42

Rina praatte een volle week niet met hem en ook daarna hield ze het bij woorden van één lettergreep.

'Het spijt me!' zei Decker voor de zoveelste keer.

'Het is wel goed, Peter.'

'Ik weet dat het dom van me was. Dom, dom, dom... En ik zal het ook nooit meer doen.'

'Ik zei dat het wel goed was. Ik weet dat je alleen maar je werk deed.' Rina trok haar ochtendjas wat strakker om zich heen. 'Ik ben moe. Ik ga naar bed.'

Hij hoorde dat de deur iets harder dichtging dan nodig was. Hij zat in zijn pyjama aan tafel en keek neer op zijn bord. De jus was gestold en de groenten waren verlept. Toen hij opkeek, zag hij dat Hannah meelevend naar hem keek. 'Heb je geen trek?'

'Nee.'

'Ik was je bord wel even af.'

'Nee, dat doe ik zelf wel.' Hij keek op zijn horloge. 'Het is bijna tien uur.'

'Ja, nog vroeg,' zei Hannah. 'Ze komt er wel overheen, hoor.'

'Ja, maar wanneer?' antwoordde Decker.

'Ze heeft wel gelijk. Het was een domme zet, abba.'

'Ook gij, Brutus?'

Hannah liep naar hem toe en sloeg haar armen om zijn hals. Decker wreef haar arm. 'Dank je, Hannah. Ik was hard toe aan een knuffel.' Toen hij zich naar haar omdraaide, zag hij dat er tranen in haar ogen stonden. Hij sloeg zijn armen om zijn dochter heen en trok haar tegen zich aan. In haar flanellen pyjamabroek en wijde sweatshirt zag ze er verloren en kwetsbaar uit. Iedere keer dat hij dacht dat hij zich niet schuldiger kon voelen, werd er nog een schepje bovenop gedaan. 'Het spijt me, lieverd. Het spijt me echt heel erg.'

'Ik was zo bang!'

'Dat weet ik, schat. Het was gevaarlijk en ik had het niet moeten doen.'

'Was jij niet bang?'

'Natuurlijk wel.'

'Waarom heb je het dan gedaan?'

'Dat is moeilijk uit te leggen, Hannah. De omstandigheden dicteerden mijn gedrag. Ik wilde die vrouwen zo graag redden dat ik al het andere vergat.'

Ze zei niets.

'Ik had een kogelvrij vest aan en een helm op.'

'Jouw werk dient niet zo gevaarlijk te zijn dat je die dingen nodig hebt.'

'Meestal is het ook niet zo gevaarlijk.'

'Maar soms wel.' Ze maakte zich van hem los en sloeg haar armen over elkaar. 'Je bent al twee keer neergeschoten. Wat wil je toch bewijzen?'

Decker zuchtte. 'Ik wil niks bewijzen. De zaak liep gewoon een beetje uit de hand.'

'Dat is geen antwoord,' protesteerde ze. 'Nou ja, wel een antwoord, maar een slap antwoord.'

'Je hebt gelijk, maar een ander antwoord heb ik niet.' Hij probeerde het met een glimlach. 'Wees alsjeblieft niet boos op me.'

Haar gezicht verzachtte en de boosheid smolt weg. 'Ik hou van je, abba. Ik weet dat je soms veel met me te stellen hebt.' Haar lip trilde. 'Maar ik ben heel blij dat je mijn abba bent.'

'Dat weet ik, Hannah.' Hij stak zijn handen uit en ze stortte zich weer in zijn armen. 'En ik ben ook blij met jou. Zal ik je komen instoppen?'

'Ik ben nog niet zover. Ik moet mijn computer nog uitzetten, mijn schooltas inpakken, mijn tanden poetsen, mijn haar borstelen en mijn gezicht insmeren met acnezalf.'

'Roep maar als je klaar bent.'

'Het duurt nog wel even, hoor.'

'Geeft niet. Ik ben niet moe.'

In haar rode zijden blouse, witte plooirok en gymschoenen zonder sokken zag Genoa Greeves eruit alsof ze ging tennissen. Ze had sterke, gespierde kuiten. Weer had ze haar laptop bij zich en zat daar druk op te tikken toen Decker haar vertelde hoe alles vermoedelijk was gegaan.

Ryan Goldberg was tot over zijn oren verliefd op Melinda Little geweest. Opgehitst door Rudy Banks had Goldberg besloten zich als een kerel te gedragen en Bennett Little ermee te confronteren. Maar omdat Goldberg toen al nooit helemaal helder was, had hij Rudy om hulp gevraagd. Kon Rudy een ontmoeting regelen en met hem meegaan om ervoor te zorgen dat de situatie niet uit de hand zou lopen?

Decker zei: 'Ryan heeft veel dingen fout gedaan... dat hij verliefd werd op de verkeerde vrouw... vrouwen. Er zijn er nog meer geweest. Maar dit was wel een érg domme zet van hem.'

'In feite zette hij de vos in het hoenderhok,' zei Genoa.

Decker ging door.

Rudy regelde de ontmoeting, maar wist dat Bennett Little er nooit in zou toestemmen met hem, Rudy, te praten. Little vertrouwde hem niet en had een hekel aan hem. Little was nog steeds kwaad op Banks omdat Darnell Arlington vanwege hem van school had gemoeten. Hij was zo kwaad dat hij niet eens bereid was via de telefoon met hem te praten.

'Tot zover wat we van Goldberg te weten zijn gekomen. De rest is speculatie. Ik denk dat Rudy aan het improviseren is geslagen.'

'Ga door.'

'Als ik een scenario moest schrijven, zou het er als volgt uitzien. Rudy Banks heeft Leroy Josephson opgebeld en hem een carrière als rapper beloofd als hij Ben Little zou opwachten en naar een plaats brengen waar Goldberg met hem kon praten. Toen Josephson vroeg hoe hij dat voor elkaar moest krijgen, heeft Banks hem waarschijnlijk een vuurwapen gegeven en gezegd dat hij zijn fantasie moest laten werken.

Little zou er nooit in toestemmen met Banks te praten, maar een leerling die in moeilijkheden verkeerde zou hij niet aan zijn lot overlaten. Nadat hij zijn vrouw had opgebeld om te zeggen dat hij op weg naar huis was, heeft Leroy Josephson hem aangehouden toen hij het parkeerterrein van het gemeentehuis af reed. Little is gestopt om te vragen wat er aan de hand was en uiteindelijk is Leroy in de Mercedes gestapt. Misschien heeft Little hem daartoe uitgenodigd, misschien heeft Leroy het gewoon gedaan. En toen heeft hij Little met het pistool bedreigd.'

'Waarom gaat u daarvan uit?'

'Waarom zou Little anders helemaal de stad uit zijn gereden? Naar de plek waar Ryan Goldberg en Rudy Banks zaten te wachten? Bovendien weten we dat Leroy het pistool op hem gericht hield toen hij en Little uitstapten.'

'Wat vreselijk.'

Onbewust wreef Decker zijn nek. 'Goldberg heeft ons verteld dat hij alleen maar met Little wilde praten, dat hij wilde weten of Ben net zoveel van Melinda hield als hij. Hij zei dat Little geduldig op zijn hartenkreten reageerde. Hij zei ook dat het Little niet verbaasde dat hij een verhouding met Melinda had en dat hij er niet eens boos om was. Uiteindelijk heeft Little tegen Goldberg gezegd dat het van Melinda afhing. Dat hij die beslissing niet voor haar kon nemen.'

Decker ging verzitten.

'Nu komt het deel dat Goldberg zich niet goed herinnert. Rudy praatte tegen hem en Leroy praatte tegen hem en Little praatte tegen hem.'

'Wat zeiden ze dan?' vroeg Genoa.

'Dingen als... Pik je dat van hem? Vooruit, Mudd, laat hem zien wie de baas is.' Een korte stilte. 'Vermoedelijk stuurde Rudy aan op een confrontatie tussen twee mannen die helemaal geen ruzie zochten. Allengs raakten de gemoederen erg verhit. Mudd herinnert zich dat er iemand op hem afkwam en dat hij die persoon toen een vuistslag heeft gegeven. Het volgende wat Mudd zich herinnert is dat Little op de grond lag en dat Rudy bij hem hurkte en zijn vingers in zijn hals legde. En toen zei Banks tegen Mudd dat Little dood was.'

'Door die ene vuistslag?'

'Mudd is een reus van een vent. Maar het kan ook zijn dat Rudy heeft gelogen. Toen heeft Rudy tegen Mudd gezegd dat hij Little in de kofferbak van zijn auto moest leggen. Hij zei dat hij het verder wel zou regelen. Mudd deed wat hem was opgedragen en toen klonken er schoten. Mudd beweert dat hij niet weet wie er heeft geschoten. Dat hij alleen wist dat Little dood was.'

'Hmm... Wel gunstig voor hem dat hij zich zo weinig kan herinneren.'

'Het kan zijn dat Mudd liegt, maar laten we niet vergeten dat hij sowieso niet erg helder was. Hij heeft toegegeven dat hij stoned was. Hij verkeerde toen constant onder de invloed van drugs.'

'Ook dat is voor hem erg gunstig.'

'Dat ben ik met u eens.'

'Ga door.'

'Mudd zei dat hij helemaal over zijn toeren raakte toen de schoten waren gelost. Rudy slaagde erin hem rustig te krijgen en nam hem mee naar zijn auto. Mudd is ingestapt en herinnert zich dat Rudy, voordat ze vertrokken, zijn hand op Leroys schouder legde en een poosje met hem heeft staan praten. Goldberg kon niet horen wat hij zei, maar weet nog wel dat Rudy Leroy geld gaf. Dat klopt met het verhaal van Wenderhole dat Leroy een rol bankbiljetten bij zich had. Ik denk dat Ryan en Rudy naar huis zijn gegaan en dat Leroy in Littles auto naar het Clearwater Park is gereden, waar hij Wenderhole heeft opgebeld om hem te komen halen.'

'En Goldberg heeft het incident van zich afgezet zonder er iets mee te doen?'

'Dat blijkt. Mudd moet de berichten erover in de krant hebben gelezen. Hij zal bang zijn geweest. Maar hij zweert dat hij er na die avond nooit meer over heeft gesproken... dat hij alleen tegen Melinda heeft gezegd dat hij haar man niet had vermoord.'

'Maar daar bent u allesbehalve zeker van.'

'Nee, daar ben ik niet zeker van. Ik weet alleen dat Mudd vijftien jaar lang met schuldgevoelens heeft geworsteld.'

Genoa zei: 'Maar als Mudd vijftien jaar met die schuldgevoelens kon leven, waarom is er nu dan opeens iets in hem geknapt?'

'Ook dat weet niemand precies,' antwoordde Decker. 'Ik zal u vertellen wat mijn theorie is. De enige keer dat ik bij Mudd ben geweest, zei hij dat hij zijn oude vriend Liam O'Dell had opgebeld om hem te vragen naar de reden van mijn komst. Liam is zo dom geweest hem te vertellen dat ik op zoek was naar Rudy, waarschijnlijk in verband met de moord op Ekerling. Ik denk dat mijn onderzoek iets in hem heeft losgemaakt. Hij heeft tegen zijn psycholoog gezegd dat hij Rudy wilde gaan zoeken en dat hij iets moest gaan doen wat hij al lang had moeten doen.'

'Hoe heeft hij Rudy gevonden?'

'Niet omdat hij zo'n goede detective is. De gijzeling was op tv. Op de een of andere manier is Mudd erin geslaagd zich stiekem op te stellen op een plek waar hij vrij zicht had op de voortuin van The Sand Dune. Hij heeft gewacht tot Rudy naar buiten kwam en we weten allemaal hoe dat is afgelopen. Ik dank God iedere dag dat Goldberg zo zuiver heeft geschoten.'

'Hoe is hij daar eigenlijk in geslaagd? Was het niet pikkedonker?'

'Nee, het begon net licht te worden. De zon was nog niet op, maar de nacht was voorbij.'

Genoa zei: 'Ik begrijp het niet. Als Rudy betrokken was bij de moord op Primo Ekerling, en dat is volgens u zo...'

'Ja.'

'Waarom heeft hij zich dan op precies dezelfde manier van Ekerlings lijk ontdaan als indertijd van Littles lijk? Besefte hij niet dat iemand een verband tussen de moorden zou kunnen leggen?'

'Het waren twee afzonderlijke moorden, in twee verschillende districten van Los Angeles, en er zat vijftien jaar tussen. De rechercheurs die de moord op Little hadden behandeld, waren met pensioen. Banks dacht waarschijnlijk dat het niemand zou opvallen.'

'Maar het was mij opgevallen.'

Decker glimlachte vluchtig. 'Ja. En misschien dacht Banks dat zelfs als de overeenkomsten de politie zouden opvallen, ze Ryan Goldberg de schuld zouden geven, omdat hij degene was die niet goed bij zijn hoofd was.'

'Maar Ryan had niets tegen Primo Ekerling. Primo was zijn vriend.'

'Daar hebt u gelijk in. Ik heb ook geen goed antwoord op die vraag. Ik weet niet wat er door Rudy's hoofd is gegaan.'

'Oké.' Ze tikte weer iets in op haar laptop. 'Dat antwoord is niet helemaal bevredigend, maar we zullen het ermee moeten doen.' Ze bleef typen. 'Hiermee zijn we klaar. Maar hoe zit het met Cal Vitton? Waarom heeft hij zelfmoord gepleegd? Of is hij vermoord?'

'Dat zullen we nooit zeker weten. Ik denk dat hij zelfmoord heeft gepleegd.'

'Waarom denkt u dat?'

'Ik zal proberen het uit te leggen. Phil Shriner had Rudy's naam doorgespeeld aan Cal Vitton als verdachte in de moord op Little. Shriner wist dat Melinda een verhouding met Rudy had gehad, dus leek het hem heel goed mogelijk dat Rudy Ben Little had vermoord. Vitton heeft dat echter niet onderzocht. Misschien was hij vergeten dat hij die tip had gekregen, of misschien wílde hij dat vergeten. Ik denk dat Vitton Rudy niet tegen zich in het harnas wilde jagen, omdat Banks wist dat Vittons jongste zoon homoseksueel was.'

'Ik dacht dat u had gezegd dat iedereen wist dat Vittons zoon homoseksueel was.'

'Maar Cal Junior was daar toen nog niet openlijk voor uitgekomen. Big Cal schaamde zich ervoor en wilde niet dat het bekend werd. Big Cal was een ouderwetse man voor wie homoseksualiteit een schandvlek was.'

'Schaamde hij zich er zo voor dat hij bereid was een moordenaar op vrije voeten te laten?'

'Misschien wel. Vitton wist trouwens niet zeker of Rudy iets te maken had met de moord op Little. Ik denk dat hij het doodgewoon niet uit heeft gezocht. Het enige wat ik zeker weet is dat Big Cal zich zo geneerde voor het feit dat zijn zoon homoseksueel was, dat hij niets heeft gedaan toen Rudy en andere jongens zijn zoon op school pestten.'

'Wat erg.'

'Ja.'

'Maar waarom kreeg Vitton dan opeens wroeging?'

'Misschien wist Vitton dat mijn onderzoek alles aan het licht zou brengen. Misschien wilde hij er niet bij zijn als zijn reputatie door het slijk werd gehaald. Of misschien was hij alleen maar gedeprimeerd. Maar het kan net zo goed zijn dat Rudy hem die pillen heeft gevoerd, het pistool tegen zijn hoofd heeft gezet en Cal heeft gedwongen de trekker over te halen.'

'Heeft Cal dat dan zelf gedaan?'

'Ja, dat weten we in ieder geval zeker. De vraag blijft waaróm.'

Er waren nog meer vragen waarop ze nooit een antwoord zouden krijgen nu Rudy Banks dood was. Zoals van wie het bloed was achter de plint van zijn flat. Maar je kon niet alles hebben.

'Ik weet nog steeds niet zeker wie Little heeft vermoord, maar we weten wel dat het een van de drie mensen geweest moet zijn die we zojuist hebben besproken. Twee van hen zijn dood en de derde zit in de gevangenis.'

'Dan zou je kunnen zeggen dat ik heb gekregen waar ik op uit was.' Genoa stond op. 'De moord is niet voor honderd procent opgelost, maar ik ben hier tevreden mee. En ik zal mijn belofte waarmaken, tot groot genoegen van de hoofdinspecteur.'

'Tot groot genoegen van het hele politiekorps.'

'Ik hoor dat de hoofdinspecteur vanavond ter ere van mij een dinertje geeft. De commissaris en de hoofdcommissaris komen ook. En u ook, neem ik aan?'

Decker glimlachte strak. 'Nee, ik had al een andere afspraak staan.'

'En die kunt u niet verzetten?'

'Alleen als ik een echtscheiding wil.'

Decker droeg een kostuum met een stropdas. Rina een zwarte japon, zwarte pumps en parels. Toen ze al bij de jongen van de parkeerservice waren, zei Rina opeens: 'Ik ben hier niet voor in de stemming.'

Decker gaf geen antwoord.

'Niet dat ik niet met jou uit wil, maar ik heb geen zin in al die tierelantijnen... noch in de hoge rekening die er natuurlijk op volgt. Ik heb eten meegebracht. Laten we naar het strand rijden en in de auto eten.'

Als Decker de zee nooit meer hoefde te zien, zou hij een gelukkig mens zijn. 'Goed. Waar?'

'Sunset Beach?'

Zolang het niet Santa Monica was, vond hij het goed. Het kostte hen een half uur om ernaartoe te rijden en een geschikt plekje te zoeken op een parkeerplaats aan de rand van de Pacific Coast Highway. Decker bracht de Porsche tot stilstand, deed de koplampen uit en zette de motor af. Ze keken door de voorruit... staarden met hun tweeën naar een grote leegte. Geen maanlicht, alleen maar lage wolken en de golven die over het strand rolden.

'De picknickmand staat achterin.'

'Ik pak hem wel.' Even later was Decker terug met de mand. Dat Rina nog steeds boos op hem was, was niet te merken aan haar kookkunst. Er waren baguettes met gerookte kipfilet, volkorenbrood met pekelvlees, eikenbladsla met macadamianoten, chips, in chocola gedoopte aardbeien en champagne.

'Dit ben ik niet waard,' zei Decker.

'Klopt.' Stilte. 'Dat was gemeen van me. Sorry.'

'Als we nu allebei even gewoon zeggen wat we op ons hart hebben, dan zijn we ervan af en kunnen we de draad van ons leven weer oppikken.'

'Ik heb niks op mijn hart.' Stilte. 'Ik snap alleen niet waarom je zo weinig achting hebt voor jezelf en voor de mensen die van je houden.'

Decker gaf geen antwoord.

'Nou?' vroeg ze.

'Ieder antwoord dat ik zou geven, zou het alleen maar erger maken, dus beroep ik me liever op mijn recht te zwijgen.'

'Ik dacht dat we moesten zeggen wat we op ons hart hadden.' Toen Decker bleef zwijgen, zei Rina: 'Wil je kip of pekelvlees?'

'Ik wil dat alles weer goed wordt tussen ons.'

'Maak ik ruzie?'

‘Je weet best wat ik bedoel.’

‘Ik kook voor je, zorg voor je dochter, ga met je naar bed…’

‘Dat is voor ons allebei.’

‘Ik geef je alles wat je nodig hebt.’

‘Ik lijk wel een huisdier.’

‘Ik ga niet naar bed met een huisdier,’ zei ze beledigd. ‘Tussen haakjes, bedankt voor de bloemen. Alweer. En breng er alsjeblieft niet nog meer mee. Het huis ziet er zo langzamerhand uit als een rouwkamer.’

‘En dat is het niet?’ Deckers voorzichtige grapje werd beantwoord met stilte. ‘Geef maar een broodje pekelvlees.’ Rina gaf hem een broodje. Hij zei: ‘Het is eigenlijk zonde om zoiets lekkers te eten als je boos bent. Wat wil je van me, Rina?’

‘Dat je me belooft dat je nooit meer zoiets ongelooflijk stoms zult doen.’

‘Goed. Dat beloof ik.’

‘Ik geloof je niet.’

‘Verstandig van je.’

Rina gaf hem een mep. ‘Doet het je niks dat ik door jou bijna twee keer weduwe ben geworden?’

‘Je kunt door mij maar één keer weduwe worden. Ik weet dat je boos bent, maar de eerste keer kun je mij echt niet in mijn schoenen schuiven.’

‘Dat is niet grappig.’

Decker legde het broodje neer. ‘Zo’n gevaarlijke situatie zal zich waarschijnlijk nooit meer voordoen, dus geldt de belofte die ik je net heb gedaan voor de rest van mijn leven. Ik weet dat het dom was, maar niemand is volmaakt. Ik hou van je. Kunnen we dit nu verder vergeten, alsjeblieft?’

Rina zweeg. Ze pakte een broodje kip, prevelde een gebed, nam een hap. Ze aten in stilte; een half uur van kauwen en slikken en af en toe een stug woord. Toen Decker vroeg of hij de champagne kon openmaken. Rina knikte.

Ze klonken op elkaars gezondheid.

Daarna was het weer stil.

Uiteindelijk zei Decker: ‘In een zwakke en weinig subtiele poging om iets goed te maken, heb ik onze accommodatie op het schip laten upgraden. We hebben nu een hut met een balkon en aangrenzend een hut voor Hannah.’

'En voor een hut met een balkon moest je je bijna laten doodschieten?'

'Je mag ook wel gewoon zeggen: "Dank je, lieverd. Dat is geweldig."'

'Dank je, lieverd. Dat is geweldig.' Rina zweeg weer. Maar toen glimlachte ze. 'Ik kijk er erg naar uit... naar de cruise.'

Decker glimlachte terug. 'Ik ook.'

'Acht dagen zonder verantwoordelijkheden in een smetteloze omgeving.'

'Mooier kan niet.'

'En je weet zeker dat je die week vrij kunt krijgen?'

Decker lachte. 'Na wat ik heb moeten doorstaan is dat echt geen probleem.'

'Zullen we naar de walvissen gaan kijken?'

'Dat lijkt me leuk.'

'En kanoën en kajakken.'

'Ik peddel wel, dan kun jij foto's nemen.'

'Kom je me ontbijt op bed brengen?'

'Uiteraard.'

'Trek je dan een zwart uniform aan en noem je me mevrouw?'

'Mag ik de aardbeien?'

'Ik denk dat je er heel knap zou uitzien in een butleruniform.'

'Ik zal voor butler spelen als jij voor kamermeisje speelt.'

'Ik ben elke dag al het kamermeisje.'

'Ja, maar ik bedoel zo eentje in een sexy zwart rokje met een wit schortje en een plumeau.'

Rina gaf hem weer een mep.

'Nou zeg! Ik mag er toch wel over dromen?'

'Niet als je het meisje van je dromen al hebt gekregen.'

'Daar kan ik niets tegen inbrengen.' Decker zakte onderuit. 'Dit was een heel goed idee. Veel beter dan een dom restaurant. Zoals gewoonlijk had je gelijk.' Hij boog zich opzij en kuste zijn vrouw. 'Ik hou van je. Dank je wel dat je zo'n fantastische vrouw bent.'

'Ik hou ook van jou.' Rina's ogen werden vochtig. 'Dank je wel dat je zo'n fantastische echtgenoot bent... en dat je nog leeft.'